365 Histoires

Pour les tout-petits

Sommaire

365 Histoires

Pour les tout-petits

Janvier

Un roi incrédule

Il était une fois un magnifique royaume dont le roi possédait de multiples richesses. Ce roi voulait marier sa fille. Mais, attention, pas à n'importe qui : comme il croyait tout connaître et que plus rien ne l'étonnait, il avait décidé que le premier qui arriverait à le surprendre obtiendrait la main de sa fille. Celle-ci était désespérée : en effet, elle aimait en secret un jeune berger qui l'aimait aussi. Or, le roi ne voulait pas entendre parler de cette union.

« Il est bien trop pauvre, ma fille, disait-il. Tu épouseras un noble. Tu es un trésor et je ne te donnerai pas au premier venu. »

Le roi fit alors passer une annonce où il proposait la main de sa fille à qui saurait lui raconter quelque chose d'incroyable. Attirés par la beauté de la princesse, les seigneurs vinrent des quatre coins du royaume pour tenter leur chance. Ces nobles racontèrent au roi les histoires les plus abracadabrantes que l'on puisse imaginer. Certains avaient vaincu des dragons, d'autres avaient fait deux fois le tour du monde, d'autres encore avaient rencontré le diable en personne. Mais, à chaque récit, le roi répondait : « Eh bien, ce n'est pas si étonnant que cela... »

Un jour, pourtant, vint un jeune berger. Le roi le reçut. « Ne me dis pas que tu oses demander la main de ma fille ! dit le roi.

– Certainement pas, dit le berger, je trouve votre fille laide et stupide.

– Comment ! s'écria le roi, mais c'est impossible. Je ne peux pas y croire !

– Eh bien, si vous trouvez cela incroyable, alors laissez-moi l'épouser ! » s'exclama le jeune berger avec un sourire malicieux.

Le roi fut alors obligé d'avouer qu'il s'était laissé prendre. Fidèle à sa parole, il accorda au berger la main de la princesse. On célébra bientôt le mariage. Ce fut une immense fête. Le berger et la princesse vécurent longtemps heureux, et jamais le roi ne regretta cette magnifique union. •

Julie et le petit nuage bleu

C'est un petit, tout petit nuage. Il se promène, là-haut, dans le ciel, et personne ne le remarque. Il est né ce matin après la pluie, quand le Soleil a commencé à réchauffer la mer. Un petit nuage neuf, tout seul dans le grand ciel. Il n'est pas très rassuré, d'ailleurs. À l'horizon, pas un seul autre nuage, ni petit ni grand. Du bleu, rien que du bleu, et lui, presque invisible. Mais Julie, elle, l'a vu. Elle est couchée sur le sable, à côté de sa maman qui lit des magazines.

« M'man, t'as vu le petit nuage, là, juste au-dessus de nous ?

– Mmmm.

– Il est drôle, reprend Julie.

– Mmmm.

– M'man...

– Écoute mon poussin, laisse-moi lire, d'accord ?

8

•••

– Mais il est bizarre ; il est tout bleu, bleu foncé, et maintenant le bord est doré.
– C'est bien, c'est bien », dit sa maman sans même lever la tête.
Alors, comme on ne peut pas rester comme ça, sans explication sur des choses si étonnantes, Julie se met à crier en direction du nuage :
« Alors, nuage bleu, où vas-tu ? »
Et une voix toute douce comme du coton murmure à son oreille :
« Tu n'as pas besoin de hurler, j'entends tout d'ici. Où je vais ?

Je ne sais pas. Où le vent me pousse. Mais je suis triste, parce que je suis tout seul. Oh ! Comme je suis triste ! »
Et le nuage se met à pleurer. La maman de Julie se lève précipitamment en refermant son journal.
« Vite, rentrons à la maison, il commence à pleuvoir. »
Comment expliquer aux grandes personnes que les nuages, eux aussi, peuvent avoir du chagrin quand ils sont tout seuls ? •

Sauvez les lutins !

Une légende dit que si, par malheur, un être humain aperçoit un lutin, celui-ci disparaît aussitôt. Mais ce que la légende ne dit pas, c'est que les lutins disparaissent aussi si l'on ne croit plus en eux. Or, il y avait un village où les enfants, à force de ne jamais voir de lutins, avaient fini par ne plus croire du tout en leur existence. Et c'était un sujet de grande inquiétude parmi les lutins. « Qu'allons-nous devenir ? C'est l'hiver et nos pouvoirs s'amenuisent ! disaient-ils. Nous allons tous disparaître ! Il faut faire quelque chose, et vite, sinon nous ne verrons pas le prochain printemps ! »
Alors l'un d'entre eux, Sylvain, le plus petit mais aussi le plus malin, eut soudain une idée et prit la parole :
« Laissez-moi faire, dit-il. J'ai peut-être la solution. »
Et il courut s'enfermer chez lui. À la nuit tombée, Sylvain se rendit dans l'école du village. Sans bruit, il s'introduisit tout doucement dans la salle de classe. Là, il déposa sur chaque table un petit papier, un tout petit papier de lutin. Et, sur ce petit papier, il y avait écrit :
« Il faut croire aux lutins, les lutins existent ! »

Le lendemain matin, en arrivant dans sa classe, le maître fut bien surpris de voir tous ses élèves en train de parler entre eux. Ils avaient chacun un petit papier à la main.
« Que se passe-t-il ? demanda le maître. Qu'est-ce que c'est que ce papier ? »
Un des enfants lui tendit le petit mot. Le maître le lut, sourit et dit à ses élèves :
« C'est une farce. Les lutins n'existent pas. Ce sont des sornettes. C'est comme si tout à coup l'arbre de la cour se couvrait de fleurs alors que nous sommes en plein hiver. »
Sylvain, qui était resté caché dans un coin de la pièce, lança un sort, et aussitôt l'arbre se couvrit de fleurs multicolores, devant les yeux ébahis du maître et des élèves. Sans le vouloir, le maître avait prouvé l'existence des lutins ! Sylvain courut raconter à ses amis lutins ce qui s'était passé.
« Quelle bonne nouvelle ! s'exclamèrent-ils. Si les enfants croient en nous, jamais plus nous ne disparaîtrons ! »
Tout le monde était si joyeux qu'on organisa une grande fête en l'honneur de Sylvain qui était devenu un héros. •

JANVIER
JANVIER
3

9

Les sept petits monstres

Un petit monstre vert
Un petit monstre poilu
Un petit monstre à trois pattes
Un petit monstre tout rouge
Un petit monstre trop gros
Un petit monstre qui colle
Ça fait bien sept, n'est-ce pas ?
Recompte, s'il te plaît. On
dirait qu'il en manque un. Ah !
oui, le monstre invisible. Les
sept petits monstres faisaient
beaucoup de bêtises, comme
tous les monstres, et, surtout, ils étaient menteurs.
Le monstre vert volait les confitures dans le buffet
de la cuisine et il disait que c'était le monstre poilu.
Quand on punissait celui-ci, parce qu'il avait volé les
confitures, il accusait le monstre à trois pattes d'avoir
cassé le pot, et le monstre à trois pattes disait :
« Pas du tout. C'est le monstre trop gros ! C'est lui qui
a volé le monstre poilu et cassé le pot. Et qui a mangé

la confiture ? Ben, c'est le monstre qui colle, bien
entendu ! C'est facile à vérifier : il colle ! »
Le monstre invisible, lui, faisait des bêtises invisibles.
On ne pouvait jamais savoir lesquelles. Mais, un
jour, les sept petits monstres
ont été bien punis. Comme
d'habitude, ils avaient fait
toutes les bêtises possibles,
comme renverser le lait sur
le feu, effacer le contenu de
l'ordinateur, et plein d'autres
choses dont les monstres
sont spécialistes. Ils étaient
sur le point de s'endormir
dans le placard à monstres, quand ils ont entendu une
chose affreuse, horrible :
« Les monstres, ça n'existe pas ! »
C'était une voix d'enfant. Pauvres monstres ! Aussitôt,
ils se sont évaporés. Si les enfants ne croient pas aux
monstres, alors les monstres disparaissent. •

Balou

Pierre et Sonia sont allés passer la journée chez leurs
grands-parents, à la campagne. Comme il pleut et
qu'ils ne peuvent pas jouer dans le jardin, ils ont
demandé la permission de monter au grenier. Ils y ont
déjà vécu tant d'aventures ! C'est plein de coffres
poussiéreux ; il y a aussi des cartons remplis de vieux
livres, des meubles, des tableaux. Parfois, ils se
déguisent avec les habits qu'ils trouvent
dans les malles et ils
descendent ainsi accoutrés
pour se faire voir.
Aujourd'hui, ils ont entrepris
de visiter une vieille
armoire. Une des
portes refuse de
s'ouvrir. Voilà qui
est intéressant !
Pourquoi les portes fermées à clé
sont-elles toujours si attirantes ? Pierre et Sonia
soupçonnent quelque secret. Un trésor peut-être. Et les
voilà qui commencent à fouiller partout à la recherche
de la clé, mais il y a un tel fouillis dans ce grenier que
jamais ils n'y arriveront.

Découragé, Pierre s'assied par terre, au pied de
l'armoire, en s'appuyant contre la porte close, et
– miracle ! – celle-ci s'entrouvre.
« Qu'on est bêtes ! s'écrie Sonia.
Elle était seulement coincée ! »
Entre des vieux cahiers et des
vêtements de bébé, les deux
enfants découvrent, couché dans
une boîte à chaussures, un
nounours tout pelé, avec une
patte en moins. Vite, ils
descendent :
« Mamie, regarde !
– Ah, vous avez
retrouvé Balou ! Où
était-il ? C'est votre
père qui va être content !
Il croyait qu'on l'avait jeté.
– Papa ?
– Quand il était petit, il ne pouvait pas s'endormir sans
lui. Il y tenait beaucoup.
– Alors, comme ça, les papas aussi ont des
nounours… ? » •

Éclair-Blanc part en voyage

Éclair-Blanc, le cheval sauvage, habite dans la steppe. Il est bien, là. Il y a de l'herbe à perte de vue et personne ne l'embête. C'est bien le problème. Personne ne l'embête, mais personne ne lui parle et personne ne l'aime, parce qu'il est tout seul dans cet océan d'herbe. Alors aujourd'hui, il a décidé de partir à la recherche de quelqu'un. Même quelqu'un qui l'embête. Mais dans quelle direction aller ? Tout est plat, tout est pareil, de quelque côté qu'il se tourne. Tiens, il va suivre le Soleil. Il doit bien aller quelque part quand il disparaît à l'horizon, le soir. Et voilà Éclair-Blanc qui part vers l'ouest. Il marche longtemps. Il trotte, il galope. De l'herbe, encore de l'herbe. Un jour, il voit, très loin, de drôles de choses rondes avec de la fumée qui sort. Ce sont des yourtes, les maisons des nomades, mais Éclair-Blanc ne le sait pas. Il n'a jamais rencontré d'homme. Il ouvre grand ses naseaux pour renifler l'odeur. Ça sent le feu. Éclair-Blanc connaît le feu. Parfois, quand il y a de l'orage, la steppe s'enflamme toute seule. Après, l'herbe repousse bien verte.

« Le feu, c'est bien, se dit Éclair-Blanc. Allons voir par là. » Il s'approche. Devant les choses rondes, il y a de drôles de bêtes qui marchent sur deux pattes et aussi... aussi... des chevaux ! Plein de chevaux ! D'ailleurs, l'un d'entre eux vient vers lui en hennissant. C'est une jolie pouliche noire. Nez contre nez, ils se respirent. Voilà, Éclair-Blanc est arrivé. Il vient de rencontrer les hommes, et l'amour de sa vie. •

Ça fait bzzz et ça pique

Il ne faut pas croire tout ce qu'on raconte, parole d'abeille.

Tiens, moi, par exemple, j'ai tout ce qu'il faut pour me faire détester : un dard plein de venin, toujours prêt à piquer, des ailes pour m'emmener n'importe où, jusqu'à deux kilomètres de ma ruche, et je fais un bruit strident quand je suis en colère. Mais cela ne veut pas dire que je vais te sauter à la figure sans raison !

Je suis pacifique, moi. Comme toutes mes sœurs, je travaille tout le temps. Le jour, je vais chercher du nectar pour fabriquer du miel, du pollen et de l'eau ; la nuit, je ventile la reine et les bébés avec mes ailes pour les rafraîchir.

Mais chez nous, on n'aime pas les voleurs, et si un animal ou un humain s'approche trop près de notre maison, on lui fait savoir qu'il vaudrait mieux qu'il passe son chemin. D'abord, on fait bzzz tranquillement, et s'il ne veut pas comprendre, on met le turbo : zzzzzzzzzzzzz Rappelle-toi bien : quand tu t'approches de notre maison, ne reste pas planté devant la porte, tu nous empêches de travailler. C'est lourd, tu sais, une grosse boule de pollen à chaque patte, plus une goutte de nectar dans le jabot ! Et, forcément, un moment ou l'autre, il y aura

•••

•••

quelqu'un qui trouvera que tu encombres ! Alors zzzzzzzzzz, et pique ! Et si tu insistes, c'est toute la famille qui te piquera. Alors, tout compte fait, ne viens pas trop près. Mais quand je butine dans ton jardin ou que je bois sur le bord du bassin, tu peux t'approcher, sans me toucher car je suis fragile. Tu pourras me regarder tranquillement, tu ne risqueras rien. •

Comment on devient magicien

Rien de plus simple que de devenir fée ou magicien. Voilà la recette :

Prendre une grosse pomme rouge.

Ajouter une goutte de poison.

Faire manger à Blanche-Neige.

Oh ! pardon, ça, c'est pour les sorcières !

Bon, reprenons calmement depuis le début, pour devenir fée ou magicien, il faut :

Un grand récipient.

Deux morceaux de bois pour faire du feu.

Trois herbes différentes ramassées sous la pluie.

Quatre coins.

Cinq photos de monstres verts.

Six grains de poivre.

Sept allumettes.

Récapitulons, rien ne doit manquer, il faut faire les choses dans l'ordre.

On place la marmite dans la cheminée. Dessous, on met les deux bouts de bois. On court sous la pluie pour aller chercher les trois herbes.

Les quatre coins, c'est facile à trouver. Il y en a partout. Pour les cinq photos de monstres verts, c'est un peu plus compliqué, mais ça marche peut-être en les dessinant.

Il faut faire attention de ne pas éternuer en mettant les six grains de poivre, sinon le philtre magique est raté. Il ne reste plus qu'à allumer le feu pour faire bouillir tout ça.

Normalement, à partir de là, on est devenu fée ou magicien. Hélas ! personne n'est jamais arrivé à fabriquer ce philtre magique. Pourquoi, à ton avis ?

Parce que, pour devenir fée ou magicien, il faut aussi être assez malin pour ne pas mouiller la boîte d'allumettes en sortant sous la pluie !

Au fait, les enfants n'ont pas le droit de toucher aux allumettes, si je me rappelle bien. Tant pis, tu attendras un peu pour devenir magicien. •

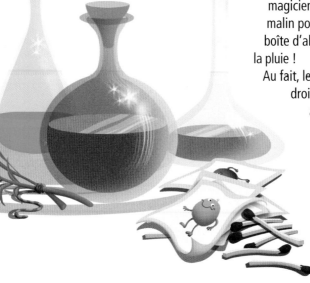

Et une, et deux...

Au début, Bobosse, le chameau, n'avait qu'une seule bosse, comme son cousin Bo le dromadaire. Bobosse vivait dans un pays si chaud qu'il se brûlait les pattes sur le sable. Il aurait bien aimé trouver un arbre pour se mettre à l'ombre, mais des arbres dans le désert, c'est plutôt rare ! Il avait repéré un trou dans les rochers, un trou tout noir et pas assez grand pour lui, mais il sortait de là une fraîcheur délicieuse. Comme on devait être bien dans cette caverne, à l'abri du Soleil ! Il décida donc d'explorer le souterrain, quitte à se faufiler à plat ventre. As-tu déjà essayé de faire entrer un chameau dans un tout petit trou ? Ça coince, forcément. Et ce jour-là, Bobosse resta coincé dans le tunnel tout noir. Il ne pouvait ni avancer ni reculer. Certes, il avait le nez au frais, mais les fesses en plein Soleil !

Toute la journée, il tenta de s'échapper : et je tire dans un sens, et je tire dans l'autre. Rien à faire. La peau de son dos était tout écorchée, quant à celle de son arrière-train... Aïe! les coups de Soleil ! Il n'allait quand même pas rester comme ça ! Tout à coup, il vit, là, juste devant lui, deux yeux luisants pas très rassurants. D'un grand coup, il poussa sur ses pattes de devant et se retrouva dehors. Oui mais voilà : il s'était fait une grosse bosse sur le dos, juste à côté de la première. Ça brûlait très fort, comme quand on tombe de vélo sur les genoux.

Bobosse ne se plaignait pas ; il était trop content de s'en être tiré avec juste ce petit bobo.

« Quand même, lui dit son cousin Bo, t'as une sacrée bosse !

– Ce n'est rien, ça va passer. »

Eh non ! ça n'est pas passé. Et, depuis, tous les chameaux ont deux bosses. •

Floc, splotch !

Benjamin aime bien marcher dans les flaques d'eau. Ça fait floc, ça fait splotch. C'est très rigolo. Par contre, les parents de Benjamin ne trouvent pas ça très drôle et ils lui ont défendu de le faire. Benjamin est sûr que, lorsqu'ils étaient petits, eux aussi sautaient à pieds joints dans l'eau. Ils ne l'avoueront jamais, bien sûr. Il a plu toute la nuit et, ce matin, en allant à l'école, Benjamin ne peut résister à la tentation. Et floc ! et splotch ! Tant pis pour

le rhume, et tant pis pour les vêtements tout mouillés. Benjamin s'attarde un peu et il a juste le temps de s'engouffrer dans le couloir de l'école avant que la cloche ne sonne. Ses baskets sont pleines de boue et son pantalon dégouline. La maîtresse l'a tout de suite repéré : « Benjamin, viens un peu ici. Mais qu'est-ce qui t'est arrivé ? Tu es tout trempé !

– Rien. C'est... »

Benjamin bafouille. Il allait dire : c'est une voiture qui m'a éclaboussé, mais il n'a pas pu.

•••

13

Désobéissant, certes, mais pas menteur notre ami. On ne peut pas avoir tous les défauts en même temps ! « Regardez-moi ça ! continue la maîtresse. Enlève tes chaussures et mets-les près du radiateur. » Maintenant, Benjamin a un peu froid, il va devoir passer toute la matinée en chaussettes et avec le pantalon qui lui colle aux jambes. Arrive l'heure de la récréation, les enfants se précipitent dans le couloir. « Toi, Benjamin, tu restes là, dit la maîtresse. Je ne voudrais pas que tu t'enrhumes. »

Et ce pauvre Benjamin reste derrière la fenêtre à regarder ses copains jouer dans la cour. Dorénavant, il réfléchira peut-être à deux fois avant de sauter dans les flaques ! •

11 La bataille du jeu de cartes

La reine de cœur était fâchée contre la reine de pique. Très fâchée même, car la reine de pique lui avait chipé son valet de cœur pour en faire son serviteur. « Ça ne se fait pas », disait la reine de cœur. Elle alla voir son frère, le roi de trèfle, qui s'était endormi sur son jeu de dames.
« Hé, tu dors ? Réveille-toi ! dit-elle en le secouant dans tous les sens. J'ai besoin de toi !
– De quoi, de quoi ? répondit-il en s'éveillant. Ce n'est pas moi, je suis innocent, laissez-moi tranquille !
– Imbécile ! fit la reine. C'est moi, ta sœur ! La reine de pique m'a piqué mon valet et je veux le récupérer, sinon c'est la guerre !
– Oh, oh, comme tu y vas ! Laisse-moi plutôt régler cette affaire ! »
Une fois sa sœur partie, le roi de trèfle se rendit directement au palais du roi de carreau qui jouait aux échecs.

« Chut, lui dit celui-ci, pas un bruit. Je devine ce qui t'amène, je crois savoir que ta sœur veut récupérer son valet. Alors, écoute-moi bien : si tu veux l'aider, il faut que tu cherches le valet de cœur chez le roi de pique qui est le mari de la reine de pique. Mais il faudra faire attention : le roi de pique est coriace et ne se laissera pas faire comme ça. Tu dois trouver quelqu'un qui soit capable de le vaincre...
– J'ai mon idée là-dessus », lui répondit le roi de trèfle. Et il sortit. Peu après, avec l'aide de son cousin, l'as de trèfle, il parvint à capturer le valet de pique qu'il offrit à sa sœur, la reine de cœur. On voyait partout la reine de cœur suivie par son jeune valet de pique. À ceux qui la félicitaient pour son choix, elle répondait :
« C'est un as ! » •

Merci monsieur Siffflll

On serait plutôt bien dans le grand chêne ; son ombre est épaisse, le vent balance doucement les branches pour bercer les bébés dans les nids, et on y est à l'abri des renards. C'est pour ça qu'il y a tant de locataires !

Au rez-de-chaussée, la famille Souris et ses nombreux enfants, très turbulents.

Au premier étage, madame Hou, la chouette grognon. Madame Hou travaille la nuit et dort le jour, alors, forcément, les petits du rez-de-chaussée l'empêchent de dormir.

Au deuxième étage habite monsieur Vifff, l'écureuil. Il est très distrait et perd tout le temps ses noisettes. Après, il accuse les souriceaux de les lui avoir volées, ce qui est faux, bien sûr.

Madame Hou a décidé de s'adresser au juge de paix ; monsieur Siffflll le serpent. Monsieur Siffflll est sourd, comme tous les serpents. Madame Hou est obligée de crier pour expliquer son problème :

« C'est les petits du rez-de-chaussée ! Ils font trop de bruit ! Je ne peux pas dormir !

– Ah bon, répond paisiblement le serpent, vous êtes sûre ? Moi, ils ne me dérangent pas. Je vais voir ce que je peux faire. Revenez demain. »

Le lendemain, madame Hou frappe à la porte de monsieur Siffflll qui évidemment ne l'entend pas. Mais le voilà qui arrive, tout souriant :

« J'étais en train de faire une petite sieste au Soleil. Bon. J'ai vu les souris. Voilà ce que je vous propose : les petits iront jouer ailleurs dans la journée, mais vous, vous irez hululer plus loin la nuit, parce qu'il faut que je vous dise : tout le monde se plaint parce que vous faites trop de bruit ! » •

Loulou n'aime pas la soupe

Chaque fois, c'est la même chose. Dès que l'hiver arrive, la maman de Loulou dit :

« Il commence à faire froid. Tiens, ce soir, je vais faire de la soupe. Ça nous réchauffera. »

Loulou proteste :

« Oh non, m'man, j'aime pas la soupe ! »

Et comme d'habitude, la réponse ne se fait pas attendre :

« On ne mange pas que ce que l'on aime, mon lapin.

– Pourquoi ? »

En voilà une bonne question !

Pourquoi ne mange-t-on pas que les choses qu'on aime ? Loulou sait très bien ce que sa maman va lui répondre :

« Toi, si je t'écoutais, tu ne mangerais que des bonbons !

– Ben, pas vraiment, répond Loulou. J'aime aussi les frites avec du ketchup ! Et puis les frites avec de la moutarde. Et puis les frites avec du pain.

– Mais bien sûr, dit sa maman. Et les légumes ? Et les fruits ? Tu en as déjà entendu parler ?

•••

•••

Tu sais à quoi ça sert ? Ça sert à grandir.
– Eh bien alors, pour moi, c'est pas la peine ! réplique Loulou du tac au tac. L'autre jour, quand on a rencontré madame Dupont, elle a dit :
« Comme il a grandi ! » Et toi, tu as répondu :
« Oui, il est grand pour son âge. »
Faut savoir : ou je suis grand ou je suis petit, mais, dans les deux cas, je n'aime pas la soupe ! »
À ce moment-là, mamy arrive.

Elle demande ce qui se passe. Elle réfléchit un peu et elle dit :
« Et si tu faisais cuire plein de légumes différents à la vapeur ? Loulou pourrait en choisir trois qu'il aime. Et puis il mettrait un peu de moutarde, ou de cette ignoble sauce dont j'ai oublié le nom, ou bien un morceau de beurre, ou du fromage. Qu'en pensez-vous ? Au fait, j'ai apporté de la mousse au chocolat, mais je me demande si ça fait grandir... » •

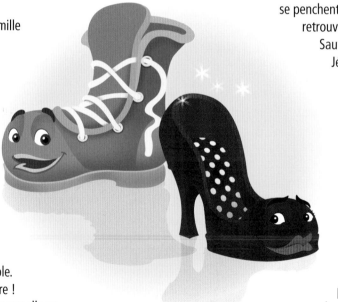

Ah, les voisins !

Beurk ! Qu'est-ce que tu sens mauvais !
– Ha ? Parce que toi, tu sens la rose, peut-être ?
– Moi, monsieur, je suis une chaussure de dame, pas un croquenot plein de boue ! »
Tous les souliers de la famille sont enfermés ensemble dans le placard de l'entrée. Dans ces cas-là, on ne choisit pas ses voisins. Et, par malheur, les escarpins rouges de maman se voient obligés de supporter les baskets de Jérôme que celui-ci a jetées là, encore pleines de terre, en rentrant de l'école.
Et s'il n'y avait que la terre !
Jérôme n'est pas ce qu'on appelle un enfant soigneux. On pourrait même dire qu'il est carrément « cracra », comme dit sa sœur Amélie. Alors, les baskets ont... comment dire... un certain parfum...
Les escarpins rouges voudraient bien s'éloigner de ces choses puantes, mais rien à faire. Il leur faudra rester dans cette position jusqu'à demain matin !
Voilà la porte du placard qui s'ouvre. Les jolies chaussures à talon haut se penchent... se penchent... et – vlan ! – se retrouvent sur le parquet. Sauvées ! Hélas ! c'est Jérôme qui vient d'ouvrir pour chercher ses pantoufles.
Et pour Jérôme, les chaussures du dimanche de maman, ce sont des « godasses » comme les autres. En plus, elles viennent de tomber, et il n'a pas de temps à perdre pour les ramasser !
Il donne un coup de pied pour pouvoir refermer la porte. Les deux malheureuses se retrouvent sens dessus dessous, emmêlées avec les bottes de pêche de papa. Et alors, là, question odeur... Ah ! Les voisins ! •

16

Mais d'où vient la musique ?

Monsieur Jean est paysan, mais aussi violoniste. Si, si, ça existe ! Ses voisins le prennent pour un fou, mais il s'en moque bien. Tous les matins, avant d'aller travailler dans les champs, il joue du violon dans sa grange. Au début, Poiluche, le petit chaton noir, se demandait quel était cet objet bizarre avec une drôle de voix. Il pensait qu'il y avait une bête à l'intérieur.

Poiluche a un autre ami : Piaf, un pauvre pinson enfermé dans une cage chez le voisin de monsieur Jean. Il est si malheureux, le pauvre, qu'il refuse de chanter. Poiluche lui a un jour proposé d'ouvrir sa cage pour qu'il puisse se sauver, mais Piaf lui a répondu :

« Et pour aller où ? Chez moi, c'est trop loin ; je ne pourrai jamais y retourner en volant. Ici, au moins, je suis au chaud et j'ai à manger. »

Vu comme ça, évidemment... Poiluche lui a parlé de monsieur Jean et de cette musique que le vieux monsieur fait sortir d'un bout de bois.

« C'est pas possible, a répondu Piaf l'oiseau. Le bois, ça fait pas de bruit, sauf quand une branche tombe par terre ou qu'il y a du vent.

– Je t'assure que c'est vrai ! Si tu savais comme c'est beau ! Je voudrais que tu l'entendes. Voilà ce que je te propose : tous les matins, je viendrai ouvrir ta cage et on ira écouter la musique ensemble, puis tu rentreras et personne n'en saura rien. »

Depuis, chaque matin, monsieur Jean joue du violon dans sa grange, un chat sur une épaule et un oiseau sur l'autre. En grand secret. Et personne n'a compris pourquoi Piaf l'oiseau s'est mis à chanter. •

Cahin-Caha, le caneton

Cahin-Caha, le caneton jaune, s'est encore une fois fait disputer. Ce n'est pourtant pas sa faute s'il n'aime pas l'eau froide ! D'accord, pour un caneton, ce n'est pas de chance. Mais il est comme ça, Cahin-Caha. Lui, ce qu'il aime, c'est se percher en haut d'un rocher et sauter, oh ! pas très haut. Mais cela suffit à lui donner l'impression de voler. L'impression seulement. Sa mère lui a dit mille fois :

« Mon poussinet joli, nous, les canards de ferme, nous ne volons pas. Mets-toi bien ça dans ta petite tête d'oiseau.

– Pourtant, maman, eux, là-haut, ils volent !

– Certes, mais ce n'est pas pareil. Ce sont des canards sauvages. Tu n'es pas heureux, ici ? Tu es à l'abri des chasseurs, des renards et des aigles. »

Cahin-Caha sait bien que sa maman a raison, quoique... Il lui demande parfois pourquoi l'oncle Octave, la tante Perle ou le vieux coq ont un jour disparu soudainement, ou pourquoi des tas d'œufs disparaissent

•••

17

•••

chaque matin. Qui les prend ? Maman cane fait semblant de ne pas savoir, mais Cahin-Caha a sa petite idée. Aussi, dès qu'il sera grand, il tentera un grand saut jusqu'au toit de la ferme, et de là... Parce qu'enfin, les autres canards n'ont pas des ailes plus grandes que les siennes. L'autre matin, il en a vu une bande posée sur l'étang ; comme il se dirigeait vers eux, malgré sa

répugnance pour l'eau froide, ils se sont envolés tous ensemble. Cela a fait un dessin dans le ciel, comme les ailes d'un avion.

Cahin-Caha a essayé de faire comme eux. Il a battu des ailes comme un fou pour décoller, mais plouf !

Maman cane a peut-être raison, finalement. •

Cataclop

Cataclop cataclop cataclop, sur les routes et les chemins, cataclop cataclop cataclop... Par tous les temps, Cataclop, la petite ânesse, trottait entre les montants de la carriole et elle aimait cela. Quand il faisait froid, sa respiration faisait un nuage devant ses naseaux. Son maître, le père Farfouillette, le vieux chiffonnier, ne la disputait jamais, et elle s'arrêtait quand elle voulait. Ils parcouraient le pays ensemble depuis si longtemps que Cataclop connaissait par cœur la route pour rentrer à la maison. Arrivée là, elle était parfois obligée de braire pour le réveiller ! Et un âne qui brait, crois-moi, cela fait du bruit ! Mais le père Farfouillette était vieux et un peu sourd. Mais un jour, un jour de neige, elle eut beau s'égosiller, taper du pied, cogner la charrette contre le mur, le père Farfouillette ne bougea pas. Si elle avait pu, Cataclop aurait enlevé son harnais, elle aurait rangé la charrette et aurait mis elle-même Farfouillette au lit ! Mais elle n'était qu'une petite ânesse toute frigorifiée, à deux pas de son écurie bien confortable et de son foin. Alors, elle braillait autant qu'elle pouvait. Toute la nuit, elle attendit que

quelqu'un vienne. Personne. Elle comprit alors que son pauvre maître était sans doute parti au paradis des ânes et des chiffonniers. Elle fit demi-tour. C'est ainsi que je l'ai trouvée, un matin, toute triste devant ma maison. Nous sommes devenues amies. Depuis, quand elle a du chagrin, nous partons nous promener avec la charrette et, au retour, elle a droit à un grand bol d'avoine. •

18

Une petite sœur pour Théo

Hier après-midi, Théo a surpris sa maman en train de tricoter des petits chaussons roses, à peine plus gros que ceux d'Edwige, la poupée de sa cousine. Le soir, il a entendu sa maman dire à son papa :
« L'échographie ne laisse subsister aucun doute. »
L'échografille, l'échografille... Théo n'est pas idiot et il a tout compris : sa maman a commandé une petite sœur. Quel désastre, vraiment ! Car Théo, lui, aurait préféré qu'elle commande un petit frère ; un petit frère pour jouer aux pirates, aux voitures et au foot. Mais une petite sœur ! Qu'allait-il faire avec une petite sœur ?
Les jeux des filles sont si bêtes !
Elles peuvent passer des heures à faire semblant de manger dans une dînette où il n'y a rien, en faisant des tas de manières ; elles trouvent du plaisir à habiller et à coiffer leurs poupées en leur parlant tout le temps. Ah non, vraiment, aucun intérêt !

Quand le soir sa maman lui a dit :
« Mon poussin, tu vas bientôt avoir une petite sœur. »
Théo n'a rien répondu, il a juste regardé son papa d'un air navré. Pauvre papa, il devait être bien embêté, lui aussi ! Maman avait dû passer sa commande sans lui demander son avis !
À l'école, le lendemain matin, Théo a parlé à son ami Joachim qui sait plein de choses grâce à son grand frère de CP.
« Ta maman n'a pas choisi, c'est comme ça, a dit Joachim.
– Comme ça ?
– Ben oui, imagine si nos mamans avaient commandé des filles à notre place, on serait bien embêtés. »
Ah, ça !
« Et puis, a ajouté Joachim, une petite sœur ne te piquera pas tes jouets. »
Qu'elle essaye un peu pour voir !
Finalement, Théo est content : petit frère ou petite sœur, c'est lui qui restera le chef, non mais ! •

Les trois petits phoques

Niak, Niouk et Niok, les trois petits phoques passent leurs journées à se rouler dans la neige. Ils n'ont jamais froid grâce à leur épaisse fourrure.
C'est la belle vie, sur la banquise !
Un jour, ils entendent un grand bruit dans le ciel. C'est un énorme oiseau inconnu, sans ailes, avec quelque chose qui tourne au-dessus de sa tête. Il se pose en faisant voler la neige autour de lui. Comme tous les petits de la Terre, Niak, Niouk et Niok sont très curieux, et parfois très imprudents.
« Allons voir de plus près, dit Niak.
– Non, lui répond Niouk. Maman nous a bien dit de ne jamais parler aux gens qu'on ne connaît pas.
– Mais ça n'est qu'un oiseau, proteste Niok, le plus curieux des trois. Ce n'est pas dangereux, les oiseaux !

S'il vient de loin, il a peut-être vu des choses extraordinaires. Je voudrais tant savoir ce qu'il y a de l'autre côté de la Terre !

•••

●●●

– Regardez ! » dit Niak. Une chose étonnante vient de se produire. Un trou est apparu sur le flanc de l'oiseau géant, et il en sort de drôles d'animaux à deux pattes qui sautent sur la banquise et courent vers les trois petits phoques stupéfaits.

À ce moment, un autre oiseau semblable arrive du ciel ; il se pose à côté du premier et, pour la première fois de leur vie, nos trois petits amis entendent la voix d'un homme :

« Ici la police ! Remontez dans votre hélicoptère et disparaissez. La chasse aux bébés phoques est interdite ! »

Puis les deux oiseaux bizarres s'envolent.

« Vous avez compris quelque chose ? demande Niouk. Moi, rien du tout. » •

Chouca, le chien berger

Ceci est une histoire vraie. Chouca était un chien berger tout noir avec les oreilles pointues, une truffe toujours fraîche et la queue en panache. Il était si doux que jamais il n'aurait mordu une chèvre. Même pas ce gros lourdaud de bouc, Pepito, avec ses immenses cornes.

Chouca savait compter. Pas en disant un, deux, trois, etc., non ; il comptait à sa manière et on n'a jamais su comment il s'y prenait. Il savait exactement combien il y avait de chèvres dans la bergerie. Il savait même faire les additions ! Quand des chevreaux naissaient, Chouca les rajoutait à sa liste, tout simplement. Une fois, une seule, il s'est trompé. Ah ! Il était bien embêté, ce jour-là ! Annie, la bergère, avait pris un raccourci, et les chèvres devaient franchir un petit muret. Hop là ! Facile quand on est chèvre ! Mais arrivé de l'autre côté, Chouca se mit à tourner en rond, très agité. Puis il fila en direction de la bergerie. Car il lui manquait une odeur. Celle de Boiteuse, une vieille coquine qui lui avait déjà joué des tours. La bergerie était vide. Chouca revint près du troupeau et recompta, enfin, je crois. Il ne manquait personne. Boiteuse était là. Pauvre Chouca !

Il n'a jamais compris ce qui s'était passé. Moi, je le sais, parce que j'ai vu Boiteuse faire un détour dans la forêt pour éviter de sauter le mur à cause de sa patte qui lui faisait mal. Ensuite, elle a rejoint le troupeau comme si de rien n'était. Et on dira que les animaux sont moins intelligents que les hommes ! •

Le renard amoureux de la poule

C'était impossible, et pourtant, le renard était amoureux de Cacotte, c'est en tout cas ce qu'il prétendait.

« Comment un renard peut-il être amoureux de moi ? » se demandait-elle. D'habitude, les renards aiment surtout les poules rôties, à la broche, à la cocotte, au pot, en sauce ou grillées. Et ce n'est pas vraiment là ce qu'on appelle de l'amour. Mais, malgré elle, Cacotte était troublée ; elle avait devant elle un jeune renard, au fin museau et aux grands yeux noisette, qui semblait tellement sincère.

« Mais enfin, comment pouvez-vous m'aimer ?

– J'aime votre beauté, vos plumes rousses et votre crête toute rose, et puis... vous êtes si dodue », lui répondit le renard en rougissant.

Timide, le jeune renard cacha son museau sous sa queue en panache. Comme il ne cessait de lui faire la

cour, Cacotte finit par le croire et présenta le jeune renard à ses parents effrayés et à ses amies terrorisées. Ils décidèrent de se marier. Ce fut un étrange mais magnifique mariage. Tout le monde était ravi, excepté la grand-mère de Cacotte qui lui caqueta à l'oreille : « Méfie-toi, un renard reste toujours un renard ! » Cacotte lui adressa un grand sourire avant de monter dans la voiture qui conduisait les jeunes mariés en voyage de noces en Pouldésie.

Quand elle revint, quelques semaines plus tard, Cacotte était seule. Son retour soulagea toute la basse-cour, mais personne ne lui demanda ce qu'était devenu le renard. Depuis ce temps, en tout cas, on voit souvent Cacotte se rendre chez sa grand-mère, à chaque fois qu'elle a besoin d'un bon conseil... •

Coco-Joli

Coco-Joli, le mainate de la gardienne de l'immeuble, est rigolo, et surtout très malin. Il est enfermé dans une cage accrochée au balcon et, toute la journée, il siffle, il miaule ou il parle. Ces oiseaux arrivent à imiter la voix humaine, et même celle des autres animaux. Il suffit qu'ils les entendent une fois. On s'y tromperait. Caroline aime bien Coco-Joli ; elle trouve dommage qu'il soit enfermé. Elle a bien essayé d'en parler à la gardienne, mais celle-ci a répondu que

Coco-Joli était son seul compagnon et qu'il n'était pas malheureux du tout dans sa cage, parce qu'il voyait du monde et qu'il était au Soleil.

Caroline a pensé : « Je voudrais bien vous y voir, vous, dans la cage ! Vous auriez peut-être envie d'en sortir ! »

Il y a une semaine, Caroline a eu une idée : en passant devant la cage de Coco-Joli, elle a dit à voix haute : « Ouvrez la cage de l'oiseau, s'il vous plaît ! »

•••

Depuis, tous les jours, elle prononce les mêmes mots en espérant que Coco-Joli les répétera à un inconnu et que celui-ci lui obéira. Pour l'instant, Coco-joli n'a pas réagi. Caroline n'est pas la seule à essayer de faire parler le mainate. Ce garnement de Boris, qui habite au troisième étage, lui débite toutes sortes de gros mots.

Jusque-là, Coco-Joli ne les reproduisait pas.

Et puis, ce matin, alors qu'une dame entrait dans la cour de l'immeuble, il a tout sorti à la fois :
« Ouvrrrrez la cage de l'oiseau, s'il vous plaît !

Abbbbrrruttti !
Vieille
sorrrrcièrrre !
Je vais
te casser
la tête ! »
La dame n'a
pas compris d'où
venait la voix ;
affolée, elle s'est
enfuie. Il paraît que Boris a été puni. •

C'est trop bon !

David a six ans depuis hier. Pour son anniversaire, il a eu plein de cadeaux, mais, et c'est beaucoup moins drôle, ses parents lui ont fait promettre d'arrêter de sucer son pouce. Il y avait déjà quelque temps qu'ils l'embêtaient avec ça.

« David, arrête de sucer ton pouce, tu vas t'abîmer les dents ! Tu veux le mien, il est plus gros !
À six ans, on est un grand garçon. Et quand on est un grand garçon, on ne suce plus son pouce ! »
David a eu beau leur expliquer qu'il n'avait pas spécialement envie de devenir grand et qu'il se trouvait très bien comme cela, rien n'y a fait. Ils voulaient qu'il promette.
« Pourquoi ? a demandé David.
– Eh bien... parce que ! Tu me vois, moi, avec le pouce dans la bouche ? a répondu son papa.
– T'as jamais essayé ? C'est trop bon !
Essaye ! Allez, p'pa, essaye ! »

Parfois, c'est un peu bête, les papas ; celui de David n'a jamais voulu tenter l'expérience. Tant pis pour lui !
David a eu une autre idée pour qu'on lui fiche la paix : si quand on est grand on ne doit plus faire les choses qu'on aime, alors les parents devraient eux aussi laisser tomber certaines habitudes !
Par exemple : arrêter de fumer, parce que ça, vraiment, ça sent mauvais, et en plus il paraît que ça donne des maladies.
Par exemple : arrêter de rester scotchés devant la télé à regarder le match de foot au lieu de jouer au ballon avec lui.
Par exemple : arrêter de rouler comme des malades en voiture. On risque bien plus de s'abîmer les dents qu'en suçant son pouce !
David a expliqué tout cela à ses parents.
Ils se sont regardés et puis ils ont éclaté de rire. Puis son papa a dit :
« Tu as raison. Je vois que tu es un grand garçon même si tu suces ton pouce. » •

Dessert piquant

Picou, Pica et Pipic, les trois petits hérissons, s'en vont chercher des pommes pour le dessert. Leur maman leur a bien expliqué :

« Il suffit d'attendre qu'elles tombent. Pas trop longtemps non plus, à cause du blaireau. Il n'en laisse jamais une miette pour les autres, l'égoïste. S'il est dans le verger, faites un détour et rentrez vite à la maison ! Il serait capable de vous confondre avec une pomme, ce gros lourdaud ! »

Pas très rassurés, Picou, Pica et Pipic ont décidé de passer par la forêt. Pour l'instant, tout va bien. Il y a beaucoup de vent, mais ça, ce n'est pas effrayant pour un petit hérisson, au contraire : il y a plein d'odeurs dans le vent. Et les voilà qui se mettent à courir en riant comme des hérissons fous.

Tout à coup, les deux frères s'arrêtent :

« Où est Pica ? »

Pica est loin derrière, toute seule. Et elle vient de faire une rencontre assez... piquante.

Quelque chose est tombé en plein sur son nez. On dirait un hérisson roulé en boule, et ça pique, mais ça pique !

« Tu pouvais pas faire attention en sautant de l'arbre, non ? » crie-t-elle, croyant s'adresser à un autre hérisson.

Mais la chose pleine de piquants ne répond pas et ne bouge plus.

« C'est pas la peine de faire semblant ! s'énerve Pica. Regarde mon nez, maintenant ! »

Pica s'approche, assez intriguée, et, du bout de la patte, elle pousse la chose qui roule et montre son ventre ouvert. Une bogue de châtaigne, ce n'était qu'une bogue de châtaigne !

Quand ses frères arrivent tout inquiets, Pica est tranquillement en train de grignoter. Tant pis pour les pommes. Le dessert, ce soir, ce sera des châtaignes. •

Futttt a peur des fantômes

Futttt est un vrai fantôme, donc il est invisible. Il est inquiet, le petit fantôme : depuis quelques jours, il a l'impression que quelqu'un le suit partout et, comme il ne voit personne quand il se retourne, il en déduit que celui qui le suit est invisible aussi. Donc que c'est un fantôme ! Futttt est comme toi : il a très peur des fantômes.

Chaque fois que Futttt sort dans la rue, il sent cette présence.

Une fois même, quelque chose l'a retenu au moment où il allait se faire écraser par une voiture. Il faut dire qu'il est assez tête en l'air !

Tête en l'air, façon de parler : est-ce que tu sais, toi, si les fantômes ont une tête ?

Aujourd'hui, Futttt a décidé d'en avoir le cœur net. Au fait, est-ce que ça a un cœur, un fantôme ?

Qu'est-ce que tu en penses ?

Pour savoir qui le suit partout, Futttt se cache derrière un mur.

•••

•••

Pourquoi se cacher, n'est-ce pas, puisqu'il est invisible ? Le pauvre Futttt se sent devenir fou. Tiens, à quoi ça ressemble un fantôme fou ?

« Pourquoi tu es toujours derrière moi ? » dit-il très fort.

Mais, évidemment, on n'entend pas sa voix. C'est une voix fantôme.

De plus en plus en colère, il ajoute :

« Si tu continues, je vais me fâcher tout rouge !

– Calme-toi, dit une voix très douce tout près de son oreille. Si tu deviens tout rouge, les gens vont te voir et ils vont avoir peur. »

« Ah, se dit Futttt, j'avais donc raison ! Il y a un autre fantôme. Enfin, me diras-tu qui tu es ? J'en ai assez que tu sois toujours dans mon dos. Montre-toi une bonne fois !

– Mais je suis là, mon petit, tout près de toi. Je suis ta maman et je veille sur toi pour qu'il ne t'arrive rien. »

Tu aurais imaginé ça, toi ?

Les fantômes auraient une maman, eux aussi ! •

Grisminou est bien puni

Grisminou est le chaton le plus gourmand, le plus dorloté de la terre. Il faut dire qu'il est mignon comme tout et toujours prêt à jouer, alors les enfants l'adorent.

Et lui, bonne pâte, il court après les pelotes de laine, les balles de ping-pong, les boulettes de papier alu en faisant semblant de croire que ce sont des souris. Pas si fou, notre Grisminou ! Mais si ça peut leur faire plaisir !

Ouf ! Enfin, les voilà partis ! Les parents au travail, et les enfants à l'école. Grisminou a toute la journée devant lui, bien tranquille. D'abord, une bonne grasse matinée. Ensuite, il grignotera quelques croquettes, puis : sieste, croquettes, sieste, croquettes, etc. Tiens, s'il allait faire un tour à la cuisine ? Peut-être aura-t-on oublié quelque chose à manger sur la table ou le buffet ! Oui ! gagné !

Un plat à peine entamé est resté sur la cuisinière. Comme ça a l'air appétissant ! La première bouchée est absolument délicieuse. La seconde aussi. Quel régal ! Fromage, viande, tomate et... quelque chose d'autre, quelque chose de bizarre, de poivré. Quelque chose qui brûle le gosier et la langue. Au secours ! Ça brûle ! Grisminou tourne en rond à toute allure dans la cuisine. Il voudrait bien se débarrasser du feu, là, dans sa bouche, mais rien à faire. Il se précipite sur son bol d'eau et lape, lape à n'en plus finir. Mais ça brûle toujours autant. Oh, comme il regrette, notre chaton ! C'est promis, il ne volera plus jamais dans les plats ! Oui, c'est juré ! Pauvre Grisminou ! La cuisine trop pimentée, ce n'est pas pour lui ! Dorénavant, il se contentera de ses croquettes. Là, au moins, il n'y a pas de surprises ! Elles ont toujours le même goût. •

La journée des surprises

Ce matin, sur la terrasse, un éclair d'argent est passé. Matis, derrière la fenêtre, ne sait pas trop quoi en penser. Un orage ? Avec ce Soleil, ça serait vraiment étonnant.

L'éclair d'argent repasse, mais cette fois il prend son temps.

« Maman, maman, viens voir ! Il y a un chat tout gris. Regarde, il a l'air gentil, donnons lui un peu de lait.

– D'accord, répond la maman de Matis, mais dépêche-toi, c'est l'heure de partir à l'école. »

À midi, Matis se précipite sur la terrasse.

Frrr… ! une petite fusée noire lui passe sous le nez ; Matis en reste médusé. La coupelle de lait est vide ; Matis la remplit et attend, sagement assis derrière la grande jarre de l'oranger. Un petit museau tout noir,

avec une jolie langue rose et deux billes couleur de ciel, apparaît au-dessus du muret : un minuscule petit chaton s'avance prudemment vers la coupelle.

« Maman, maman, la chatte a un chaton tout noir ! » s'écrie Matis émerveillé.

Mais c'est déjà l'heure de l'école ; Matis salue le petit chat et court raconter la nouvelle à ses copains.

Ouf, c'est enfin l'heure du goûter ! Vite, vite, allons retrouver nos nouveaux amis. Matis accourt sur la terrasse ; deux boules de feu glissent entre ses jambes et disparaissent dans les fourrés, laissant Matis bouche bée. La coupelle de lait est vide ; il retourne dans la maison et la remplit copieusement. À pas de loup, Matis s'avance. La chatte est là, allongée sur les dalles chaudes. Blottis contre elle, un, deux, trois… quatre petits chatons ronronnent à l'unisson ! Un noir, deux roux, et un tout gris ! •

Il était temps !

Bono, le petit singe, a dit à sa maman qu'il allait voir son grand-père, juste à côté. Sa maman lui a bien recommandé de ne pas s'éloigner.

« Fais attention, lui a-t-elle dit ; la forêt est très dangereuse ; si grand-père Bonobo n'est pas là, tu reviens tout de suite. Promis ? »

Bono a promis. Le voilà parti vers l'autre bout de la clairière. Grand-père Bonobo habite tout près et, pour aller chez lui, il faut passer le long de la rivière. Bono adore regarder l'eau couler.

Il resterait des heures assis là. Il ne sait pas nager, mais il aimerait bien apprendre.

Tout à coup, il remarque un gros bout de bois qui flotte à la surface et qui se dirige vers lui. Arrivé vers la berge, le bout de bois ouvre deux yeux jaunes au ras de l'eau.

« Tiens, se dit Bono, un bout de bois avec des yeux ! »

La chose l'étonne bien un peu, mais bon…

Et puis ces yeux immobiles sont assez inquiétants.

•••

•••

Mais le bout de bois avec des yeux jaunes se met à parler d'une voix douce :

« Bonjour petit singe. Tu viens te baigner avec moi ? » Bono est très tenté.

« C'est que... je ne sais pas nager.

– Ça tombe bien ! répond le bout de bois. Je suis maître nageur. Avec moi, tu ne risques rien. Viens, approche, je vais te montrer comment on fait.

– Mais je vais couler ! s'inquiète Bono. L'eau est profonde.

– Je te tiendrai.

– Et puis mon grand-père m'attend. Je suis déjà très en retard. Et si on remettait ça à demain ?

– Bonne idée fiston, reprend la grosse voix de grand-père Bonobo qui était caché derrière un arbre.

Monsieur le crocodile, il vous faudra trouver autre chose que mon petit-fils pour votre déjeuner ! » •

Impossible rencontre

Aujourd'hui, toute la classe est allée passer la journée dans un parc océanographique avec plein d'animaux marins.

Dans les aquariums, des quantités impressionnantes de poissons de toutes les couleurs et de toutes les formes. Il y a même une sorte de tunnel en verre et les requins sont juste au-dessus de votre tête ! Yann a remarqué un aquarium assez bas et quelque chose appuyé contre la vitre. Il s'est approché. À la hauteur de son visage, de l'autre côté, une pieuvre était immobile, accrochée sur le verre par les ventouses de ses tentacules. Et elle regardait Yann droit dans les yeux. Quel choc ! Curieusement, Yann n'avait pas peur du tout. Non pas parce que la pieuvre était enfermée et qu'il savait qu'il ne risquait rien, mais à cause de ses yeux si tristes qui semblaient vouloir lui dire quelque chose.

Très ému, il sourit, sans savoir pourquoi, et posa sa main sur la vitre. Alors la pieuvre leva le bout d'un tentacule et vint le poser délicatement, juste de l'autre côté.

À ce moment-là, la maîtresse annonça qu'il fallait partir.

« Attendez, je suis en train de parler avec une pieuvre ! »

Le soir, Yann a raconté sa rencontre à ses parents :

« Je vous assure, elle voulait me dire quelque chose ! Pourquoi on ne vit pas dans le même monde, elle et nous ? Pourquoi on enferme les animaux ? Pourquoi ils ne se défendent pas ? »

La maman de Yann a eu beaucoup de mal à le consoler. Elle aussi se pose les mêmes questions sans réponse. La seule chose qu'elle a pu dire, c'est que les pieuvres sont extrêmement intelligentes, peut-être autant que nous, mais ça, Yann l'avait déjà compris. •

Je voudrais être grand

Toute-Grande, la girafe, est très timide. Et, en plus, elle ne se trouve pas jolie.

« Pas jolie ? proteste son ami Picoupic le porc-épic. Moi je trouve au contraire que tu as des yeux magnifiques, avec des grands cils et un joli nez. Et ce cou ! Quelle grâce, quelle élégance ! Non, je t'assure, tu es très belle. Ce n'est pas comme moi ! Avec mes piquants, personne n'ose me toucher, et les autres animaux font semblant de ne pas me reconnaître pour éviter de se transpercer la patte en me disant bonjour.

– Mais je suis ton amie, moi », murmure Toute-Grande en rougissant.

Tu as déjà compris que Picoupic le porc-épic et Toute-Grande la girafe sont amoureux. Ils voudraient bien se faire des bisous, mais comment ? Toute-Grande a la tête qui dépasse le sommet des arbres et Picoupic ne lui arrive même pas à la hauteur des genoux ! Bien sûr, Toute-Grande pourrait se baisser un peu. Mais c'est si difficile pour elle ! Il faut d'abord qu'elle écarte les pattes et elle ne doit pas rester trop longtemps dans cette position inconfortable, ça lui donne mal à la tête. Alors, comment faire ? C'est le malicieux Museau-Pointu, le fennec des sables, qui a trouvé la solution : « Tout au bout de la savane, il y a un très gros rocher. Tu n'as qu'à grimper dessus, Picoupic, et Toute-Grande n'aura pas à baisser la tête. »

Depuis, tous les soirs, au coucher du Soleil, on peut voir Picoupic assis sur le gros rocher et la belle Toute-Grande qui l'écoute attentivement ; elle est même obligée de lever un peu la tête. Un comble ! •

Julie parle avec les mains

Cette année, un nouvel élève est arrivé dans la classe. Colin (c'est son nom) est sourd. Julie a été très impressionnée. C'était la première fois qu'elle rencontrait une personne qui n'entend pas. Elle qui n'arrête pas de parler, elle ne savait pas comment faire pour que Colin la comprenne.

La maîtresse a expliqué :

« Colin n'entend pas, mais il sait lire sur les lèvres. C'est pour ça qu'il faut toujours vous placer devant lui pour lui parler. Et articulez bien. »

En effet, c'est incroyable, mais Colin comprend tout et, en plus, il est très bon élève !

Mercredi après-midi, Julie l'a rencontré dans la rue.

Il était avec un garçon et une fille de son âge que Julie ne connaît pas. Ils faisaient des gestes bizarres avec leurs mains, à toute allure, et ils se tordaient

de rire. Mais ils ne disaient pas un mot. Julie aurait bien aimé savoir ce qu'ils se racontaient, parce que cela avait l'air vraiment drôle.

Ce matin, en rentrant à l'école, elle s'est placée devant Colin et, en parlant lentement pour qu'il comprenne bien le mouvement de ses lèvres, elle a dit :

« Comment tu fais pour parler avec les mains ? »

Colin a répondu en écrivant sur un bout de papier :

« C'est le langage des signes. Tu veux que je t'apprenne ? »

Julie a demandé à la maîtresse si elle connaissait le langage des signes. La maîtresse a dit :

« Non, mais on peut apprendre tous ensemble. Qu'en penses-tu, Colin ? Tu pourrais nous l'enseigner ? »

À la récré, Colin était très entouré. Les doigts bougeaient dans tous les sens, mais il n'y avait jamais eu aussi peu de bruit ! •

Février

Max n'aime pas être mouillé

Ce n'est pas de chance, pour un parapluie, de ne pas aimer la pluie ! Max est le seul, dans la famille parapluie. Son père, le grand parapluie noir, se régale d'entendre l'eau tambouriner sur sa tête. Sa mère, le parapluie à fleurs, dit que c'est bon pour ses décorations. Sa grand-mère a beaucoup de chance : c'est une ombrelle en dentelle, et elle ne sort que lorsqu'il y a du Soleil.

Pauvre Max. C'est lui qu'on prend chaque fois qu'on sort pour aller faire des courses ; on le laisse traîner devant la porte des magasins et, souvent, on l'oublie là. Et c'est ce qui s'est produit ce matin. Il y a une heure qu'il patiente dans un porte-parapluies en compagnie de gens pas aimables du tout. Et surtout, pouah ! Tout mouillés !

« Mais pousse-toi un peu ! rouspète un vieux parapluie tout usé. Tu vois bien que tu me dégoulines dessus !

– Excusez-moi monsieur, répond Max. Je ne peux pas faire autrement. La dame parapluie qui est à côté de moi empeste le parfum et je suis allergi... all... tchoum ! Allergique. Et de l'autre côté, j'ai une baleine de parapluie qui me rentre dans le dos ; je ne peux pas reculer non plus sans écraser la demoiselle qui... »

Max s'est retourné en disant ces mots et... ma foi, la demoiselle en question est très jolie. Elle doit être timide, parce qu'elle est toute rouge !

« Je suis là depuis très longtemps, dit la demoiselle en soie rouge ; je crois qu'on m'a oubliée. D'ailleurs, touchez, je suis toute sèche. »

Le pauvre Max vire au rouge vif, lui aussi. Et paf ! le voilà amoureux, là, tout d'un coup. Et prêt à suivre la demoiselle parapluie au bout du monde. Même sous la pluie ! •

Joyeux anniversaire !

À peine la sonnerie de l'école avait-elle retenti que Maxime se précipita hors de la salle de classe. Vite, vite ! il était pressé de rentrer chez lui : aujourd'hui, c'était son anniversaire. Sa maman lui avait sûrement préparé un énorme gâteau ; peut être même que mamie allait venir, et aussi Hector, son cousin, sans parler de sa copine Garance. Et puis, il y avait les cadeaux ! Il avait tellement hâte d'être chez lui ! Lorsqu'il arriva, il était tout essoufflé. Sa maman lui ouvrit la porte.

« Bonjour, mon chéri, as-tu passé une bonne journée ? »

Elle l'embrassa sur les deux joues, comme d'habitude. Maxime était un peu surpris. Il attendit un moment, sans bouger.

« Eh bien, dit sa maman. Que se passe-t-il ? Va donc dans ta chambre, tu as sûrement des devoirs à faire ! »

Ce n'est pas possible, se dit Maxime. Elle a oublié ou quoi ? Et, tout triste, il partit dans sa chambre. Au bout d'une heure, n'y tenant plus, il alla voir sa maman.

« Mamie n'a pas appelé ?

– Non, pourquoi ? Elle n'appelle pas tous les jours, tu sais.

– Oui, je sais, mais... et Hector, est-ce qu'il est passé ?

– Non.

– Et Garance ? Elle a peut-être téléphoné et tu n'as pas entendu ?

– Non, vraiment, personne n'a appelé.

– Mais enfin, ce n'est pas possible ! cria Maxime. Aujourd'hui, c'est mon anniversaire !

– Ah si, je crois bien qu'il y a quelqu'un qui t'attend dans le salon, fit sa maman avec un sourire. Va voir. »

Maxime court dans le salon, ouvrit la porte, et là, surprise ! Autour de la table, sur laquelle on avait disposé des paquets, se tenaient mamie, papa, Hector, tous les copains de sa classe, et... Garance :

« Joyeux anniversaire, Maxime ! » •

Pauvre Chang !

Il était une fois une marionnette qui s'appelait mademoiselle Lune. Elle vivait dans une grande malle avec les autres personnages du théâtre. Quand le marionnettiste ouvrait la malle pour sortir les petits personnages avant le spectacle, il commençait toujours par mademoiselle Lune, sa préférée. Elle était si jolie avec ses cheveux en fils dorés, ses yeux immenses bordés de longs cils et sa longue robe en voile beu ! Mais qu'elle était donc méchante, cette si jolie demoiselle ! Surtout avec le prince Chang, son amoureux. Elle lui tirait les cheveux, elle le pinçait, elle lui abîmait son beau costume en soie bleue. Pauvre Chang ! Pendant le spectacle, elle faisait exprès d'emmêler ses fils. Une fois même, elle s'est cachée derrière un mur, et le marionnettiste ne savait plus comment continuer sans elle. Les autres marionnettes en ont eu assez. Elles ont appelé la fée, tu sais, celle qui a transformé Pinocchio en petit garçon. Elles lui ont demandé d'en faire autant avec mademoiselle Lune. Comme ça, elle irait habiter dans le vrai monde et elles, les marionnettes, pourraient vivre tranquilles, sans cette peste ! Chang a supplié la fée de n'en rien faire.

« Mais, a répondu la fée, elle si méchante avec toi !

– Ça m'est égal. Je l'aime. Je veux rester avec elle.

– Comme tu voudras. »

Alors, d'un coup de baguette magique, la fée a transformé les deux marionnettes ; Chang en beau jeune homme et mademoiselle Lune en vraie Lune. Depuis, dans la malle du marionnettiste, on peut dormir tranquille. Mais il paraît qu'on aurait vu Chang, une nuit, qui pleurait en regardant le ciel. Elle a encore dû lui faire des méchancetés ! Pauvre Chang ! •

Le bébé imprudent

Martin et sa maman rentrent à la maison en voiture. Juste à l'entrée du village, Martin remarque une petite boule grise sur la route. On dirait un animal ou une peluche.

« Maman, attention, il y a une bête, là, freine ! »

La voiture s'arrête juste à temps. Martin descend ; sur le goudron, il voit une drôle de boule de poils qui essaye de se sauver, mais très maladroitement.

« Maman, c'est quoi, cet animal ? On dirait un oiseau, mais ça a des poils.

– Pas des poils, Martin, du duvet. C'est un bébé chouette. Il a dû tomber du nid.

– On l'emmène, dis, maman ? Il va se faire écraser !

– Non, Martin. Il faut le laisser là. On va juste l'enlever de la route et le déposer plus loin sous les arbres.

– Mais maman, il est perdu ! Il va mourir. Emmenons-le. Oh, j'aimerais tant l'avoir ! Je te promets que je m'en occuperai. Et quand il sera grand, on le relâchera dans la forêt. Allez maman, dis oui !

– Non. Les bébés chouettes tombent souvent du nid. Leurs parents viennent les nourrir par terre, jusqu'à ce qu'ils soient capables de s'envoler. Si on l'emmène, on ne saura pas s'occuper de lui et il mourra. C'est ce que tu veux ? »

Martin se penche pour caresser la petite chouette. Sa maman l'en empêche :

« Ne le touche pas avec ta main. Ses parents ne

●●●

reconnaîtraient pas l'odeur et ils l'abandonneraient.
Va chercher le carton qui est dans le coffre de la voiture ;
on s'en servira pour le transporter loin de la route. »
Martin obéit. Il est triste, mais en même temps il est
content de savoir que le bébé n'est pas abandonné.
Maintenant, la nuit, quand il entendra les chouettes,
il pensera à lui. ●

Le bonhomme de neige
amoureux

Il faisait très froid ce soir-là. Tous les enfants étaient
rentrés chez eux, bien au chaud.
Les oiseaux aussi étaient partis. Le pauvre bonhomme
de neige restait tout seul au milieu du parc. On a
beaucoup plus froid quand on est tout seul, même les
bonshommes de neige. Il était là, les pieds gelés, avec
son balai dans les bras, un vieux manteau sur le dos et
une chandelle de glace au bout de son nez en carotte.
« Ah ! j'ai l'air malin ! dit-il tristement. En plus, ils ont
oublié de me mettre un bonnet. Je vais
m'enrhumer, c'est sûr ! Et puis j'ai peur
dans le noir ! »
Il fut très surpris d'entendre
une jolie voix, sucrée
comme une glace à la
vanille, qui lui dit :
« Ils vous ont laissé tout
seul, vous aussi ? Est-ce
qu'il y a des courants d'air
là où vous êtes ?
je suis toute nue et
je commence à avoir
froid. »
La voix venait
de l'autre bout
du pré. Elle reprit :
« Vous ne me voyez pas ? »
Oh ! si, il la voyait ! Dans l'après-
midi, des jeunes gens et des jeunes
filles avaient construit là
une statue de neige.
Elle n'était pas affublée
de choses ridicules, elle.

Elle avait l'air d'une vraie personne et les derniers
rayons du Soleil lui donnaient l'air presque vivante.
Le pauvre bonhomme de neige n'aurait jamais pensé
qu'elle le remarquerait. Il était si laid avec son gros
ventre, son nez en carotte et ses yeux de marron gelé.
Et voilà qu'elle lui parlait ! On ne sait pas comment
cela est arrivé, mais, le lendemain, on a retrouvé les
deux personnages côte à côte, enveloppés dans le
même manteau.

Il doit y avoir
de la magie
là-dessous. ●

Einstein

Tu te rappelles monsieur Jean qui joue du violon tous les matins dans la grange de sa ferme ? Pourquoi dans la grange, alors qu'il possède une grande maison ? Pour ne pas réveiller les enfants qui dorment. Mais monsieur Jean n'est pas tout seul quand il joue. Il a deux admirateurs fidèles : Piaf, le pinson du voisin, et Poiluche, le chat noir. Perchés sur ses épaules, ils l'écoutent sans bouger.

Quelqu'un d'autre assiste au concert matinal de monsieur Jean. C'est un petit lapin bleu en peluche. Quand ils grandissent, les enfants ne s'intéressent plus à leurs peluches, alors ils les laissent traîner n'importe où, ou bien ils les jettent à la poubelle ! Heureusement pour lui, Einstein (c'est le nom du lapin bleu) a échappé à ce triste destin. Non, lui, on l'a seulement laissé tomber dans la poussière, à côté du tracteur ! Monsieur Jean l'a trouvé un matin ; il l'a ramassé et l'a installé sur une botte de paille.

Il a dû être beau, Einstein. Son petit bout de langue rose lui donne l'air coquin, mais une de ses oreilles est cassée et elle pend lamentablement. Comme il avait l'air triste ! Monsieur Jean a tout essayé pour le faire sourire. Il a joué : « Il était un petit homme, pirouette, cacahouète... », sans résultat. Il a joué : « Frère Jacques, frère Jacques, dormez-vous ? dormez-vous ? » Toujours rien. Le petit lapin bleu avait toujours ses pauvres yeux tristes. Alors, un jour, monsieur Jean a acheté en grand secret un autre lapin en peluche. Une petite demoiselle toute blanche avec de grands yeux noirs et un ruban bleu autour du cou.

Monsieur Jean n'a rien dit à personne, parce qu'on se serait moqué de lui. Mais, à partir de ce jour, Einstein a retrouvé le sourire. •

Petit Ange et Petit Diable

Lucien se promenait tranquillement dans la campagne avec Pacha, son chien. Il faisait un beau temps d'automne, et les arbres, aux couleurs flamboyantes, resplendissaient. Lucien ne se lassait pas de les admirer. Mais ce que ne voyait pas Lucien, c'était la dispute entre Petit Ange et Petit Diable au-dessus de sa tête.

« Lucien me préfère, c'est évident, disait Petit Diable. Il adore faire des bêtises avec moi.

– Non, c'est moi qu'il préfère, je suis l'ami qui lui donne de sages conseils, lui répliqua Petit Ange.

– Balivernes ! Il s'ennuie par ta faute, lui répondit Petit Diable. Tiens regarde-le, il cherche maintenant à faire une bêtise. »

Tu l'as compris : Petit Ange et Petit Diable étaient la conscience de Lucien, selon qu'il était sage ou non. Au même moment, Lucien jouait les chasseurs ; il poussait son chien à chercher les traces d'un animal.

Ce que fit Pacha avec grand plaisir. Peu de temps après, un jeune lapin affolé sortit de son terrier.

•••

« Non, Lucien, ne laisse pas ton chien attaquer ce lapin, c'est cruel ! lui lança Petit Ange.

– Laisse faire, dit Petit Diable, c'est la nature. Tant pis pour le faible et tant mieux pour le fort ! »

Mais Lucien avait, semble-t-il, entendu les conseils de Petit Ange ; il se baissa et attrapa le petit lapin dans ses bras avant que Pacha ne lui saute dessus. Petit Diable était furieux. Il promit à Petit Ange de toujours pousser Lucien à faire de nouvelles bêtises. À le faire jouer avec des allumettes, à se pencher à la fenêtre, à voler les billes de ses copains, et mille autres choses encore plus épouvantables. Mais, tout à coup, une grande main tira Petit Diable par les oreilles.

« Ah, je te retrouve, sacripant ! Viens ranger ta

chambre, et plus vite que ça ! »
Et Petit Diable disparut
sous les rires de Petit
Ange.
Qu'on soit Petit Ange
ou Petit Diable,
on a toujours
une maman qu'il
faut écouter…
bien sagement. •

Le jour où le coq n'a pas chanté

Chez Nathalie et Romain, on n'avait pas besoin de réveil le matin ; le coq Rico était toujours à l'heure. Dès que le jour se levait, il se dressait sur ses ergots et annonçait fièrement la nouvelle à toute la population : « Cocorico ! C'est le matin ! »

Le problème, c'est que les coqs ne sont jamais en vacances. Tant pis pour toi si tu voulais faire la grasse matinée ! Pour l'heure d'hiver et l'heure d'été, c'était la même chose. La télé avait beau annoncer que l'heure allait changer, il s'en fichait, le coq Rico. Pour lui, ce n'était pas les hommes qui décidaient, c'était le Soleil ! Un jour, le grand-père de Nathalie et Romain a dit : « Demain, je tords le cou à ce maudit coq ! Ça fera un bon ragoût ! »
Mais le lendemain matin, tout le monde s'est réveillé en retard. Le coq Rico

n'avait pas chanté. On est allé voir dans le poulailler. Personne ! Où était le coq ? Et les poules ? Et les poussins ? On courut partout à leur recherche. On accusa le renard de les avoir mangés. Et puis on acheta un réveil. On comprit très vite la différence. Certes, tout le monde avait gagné une heure de sommeil, mais quelle horrible sonnerie ! Le coq Rico, lui, commençait à chanter tout bas pour ne pas réveiller les bébés en sursaut, et puis de plus en plus fort, jusqu'à ce que tout le monde soit debout. Le réveil ne savait pas faire ça. Il était programmé pour sonner. Il sonnait. Point. Alors, on commença à regretter le coq. Mais c'était trop tard. Toute la basse-cour était partie en vacances dans un pays où on se lève avec le Soleil et où on ne risque pas de finir dans une casserole. •

Le lutin farceur

Drol, le petit lutin, habite dans la maison du géant Maouss, mais jusqu'ici celui-ci ne le savait pas. Ou bien il faisait semblant. Drol ne peut pas s'empêcher de faire des bêtises. Son jeu favori : dénouer les lacets du géant quand il dort près du feu, ou le chatouiller dans le cou pour qu'il se réveille en sursaut. Un jour que le géant Maouss était sorti pour aller chercher du bois, Drol fit très fort. Il savait que le géant aurait envie d'un bol de chocolat chaud à son retour. Il décida de verser dans la cruche de lait la totalité du paquet de sel.

Malheureusement pour Drol, il glissa et tomba dans la cruche géante.

« Au secours, je me noie ! Au secours ! »

Maouss arriva juste à temps pour le saisir par le bout de son capuchon.

« Mais qu'est-ce que je vois là ? dit-il de sa grosse voix qui faisait trembler les murs. Ne serait-ce pas le lutin chatouilleur ? À moins que ce soit le lutin dénoueur de lacets ? Tu préparais quelque bêtise, n'est-ce pas ? Attention à ce que tu vas dire, minuscule !

– Je voulais... vous faire une farce.

– Tiens donc, comme c'est original de la part d'un lutin ! Et quelle farce, je peux savoir ?

– Je voulais mettre du...

– Parle plus fort ! hurla le géant. Je ne t'entends pas !

– Du sel dans... le lait, mais c'était bête, je vous demande pardon.

– Non, non, dit le géant. C'est une très bonne idée. Je vais te préparer un bon chocolat. Avec une pincée de sel. Tu m'en diras des nouvelles. Et si tu ne le bois pas, je te jette dans la cruche et je te laisse là. Compris ? »

Le pauvre Drol dut boire son chocolat salé. Le géant a beaucoup ri. Ça a fait trembler toute la maison. Mais, depuis, il semble qu'il puisse dormir tranquille. Drol est devenu sage. •

Le pays des tamaris à pépins

Sais-tu où est le pays des tamaris à pépins ? Moi, je ne sais pas, et je ne le saurai jamais. C'est bien ma faute. Je vais t'expliquer. J'habite une grande maison près de la forêt. J'ai pris l'habitude d'aller m'y promener en rentrant de l'école. Selon la saison, je cherche des fraises ou des champignons. Oui, il y a tout ça, dans cette forêt. Tout ça, et bien d'autres choses dont j'ignorais l'existence...

Ce jour-là, j'avais emporté une mandarine pour mon goûter. Installée bien confortablement sur la mousse, je me contentais d'en humer l'odeur délicieuse. C'est pas bien gros, les mandarines, mais qu'est-ce que ça sent bon ! Je n'étais pas vraiment pressée de la manger, mais j'avais un peu faim, alors...

Au moment où j'allais planter mes dents dans la peau du fruit pour l'enlever, j'ai entendu une voix

•••

au-dessus de moi :
« Si tu manges cette mandarine, tu n'iras jamais au pays des tamaris à pépins. »
J'ai levé la tête. Rien. J'avais rêvé sans doute. J'ai hésité un peu et puis j'ai ouvert la bouche, mais à nouveau cette voix, à côté de moi cette fois-ci :
« As-tu bien réfléchi ? Tu ne veux vraiment pas connaître le pays des tamaris à pépins ? C'est un endroit merveilleux, tu sais. »

D'où venait cette voix ? Cette fois-ci, j'en étais sûre, il n'y avait personne. Alors, bêtement, j'ai posé la question :
« C'est quoi, les tamaris à pépins ? »
Pas de réponse. Allons, me suis-je dit, tu délires ma petite ! Et j'ai mangé ma mandarine qui était délicieuse d'ailleurs. Mais depuis, chaque jour, je me pose la question : c'est quoi, les tamaris à pépins ? ●

FÉVRIER 11 — Le plus grand singe du monde

Bono est un bébé singe et il tète encore sa maman, mais il est persuadé d'être aussi fort que son papa. Aussi, quand au détour d'un buisson il rencontre Hi la hyène, il n'a pas peur du tout. Comme il a vu son papa le faire, il se dresse sur ses pieds, ouvre sa bouche pour que Hi voie bien ses énormes dents, tape du pied et frappe sa poitrine à grands coups avec ses deux poings. Boum, boum, boum !
« Hiiiiiii ! fait la hyène avec un affreux sourire. Tu as failli me faire peur, petit singe ! C'est que ça serait dangereux, ça ! C'est haut comme deux noix de coco et ça se prend pour un grand guerrier ! Mais c'est que je vais te manger tout cru, moi ! »
Et la vilaine hyène commence à se rapprocher de Bono en découvrant ses dents noires. Soudain, elle s'arrête, s'aplatit, rentre la tête dans les épaules et disparaît dans les grandes herbes.
Bono est tout fier :
« Ouiii ! Je suis le plus fort !
– Hum ! Hum ! »
Bono se retourne, terrorisé. Derrière lui, un énorme, énorme animal inconnu. Ça a quatre pattes grosses comme un tronc d'arbre, c'est haut comme un arbre, et ça a une branche sur le bout du nez.

Bono ne peut pas en voir davantage. Il est soulevé de terre et reste pendu par un bras, là-haut.
Il ferme les yeux tant il a peur :
« Ne me mangez pas, je vous en supplie !
– Tais-toi donc et arrête de gigoter ! tonne une grosse voix, rauque comme celle de grand-père Bonobo. Les éléphants ne mangent pas les singes, même les petits prétentieux. Allez, je te ramène chez toi, grand guerrier ! » ●

Le tigre de la rivière

Ce matin-là, Chat s'était réveillé tout drôle. Ses pattes avaient envie de courir dans la forêt et ses moustaches rêvaient d'odeurs sauvages. Justement, la porte venait de s'ouvrir, et une senteur de feuilles mouillées effleura sa narine gauche. Un chat, ça ne réfléchit pas avant de bondir. D'ailleurs, est-ce que ça réfléchit, un chat ? Peut-être pas, comme on va le voir.

Ah ! Que c'était bon d'être dehors. Vive la liberté ! Pourtant, Chat était un peu inquiet. Oh ! Pas beaucoup, juste un peu. Quand même, il était tout seul, sans sa maman, et pour la première fois. Il pouvait y avoir du danger, comme... Comme quoi ?

« Rien ne me fait peur. Je suis un grand chat maintenant », se disait-il.

C'est alors qu'il le vit, là, dans l'eau du ruisseau. Un tigre. Grand, terrible, hérissé, la queue dressée, les yeux verts lançant

des éclairs. Chat bondit en arrière. Le félin disparut. Où était-il passé ? Chat se retourna pour faire face à l'ennemi. Mais, derrière lui, personne. Ah ! Ah ! Quel grand chat il était ! Il lui avait suffi de montrer ses moustaches pour que le fauve se sauve en courant. Et s'il s'était caché au fond de l'eau ? Chat se rapprocha courageusement de la rive.

Le tigre était là, au même endroit ; mais cette fois il semblait terrorisé. Timidement, Chat tendit la patte vers lui. À peine avait-il touché l'eau que le tigre s'évanouit en tremblant.

« D'accord, se dit Chat, je suis très courageux et j'ai mis un tigre énorme en fuite, mais maintenant il vaut mieux rentrer à la maison, on ne sait jamais... » •

Les abeilles de tante Lucie

Lise est venue passer quelques jours chez tante Lucie. C'est l'endroit le plus rigolo de la terre ! Il y a plein d'animaux : des vaches, des poules, des canards, un cheval, et... des milliards d'abeilles qui habitent dans des ruches bien cachées derrière une haie. Tante Lucie a expliqué à Lise qu'il ne faut jamais aller là-bas sans elle.

« Pourquoi ? a demandé Lise.

– Parce que c'est très dangereux, a répondu tante Lucie. Les abeilles peuvent te sauter dessus toutes ensemble si tu les déranges et te piquer. Mais demain, s'il fait beau, nous irons leur demander un peu de miel pour le petit déjeuner. D'accord ?

– Oh oui, tatie ! Et je pourrai venir avec toi ?

– Si tu restes bien sagement à côté de moi sans parler, et sans remuer. »

Ce matin, Lise est tout excitée, mais un peu inquiète aussi. Tante Lucie lui a mis un masque grillagé sur la tête,

des gants, une grosse veste en toile à elle, et elle a rentré le bas de son pantalon dans ses chaussettes pour ne pas laisser le moindre trou par où les abeilles pourraient entrer et la piquer. Les voilà prêtes. On dirait deux cosmonautes !

Tante Lucie a
fait du feu
dans un
drôle
de
petit

•••

35

fourneau qui fait de la fumée ; elle en a envoyé quelques bouffées dans l'entrée d'une ruche, puis elle a ouvert le toit. Quelle agitation ! Les abeilles volent de partout ; il y en a même qui se posent sur le bras de Lise. Tante Lucie remplace un cadre de miel par un cadre vide en faisant bien attention de n'écraser personne, puis elle referme le toit.

Pendant ce temps, Lise est restée bien sage à côté d'elle. Maintenant, elles vont rentrer à la maison avec le miel récolté. Le petit déjeuner de ce matin promet d'être délicieux ! •

Les petits fiancés

Romain et Laure sont les meilleurs amis qui soient. Ils se connaissent depuis toujours, au moins six ans. Romain en a assez ; chaque fois que leurs copains les voient ensemble, ils se mettent à répéter bêtement :
« Hou-les-petits-fiancés !
Les-petits-fiancés ! »
C'est agaçant à la fin ! Surtout que Laure répond toujours :
« C'est pas vrai ! »
« Comment ça, c'est pas vrai ? » se dit Romain, parce que lui, il sait bien qu'il se mariera avec Laure quand ils seront grands. Et d'abord, quand ils sont tout seuls, elle est bien d'accord. Il faut dire qu'elle fait de lui ce qu'elle veut, la mignonne ! Elle arrive même à le faire jouer à la poupée sous le prétexte qu'il s'agit de leurs enfants ! Oui, oui, à la poupée, lui, le costaud qui ne supporte pas qu'on lui marche sur les pieds ! Si les autres le voyaient, il serait déshonoré, le pauvre garçon. Mais cette coquine de Laure a une manière de lui dire :

« Papa, donne à manger à bébé, s'il te plaît... »
Et voilà notre Romain tout rougissant qui fait semblant d'enfourner une petite cuiller dans la fausse bouche d'une stupide poupée ! Non mais, vraiment... il faut être amoureux pour supporter ça ! Ensuite, il faut coucher le faux bébé qui pleure dans un faux berceau avant de pouvoir s'asseoir à côté de la fausse maman et, peut-être, avoir le droit de lui faire un bisou sur la joue. Une fois sur dix. Le reste du temps, bien qu'il ait tout fait comme elle veut, il a juste un bonbon comme récompense. Et encore, pas toujours. Parce qu'en plus mademoiselle Laure a un fichu caractère ! Pauvre Romain, sa vie est un enfer. Et ce n'est pas près de s'arranger, puisqu'ils sont fiancés pour toujours. •

Les bébés de Gros-Dos la tortue

La Lune vient d'apparaître sur la mer. C'est le moment qu'a choisi Gros-Dos, la tortue de mer, pour aller pondre ses œufs sur la plage. Pas folle, madame Gros-Dos. Elle a attendu ce moment, parce qu'elle espère que personne ne la verra : ni le varan, ce gros lézard mangeur d'œufs, ni les autres gloutons. Gros-Dos se dépêche. Avant de pouvoir pondre ses œufs dans le sable, elle doit creuser un grand trou. Quand elle jugera qu'il est assez profond, elle pondra sa couvée et le recouvrira en faisant tomber du sable dessus. Le Soleil tiendra sa future famille au chaud. Voilà, c'est fini.

Madame Gros-Dos repart vers la mer. Sans ses bébés ? Eh oui ! les tortues sont comme ça. Les petits devront se débrouiller tout seuls.

Comment vont-ils faire, te dis-tu ? Ne t'inquiète pas ! Un beau jour, ça remue, là-dessous. Petit-Dos 1, puis Petit-Dos 2, puis Petit-Dos 3, puis tous les autres cassent leurs coquilles et sortent comme ils peuvent de sous le sable. Ils se dépêchent d'atteindre la mer. Ils ne l'ont jamais vue, mais ils savent très bien où elle est. Ils doivent courir le plus vite possible pour que les oiseaux de mer et les varans, toujours eux, ces goinfres, ne les attrapent pas. Tu as déjà vu courir une tortue, ou bien tu en as entendu parler. Ce ne sont pas vraiment des TGV, ces bestioles-là ! Alors, forcément, ça ne va pas être facile facile d'arriver jusqu'à l'eau...

Mais finalement, au bout de quelques minutes, hop-là ! tout le monde à la mer. Et tout le monde sait nager ! Les voilà parties pour traverser les océans !

Bon voyage Petit-Dos 1, Petit-Dos 2, Petit-Dos 3... et tous les autres ! •

Les escargots font la course

Valérie habite à la campagne. Son cousin Damien est venu passer les vacances chez elle. Depuis deux jours, il pleut et les deux enfants ne peuvent pas aller se baigner. Alors Valérie propose à son cousin d'organiser une course.

« Une course de quoi, de vélo ?

– Non, une course d'escargots.

– Les escargots font la course ? Première nouvelle !

– Oui, dit Valérie, tu verras, c'est trop rigolo ! On les place sur la ligne de départ. Le premier arrivé au bout a gagné. »

Les deux enfants mettent leurs imperméables et ils partent à la recherche des concurrents. Valérie choisit un escargot violet avec une coquille jaune, ce

sont ses préférés. Damien repère un gros colimaçon gris en se disant que, comme il est plus gros, il ira plus vite. Ils ont placé les escargots sur une ligne tracée à la craie et en route ! Le gris prend de l'avance. Le violet part dans le mauvais sens, puis il hésite et enfin se décide à suivre son concurrent. Mais il est évident qu'il va perdre la partie. Alors cette coquine de Valérie sort de sa poche

•••

une feuille de salade toute fraîche.

En cachette, bien sûr. Elle vient se placer tout près de son escargot et elle froisse la feuille de salade devant ses cornes. Le petit violet semble soudain tout ragaillardi. Il fonce avec lenteur, double le gros gris et passe la ligne d'arrivée le premier.

« Hourra ! crie Valérie. J'ai gagné !

– Ah oui ? Et c'est quoi, ce que tu tiens dans ta main là ? On peut savoir ?

– Rien, rien...

– Tu n'es qu'une tricheuse ! Je ne joue plus avec toi. » Et les voilà qui se disputent pendant que les deux escargots continuent tranquillement leur chemin. •

Un singe bien trop gourmand

Bounty adorait les bananes. Toutes les bananes, les petites au goût de noisette, les moyennes au léger goût de noix de coco et les grandes au goût de banane. Bounty en mangeait toute la journée. Il sautait de branche en branche à la recherche d'un bananier et s'y installait pour manger ses fruits jusqu'au dernier. Rassasié, il revenait voir sa famille et ses amis, leur faisant part de ses nouvelles recettes de bananes : fromage à la banane, rôti ou quenelles de bananes. Si tous appréciaient Bounty, beaucoup pensaient que les bananes occupaient un peu trop sa vie. D'ailleurs, Bounty ne commençait-il pas à prendre du poids et à s'arrondir ? Il avait même du mal à grimper aux arbres, ce qui est un comble pour un singe ! Mais il s'en moquait bien !

Un soir, alors que Bounty était occupé à déguster son quatrième régime de bananes de la journée, un gros tigre s'approcha de lui sans bruit. Bounty ne le vit qu'au dernier moment, il poussa un cri strident et essaya de grimper à l'arbre. Peine perdue !

Il était trop gros maintenant et, malgré ses efforts,

il ne pouvait même pas atteindre la première branche. Alertés par ses cris, les autres singes essayèrent de l'aider, mais c'était impossible, Bounty était bien trop lourd. Convaincu que c'était la fin, il ferma les yeux. Dans un rugissement terrible, le tigre bondit sur lui, mais... il glissa sur une peau de banane et alla s'assommer contre un tronc d'arbre non loin de là. Ses amis eurent alors le temps de hisser au plus haut de l'arbre le pauvre Bounty. Quand il fut remis de ses émotions, il regarda ses compagnons et leur dit :

« Vous savez, pour moi, les bananes, c'est terminé ! » •

Lettre de la famille marmotte

« Nous sommes la famille marmotte et nous vivons dans la montagne. Comme plein d'autres animaux nous dormons tout l'hiver. Dès que la neige arrive, nous rentrons dans notre terrier pour roupiller tous ensemble, bien serrés les uns contre les autres jusqu'au printemps. Mais avant, il a fallu tout préparer. Et c'est un sacré boulot ! Il faut rentrer de l'herbe pour faire un lit bien douillet, et manger, manger pour faire des réserves de graisse. Nous, les marmottes, on n'est pas du genre à faire un régime pour rester minces, au contraire ! En plus, il faut se dépêcher avant que la neige arrive. Mais on est tout le temps dérangées ! Par les renards, les aigles, les ours parfois, et puis surtout les hommes. Vous êtes vraiment sans gêne ! Et quel manque de discrétion ! Et que je te crie, et que je te fais rouler des

pierres, et que je te laisse traîner n'importe quoi ! Si nous, les paisibles marmottes, nous faisions comme ça, il y a longtemps que nous aurions disparu !
Aussi, pour pouvoir nous préparer tranquillement, nous avons trouvé un truc : chaque jour, l'une d'entre nous se perche sur un rocher pour observer les alentours. Au moindre danger, elle siffle très fort. Hop, là ! Plus personne. Tout le monde est caché.
Sache-le, petit d'homme : si tu entends siffler dans la montagne, c'est que tu gênes. Alors, quand tu viens chez nous, silence. Pour ta récompense, tu pourras voir nos bébés jouer à la culbute dans l'herbe. Nous comptons sur toi pour expliquer tout cela aux grandes personnes. Merci d'avance. »
Signé : Le peuple des marmottes. •

L'homme au fusil

Malika habite un petit village dans la brousse. Elle aime bien aller voir les animaux sauvages. Aujourd'hui, elle est très inquiète. Grosrhino, le rhinocéros, va mourir. L'autre jour, il a été blessé par des braconniers. Il les a chargés et les chasseurs se sont enfuis, mais depuis le pauvre gros ne mange plus et, surtout, il ne peut plus se déplacer pour aller boire. Malika ne sait pas quoi faire pour l'aider et elle n'ose pas l'approcher. Elle sait qu'il peut être très dangereux quand il est de mauvaise humeur.
Tout à coup, Malika entend un moteur. Vite, elle se cache. Un 4x4 arrive. À l'arrière, un homme debout, le fusil braqué sur Grosrhino ! Malika oublie toute prudence :
« Non ! hurle-t-elle. Ne tirez pas ! »
Trop tard. Très lentement, Grosrhino s'effondre. Trois hommes sortent en courant de la camionnette. Ils s'approchent de l'animal immobile. Malika court vers

eux. L'un des hommes l'attrape par un bras :
« Qu'est-ce que tu fais là, petite ? Sauve-toi. Quand le vétérinaire aura soigné le rhinocéros, celui-ci va se réveiller furieux. »
Malika est surprise. Un vétérinaire ? Mais il tirait avec un fusil, elle l'a bien vu ! Elle crie, très en colère :
« Vous êtes des méchants chasseurs !

•••

J'ai vu l'homme tirer avec son fusil !
– Mais oui, répond le vétérinaire en souriant.
C'était juste une fléchette pour l'endormir,
sinon nous n'aurions pas pu le soigner. »
En effet, à peine sont-ils tous remontés dans
la camionnette que Grosrhino se relève, secoue
la tête et part au galop. Un jour, Malika sera
vétérinaire pour aider ses amis de la brousse. •

Lolo la vache et le caillou

Un matin, monsieur Jean a amené Lolo dans un pré où l'herbe est bien épaisse et bien verte. Un régal ! Lolo se met à table aussitôt. Soudain, alors qu'avec sa langue elle attrape de grandes bouchées d'herbe, elle tombe nez à nez avec un caillou bizarre. Oui, nez à nez, parce que le caillou a une tête, et en plus il parle :
« Tu ne peux pas faire attention, non ? Tu as failli m'avaler ! »
Lolo est une gentille vache qui a très bon caractère, mais quand même, elle n'aime pas qu'on lui parle sur ce ton. Ce caillou est très mal élevé et il lui a fait un peu peur. Elle proteste en meuglant :
« On dit bonjour, d'abord !
Et puis, sache que je ne suis pas aveugle et que je ne mange pas les pierres !
– Moi, répond le caillou, assez vexé, je pense au contraire que tu n'y vois rien ! Me confondre avec une pierre, franchement, c'est ridicule ! Regarde-moi : tu as déjà vu un caillou marcher ? »
Et le voilà qui s'avance en se dandinant.
« Alors, dit-il, qu'en penses-tu ? »
Lolo ne comprend plus.
Comment cette chose-là est-elle possible ? Elle a vu toutes sortes de bizarreries dans sa vie, mais pas un caillou qui parle et qui marche.
« Et en plus, poursuit la drôle de pierre, je sais faire quelque chose que, toi, tu es bien incapable de réussir.
– Et quoi donc ?
– Je nage. Ça t'étonne, hein ? Regarde ! »
Le caillou s'approche de la mare et saute dans l'eau. Lolo n'en revient pas. Le caillou flotte et, visiblement, il nage. Avant de plonger, il crie :
« Adieu, vache ! Jo la tortue te salue bien ! » •

Grégory et le petit oiseau

Hier après-midi, Grégory est allé dans les bois pour ramasser des champignons. Après avoir cueilli quelques chanterelles et deux ou trois cèpes, il est rentré pour que sa maman en fasse une omelette pour le repas du soir. Sur le chemin du retour, il a trouvé un petit oiseau tombé de son nid et qui avait l'air d'avoir mal à la patte. Grégory l'a enveloppé dans son pull-over. Arrivé à la maison, il a montré le petit oiseau à son papa et à sa maman :

« Regardez, il est blessé ! Il faut le soigner !

– Viens, a dit sa maman, on va lui faire un petit lit bien douillet près de la cheminée et tu lui donneras un peu de mie de pain trempée dans l'eau. »

Ce matin, le petit oiseau semblait tout ragaillardi. Gregory l'a ramené vers son nid et puis il est parti pour l'école en se disant que c'était bien dommage ; il aurait aimé garder l'oiseau chez lui, peut-être dans une cage. Non, s'est-il dit, c'est mieux comme ça. Il aurait été trop malheureux.

Après la classe, Gregory rentre chez lui, tout pensif.

À sa grande surprise, il voit l'oiseau, tout près, posé sur une barrière. Il s'arrête, pensant que l'animal va s'enfuir, mais non. L'oiseau sautille sur place, l'air tout excité. Gregory s'approche un peu plus et, soudain, il a une idée. Dans son sac, il lui reste un peu de son goûter. Il émiette la brioche et tend sa main ouverte. L'oiseau hésite, se retourne, puis, très vite, picore une minuscule miette avant de s'envoler vers une branche basse. Oh, que Gregory est heureux ! Demain, il reviendra avec des graines, et un fruit peut-être. Les oiseaux n'ont pas grand-chose à se mettre sous le bec, en hiver. •

Lupo le loup est devenu végétarien

Après avoir eu les malheurs que l'on sait avec les trois petits cochons, le loup avait de plus en plus faim. Le grand cerf lui expliqua que la salade était très bonne pour la santé :

« Regarde-moi ! Je suis en pleine forme, j'ai le poil brillant et mes bois sont très solides. Tu vois bien qu'on n'est pas obligé de manger du cochon pour être beau !

– Toi peut-être, répondit Lupo, mais je suis un loup, moi, et la nature m'a fait comme ça, je n'y peux rien. Il faut que je mange de la viande. Ah ! comme j'ai faim ! »

Le renard avait tout entendu. Il n'aimait pas beaucoup le loup qui était plus costaud que lui

et lui avait souvent volé son repas. Il lui dit :

« Mon cher cousin, je connais un endroit plein de petits cochons. Tu n'auras qu'à te servir.

– Est-ce qu'ils habitent dans une maison de briques ? demanda le loup. Parce que ça, je connais déjà. »

Et il massait son pauvre dos tout brûlé lors de sa chute dans la cheminée des trois petits cochons.

« Non, non, le rassura le renard. C'est une très, très grande maison sans cheminée.

– Alors, il y a un chien ?

– Non, pas de chien. Tu ne risques rien, crois-moi. »

•••

●●●

Rassuré, le loup suivit le renard qui s'arrêta prudemment devant la porte de la maison des cochons. Quelques minutes plus tard, le loup revint, terrifié :
« Au secours ! Il y a au moins trois mille cochons là-dedans. Ils m'ont foncé dessus ! J'ai failli mourir piétiné ! »

Depuis ce jour, Lupo le loup mange de la salade, beaucoup beaucoup de salade ! ●

FÉVRIER
FÉVRIER
23

Loulou ne veut pas aller se coucher

Tous les soirs, Loulou fait la comédie pour ne pas aller se coucher, même si sa maman lui promet de lui raconter une histoire quand il sera dans son lit. Et pourtant, il tombe de sommeil. Ce qu'il veut ? Rester avec ses parents le plus tard possible. Il faut le comprendre, aussi ! Le matin, on se précipite dans la salle de bains avant même d'être réveillé, puis on avale son bol de chocolat comme un zombie, on enfile son manteau et ouste ! en voiture, direction l'école. Un bisou et au revoir, à ce soir, mon chéri. Le soir, c'est pas mieux : on a à peine le temps de goûter que, déjà, il faut faire ses devoirs, une page à lire ou un poème à réciter, alors qu'on ne rêve que d'un gros câlin, pelotonné sur le canapé avec son papa d'un côté, et sa maman de l'autre. Au lieu de ça, on se retrouve tout seul, parce que maman doit préparer le repas du soir et les affaires pour le lendemain, et que papa doit absolument regarder la télé, parce que ce soir, justement, il y a quelque chose d'important. Comme tous les soirs. Ensuite, on dîne en vitesse, puis direction la salle de bains et hop ! au lit, parce que demain il y a l'école et que... blablabla ; Loulou connaît la chanson ! Alors il traîne autant qu'il peut en mangeant sa soupe, puis il fait semblant de ne pas entendre quand sa maman lui dit d'aller se laver, et il se passe encore une demi-heure avant qu'il se mette en pyjama. Quand enfin il est propre, qu'il s'est brossé les dents, qu'il a mis son pyjama et qu'il vient s'asseoir sur les genoux de son papa, on lui dit :
« Juste une minute alors ; demain, il y a l'école et... etc. »
L'école, toujours l'école ! Et les bisous alors, c'est pas important ? ●

42

Ma copine la rouquine coquine

Corinne, ma copine, a les cheveux rouges. Pas vraiment rouges, mieux que ça... On dirait la bassine à confitures en cuivre de ma grand-mère. Je ne lui ai pas dit, à Corinne, que ses cheveux me faisaient penser à la marmite de ma grand-mère ! Je ne suis pas sûr qu'elle comprendrait que c'est un compliment. Les filles sont compliquées et, moi, je suis timide, alors... Je me contente d'admirer sa chevelure sans oser la toucher. Elle serait bien capable de me retourner une claque ! Elle n'aime pas trop qu'on plaisante sur la couleur de ses cheveux et je la comprends, parce qu'il y a dans la classe des garçons qui se moquent d'elle à cause de ça.
La maîtresse a les cheveux rouges, elle aussi, mais on voit bien que c'est de la peinture ! Alors cette coquine de Corinne lui a demandé :

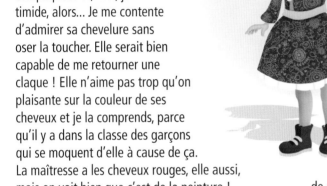

« Vos parents, ils ont les cheveux de quelle couleur ?
– Pourquoi tu me demandes ça ? »
Ma copine ne s'est pas dégonflée ; elle a répondu par une autre question :
« Et vos enfants, ils sont roux ? »
Là, je crois que la maîtresse a compris, parce qu'elle a éclaté de rire. Puis elle a ajouté assez fort pour que toute la classe entende bien :
« Hélas ! non, personne n'a d'aussi beaux cheveux que toi dans ma famille. Tu vois, je suis obligée de teindre les miens pour essayer de te ressembler. »
Et toc ! Du coup, deux garçons et une fille sont arrivés ce matin à l'école avec des mèches rouges. Et, curieusement, il y a parmi eux ceux qui auparavant se moquaient de ma copine Corinne, la rouquine coquine. •

Madame Aglaé

C'est une drôle de dame, madame Aglaé ! Elle est habillée bizarrement, et tout le monde se moque d'elle.
Son espèce de chapeau tout déformé et son grand manteau lui donnent l'allure d'une sorcière, mais ce n'est pas vrai. Madame Aglaé n'est pas une sorcière, j'en suis... presque sûre.
Je l'ai rencontrée dans le terrain vague, près de la cité. Je sais bien que je n'ai pas le droit d'aller me promener par-là, mais c'est le seul endroit où il y a des fleurs : des myosotis, des gueules-de-loup, des volubilis, et d'autres dont j'ai oublié le nom.

Et même des salades sauvages ! C'est madame Aglaé qui m'a dit comment elles s'appellent. Elle sait plein de choses cette dame. J'ai cru comprendre qu'elle n'a pas beaucoup de sous, et pas beaucoup d'amis non plus. Pour manger, elle cherche dans les poubelles près du supermarché, et elle fait de la soupe avec des herbes qu'elle trouve ; j'ai goûté, un jour, pour lui faire plaisir. C'était pas mauvais, finalement ! Elle habite dans une cabane avec son chat Gaston.

Ce qui m'a étonnée, c'est qu'il y a plein de livres dans des cartons.

Par contre, il n'y a pas de robinet, pas de télé, et elle fait du feu dehors. Quand je lui ai demandé si elle ne voulait pas habiter un appartement dans la cité, elle a ri : « Non, mon lapin ; j'ai un peu de mal à supporter la compagnie, tu sais ! À part toi. Ici, j'ai la nature pour le décor, le vent et les oiseaux pour la musique. Et mes livres ! »

Depuis que je connais madame Aglaé, je ne fais plus la difficile à table et je suis la première à l'école. Ça, c'est grâce à elle, mais c'est un secret. •

FÉVRIER
FÉVRIER
26

Maman ! C'est trop haut !

Ce n'est pas toujours facile d'être un aigle. Oh non ! Surtout quand vous êtes né là-haut, au sommet de la montagne, et que vous avez le vertige ! Aka, l'aigle royal, et son épouse, la princesse Kali, ont eu deux petits aiglons. L'aîné, Vent-d'Est, est très robuste et hardi. À peine ses plumes avaient-elles poussé que déjà il s'élançait dans le vide. Son petit frère, Plume-Blanche, est bien différent. Dès qu'il s'approche du bord du nid, la tête lui tourne et il est prêt à vomir. Alors pour ce qui est de voler... La maman de Plume-Blanche dit que ce n'est pas grave, qu'il a tout le temps d'apprendre, mais elle est inquiète :

« Tu es grand maintenant, lui dit-elle gentiment. Essaie de voler, je t'en prie, pour me faire plaisir.

– J'ai peur, m'man, pleurniche Plume-Blanche.

C'est trop haut. Quand je regarde en bas, j'ai la tête qui tourne.

– Continue à le dorloter comme un lapin, bougonne Aka l'aigle royal, et tu en feras une poule mouillée. »

Ce matin, alors que le Soleil se lève et que le vent commence à souffler, Aka secoue son fils :

« Debout, c'est aujourd'hui que tu fais ton premier vol. Allez, debout. »

Tout tremblant, Plume-Blanche s'approche du bord.

« Oh non, p'pa ! Oh non, j'ai trop peur !

– Saute ! hurle Aka. Tous les animaux de la montagne te regardent. Saute ou c'est moi qui te pousse. » Alors Plume-Blanche ferme les yeux et se laisse tomber dans le vide. Ses ailes immenses se déploient sans effort en s'appuyant sur le vent. Comme c'est grisant ! Et facile !

« M'man ! Je vole ! »

Il suffisait d'essayer. •

Né dans un chou-fleur

Aujourd'hui, Mina a eu une bonne surprise. Sa tante Sophie lui a envoyé une belle carte postale d'Afrique pour son anniversaire. Sur la photo, elle peut voir des tas de choux-fleurs et, au milieu, un bébé.

« Cédric, Cédric, regarde la carte que m'a envoyée tante Sophie. Tu as vu, c'est des choux-fleurs avec un bébé. Tu te moquais de moi lorsque je te disais que les garçons naissaient dans les choux. Maintenant, tu en as la preuve ! Et d'abord c'est mamie qui m'a appris que les garçons naissent dans les choux.

– Oui, oui, c'est ça, et les filles naissent dans les roses.

– T'as qu'à regarder, na, na, na ! »

Cédric s'approche de la carte et reste le souffle coupé. C'est bien vrai, il y a des choux-fleurs et un garçon au milieu. Ça alors ! Cédric examine la photo de plus près. Tiens, tiens, bizarre, ce bébé porte un vieux pantalon, en fait... c'est un homme.

Avec ses six ans et demi, Cédric se débrouille bien pour lire. Il retourne la carte et déchiffre un peu laborieusement la légende. Tout à coup, il éclate de rire :

« Oui, oui, c'est bien ça, en Afrique, les garçons naissent... dans le coton ! »

Péniblement il lit à haute voix :

« Ba-llots de Co-co-ton à Thon-a-kkkah. »

C'est vrai que tout emballées dans ces toiles vertes, comme de grandes feuilles, ces balles de coton blanc ont vraiment l'air de choux-fleurs.

« Ah, ah, ah ! »

Furieuse, Mina lui arrache la carte et essaie de décrypter ces signes incompréhensibles. Elle n'y comprend rien ! Pas question d'attendre la rentrée prochaine, dès ce soir, elle demandera à maman de lui apprendre à lire ! •

Mauvaise rencontre

Comme tous les jours, Trottinette et Trotte-Menue, les deux petites souris, s'en vont faire leur marché. Quand on est souris, ce n'est pas si facile que ça. D'abord, il faut sortir de son trou sans faire le moindre bruit et bien regarder partout pour voir si quelque chat ne traînerait pas dans les parages.

Le pire, c'est de passer devant la porte de Riff, le chien de la voisine. Celui-là, c'est un vrai monstre ! Et justement, le voilà ! Il est couché devant la porte, le museau sur les pattes.

Trottinette, qui est la plus courageuse des deux, se faufile derrière les poubelles. Là où elle est, Riff ne peut pas l'attraper. Elle appelle sa sœur :

« Allez, Trotte-Menue, viens ! Tu ne risques rien, je te jure. En plus, il dort.

– C'est ça, il dort ! Ma pauvre Trottinette, tu as la mémoire courte. Je te rappelle que pas plus tard qu'hier, il m'a manquée de justesse. »

Trotte-Menue a raison. Riff ne dort pas du tout. Il préférerait d'ailleurs. Parce qu'il est malade, mais malade ! Il a trop mangé, ce glouton. Il a bien vu les deux souris sortir de leur trou, mais il n'a pas du tout envie de leur courir après.

•••

Dès qu'il lève les yeux, il a envie de vomir ! Alors, elles peuvent bien passer sous ses moustaches, il ne bougera pas un cil. Nos deux petites amies s'enhardissent. Trottinette dit à sa sœur :

« À trois, on traverse le couloir. Il n'aura pas le temps de nous attraper. Un... deux... trois ! »

Les voilà de l'autre côté.

Trottinette fait la fière :

« Tu vois bien, c'était facile. Il n'a rien vu du tout. Demain, on refera pareil. »

Aïe, aïe, aïe ! Demain, Riff sera en pleine forme. Que va-t-il se passer ? •

La remise des carnets

C'est la fin du mois, il est presque 16 h ; dans quelques minutes le directeur va venir nous remettre nos carnets. Les copains font tous une drôle de tête. La maîtresse aussi a l'air embêtée. Oh, ce n'est drôle pour personne, la remise des carnets ! Ni pour le directeur, ni pour la maîtresse, ni pour nous. Surtout pour nous. Ça y est : il est 16 h, le directeur entre dans la classe. Il n'a pas l'air content du tout.

Il pose les carnets et des livres sur le bureau, puis, lentement, il se tourne vers nous. Il reste là, debout sur l'estrade, et nous regarde un à un d'un œil sévère. Nous, on rentre la tête dans les épaules. C'est vrai qu'on n'a pas été très sages, ce mois-ci, les copains et moi. On a fait quelques bêtises. Le plus drôle, ça a été l'autre matin, quand Lucien a ramené son lapin dans son sac pour nous le montrer à la récré. Le lapin s'est échappé pendant la dictée, alors, bien sûr, il s'est mis à courir partout. Qu'est-ce que ça court vite, un lapin ! Le pauvre Lucien a bien essayé de le rattraper, mais le lapin a fini par se cacher sous le bureau de la maîtresse. Ça nous a bien fait rire, les copains et moi. Seulement, la maîtresse, elle, elle n'a pas trouvé ça drôle du tout. Du coup, toute la classe a été punie. Sauf Rénald. Mais lui, il ne sait pas s'amuser.

Le directeur a dû être mis au courant, pour l'histoire du lapin, car il continue de nous fixer d'un œil sévère tandis qu'on se tasse un peu plus sur nos chaises.

Pour Léon, c'est pas facile, parce qu'il est très grand, Léon, et que Lisette, devant lui, est toute petite.

« Je me demande bien ce que nous allons faire de vous ! » soupire-t-il enfin.

Il soupire ça tous les mois. Cette fois pourtant, ses sourcils sont si froncés qu'ils se touchent. On dirait la tête de mon papa, la dernière fois, quand j'ai cassé une vitre de la maison en jouant au ballon dans le jardin avec les copains. Il n'était vraiment pas content, mon papa.

Le directeur regarde la maîtresse, elle a l'air navrée elle aussi. Seul Rénald se tient bien droit et lève le menton bien haut. Mais Rénald, c'est le premier de la classe aussi. La remise des carnets, il adore. C'est lui qui a tous les prix.

Le directeur soupire à nouveau, puis, il se tourne vers Maxime. Il n'a pas de chance, Maxime, c'est toujours lui qui reçoit son carnet en premier, à cause de l'alphabet. Il le regarde un long moment sans dire un mot.

« Est-il besoin de commenter un tel carnet ? » lui demande-t-il enfin.

Maxime baisse les yeux. Nous aussi.

Ah non vraiment, ce n'est pas drôle du tout, la remise des carnets !

« Ah, enfin ! » s'exclame le directeur.

Et il regarde Rénald qui lève les narines bien haut.

« Si seulement tous les élèves pouvaient être comme vous ! »

Nous, on dit rien, mais on n'en pense pas moins : Rénald, c'est peut-être le premier de la classe, mais c'est surtout un mauvais copain. Il ne joue pas avec nous, il ne partage jamais son goûter, et puis il fait toujours son intéressant avec la maîtresse.

Çà, on est bien contents de ne pas être comme lui !

« Albin ! »

Aïe, c'est mon tour. Rénald me regarde avec un petit sourire idiot.

« Pourquoi venez-vous à l'école ? » va me dire le directeur.

Il me le dit tous les mois. Mais au lieu de ça, il me sourit et dit :

« Votre maîtresse m'a dit que vous aviez un esprit de camaraderie très développé, que vous n'hésitiez pas à partager votre goûter et à aider vos camarades. »

Étonné, je regarde la maîtresse : elle me sourit elle aussi.

« Cela s'appelle le sens de l'amitié, et c'est une qualité très précieuse qu'il faut encourager. »

La maîtresse approuve le directeur d'un hochement de la tête.

C'est au tour de Rénald de froncer les sourcils à présent.

« C'est pourquoi nous avons décidé dorénavant de remettre tous les mois un prix d'amitié à l'élève qui le mérite le plus. »

Et le directeur me fait signe de me lever.

« Avec cette générosité-là, vous serez toujours le premier dans la vie », me dit-il en me tendant un beau livre illustré.

Rénald fait une drôle de tête, on dirait qu'il a avalé un hérisson.

Léon, Lucien, Maxime et tous les copains se sont redressés sur leur chaise, la maîtresse affiche maintenant un grand sourire. À partir d'aujourd'hui, les copains et moi, on va tous essayer de le mériter, ce prix d'amitié ! Vivement le mois prochain que le directeur nous remette nos carnets ! •

Mars

Julie n'a peur de rien

Oui, enfin... presque. Elle n'a pas peur du noir. Elle n'a pas peur des araignées. Elle n'a pas peur de grimper aux arbres. Elle n'a pas peur des chiens. Elle n'a pas peur de l'eau. Elle n'a pas peur des avions à réaction qui passent juste au-dessus de vous en faisant un boucan d'enfer. Elle n'a pas peur de sa maîtresse, pourtant elle est sévère et tout. Elle n'a pas peur des serpents, ni des souris, ni des lions, ni des extraterrestres... quoique.

Dans sa chambre, il y a un placard. Et, dans ce placard, Julie est sûre qu'il y a des monstres. Le soir, quand elle se couche, Julie fait très attention à ce que la porte du placard soit fermée. Il arrive même qu'elle se relève pour aller vérifier. Elle craint que les monstres ne sortent pendant son sommeil. Elle ne sait pas à quoi ils peuvent ressembler, mais ils sont certainement horribles à voir. Elle les entend chaque soir. Des petits bruits légers, et parfois rien du tout. Une chose est sûre : ils sont là. Et même, ils lui volent les biscuits qu'elle enferme à clé pour que son frère ne les lui prenne pas. Ils ne lui laissent que des miettes. Et ils aiment aussi le chocolat, ces monstres ! La dernière fois, il y avait des traces de dents pointues dans le dernier carreau qui lui restait. Cette fois, Julie a tout dit à sa maman. Elles ont ouvert le placard ensemble. Pas de monstre. Mais une petite silhouette grise a disparu dans un trou du mur. Une souris ! Julie n'a peur de rien, mais elle est quand même très contente que les monstres ne soient que de petites souris grises gourmandes. •

Même les arbres ont froid en hiver

Marjorie en avait assez de rester dans la maison, à regarder tomber la neige. Elle a demandé la permission de sortir dans le jardin.
« D'accord, a dit sa maman, mais tu t'habilles bien chaudement et tu ne restes pas trop longtemps. »
Marjorie a mis son gros bonnet rouge avec un énorme pompon et le cache-nez que sa grand-mère lui a tricoté. Elle a couru un peu autour des plates-bandes en faisant semblant de poursuivre un papillon et puis, tout essoufflée, elle s'est arrêtée au pied de l'acacia qui sent si bon quand il est en fleurs. Tiens, hier, il avait des feuilles celui-là, mais aujourd'hui elles sont toutes par terre. Alors, comme elle le fait souvent avec son chat ou son hamster, Marjorie lui parle :
« Pourquoi t'es tout nu ?
– Parce que c'est l'hiver », répond une grosse voix toute rugueuse comme de l'écorce.

Ça ne l'étonne pas du tout, Marjorie. Il n'y a que les grandes personnes qui ignorent que les arbres parlent.
« Et t'as pas froid, comme ça ?
– Si, un peu. Surtout quand il y a du vent comme aujourd'hui. »
Marjorie croit avoir trouvé la solution :
« T'as qu'à t'habiller avec des feuilles !
– Je ne peux pas. Il faut que j'attende le printemps », dit l'arbre en frissonnant.

Marjorie ôte son cache-nez et le noue autour du tronc :
« Tiens, comme ça, tu t'enrhumeras pas. Pour le bonnet, c'est pas possible, t'as une trop grosse tête.
– Merci, petite fille, merci, dit la voix en se faisant toute douce. Le printemps prochain, je fabriquerai deux fois plus de parfum, juste pour toi. » •

Ne te promène donc pas tout nu !

Futttt, le petit fantôme, est très en colère. Il est allé se plaindre à son amie la chouette qui habite dans le clocher de l'église :

« C'est toujours la même chose ! On ne peut pas se promener dans la rue sans se faire marcher sur les pieds !

Si ça continue, je vais aller vivre à la campagne, dans un vieux château ou quelque chose comme ça ! Là, au moins, on ne me bousculera pas sans arrêt !

– Hoouuuu ! répond la chouette.

– Dans un vieux château, je viens de te dire, ou une maison abandonnée. Mais au fait, les vieux châteaux, ça peut être hantés, non ? Oh ! j'aime pas ça du tout ! Non, finalement, j'aurais trop peur !

– Hoouuuu ! Tu me fais mourir de rire, mon pauvre Futttt ! Tu as l'air d'oublier que tu es un fantôme toi-même ! C'est toi qui fais peur aux gens d'habitude.

– Moi ? Et pourquoi je leur ferais peur ?

Ils me voient même pas ! La preuve : ils me marchent sur les pieds et, pour un peu, si je ne m'envolais pas au bon moment, les voitures m'écrabouilleraient.

– Hooouuuu ! Mon pauvre ami, c'est comme ça depuis toujours.

Les fantômes ont été inventés pour faire peur. Et d'abord, si tu ne veux pas te faire bousculer, tu n'as qu'à pas sortir tout nu. Fais comme tout le monde, habille-toi et on te verra.

– M'habiller, répond Futttt le petit fantôme, mais pour quoi faire ? J'ai jamais froid. Et puis la mode me plaît pas en ce moment.

– Hooouuuu ! T'es pas obligé de mettre une cravate non plus. Juste un bout de tissu, ça suffira.

– Merci du conseil. Je vais essayer. »

Depuis, c'est la panique en ville. Il paraît qu'on aurait vu un fantôme ! •

Lis-lis

Nicolas est en vacances chez Lili, le grand-père de son amie Jane. C'est un très gentil grand-père, mais Nicolas a du mal à le voir en Lili. C'est vrai quoi, toutes les Lili qu'il connaît sont des filles. Le mieux, c'est de le lui demander.

« Lili, demande Nicolas, pourquoi t'appelle-t-on ainsi ? Ça n'a rien à voir avec grand-père, ou même ton prénom Thomas ?

– C'est vrai, il y a une raison, dit-il en souriant. Mais toi, as-tu une idée ? demande-t-il en se tournant vers Jane.

– Ben, d'habitude c'est pour les filles ; alors, c'est pas ça.

– Hum, hum, et sinon ?

– Euh, ça pourrait être à cause de l'histoire de Lili le papillon, mais... »

À ces mots, grand-père Lili se lève et essaie d'imiter Lili le papillon. Il n'est pas très gracieux, on dirait plutôt une vilaine chauve-souris somnambule.

« Encore, encore ! » demandent les enfants morts de rire.

Un peu calmés, ils se tournent vers Lili.

« Alors ? s'impatiente Nicolas.

– Eh bien, lorsque Jane est née, j'ai commencé à lui raconter des histoires. Elle adorait ça, dès qu'elle a pu tenir un livre elle me l'a donné et ses premiers mots ont été « lis, lis », tu sais, avec ce petit ton autoritaire que tu connais.

Comme elle m'appelait à longueur de journée avec un livre sous le bras, toute la famille s'est mis à m'appeler comme ça. Je sais, Lili, ça ne fait pas très sérieux pour un grand-père. Moi j'en suis très fier, il me rappelle à chaque fois que j'ai transmis mon goût des livres à quelqu'un. D'ailleurs, si nous reprenions l'histoire de notre ami Nils ?

– Oh oui, lis, lis, Lili ! » répondent les enfants en chœur. •

La souris invisible

Le pauvre Grisminou est épuisé. Il y a une semaine qu'il court après une souris invisible. Il n'est pas très sûr qu'elle soit invisible. Il pense plutôt qu'elle n'existe pas, car enfin, jour et nuit, il est à sa recherche. Pas la moindre odeur de souris dans la maison, pas la moindre trace, pas un cri de souris, et pourtant...

Ça a commencé samedi dernier, quand la famille est rentrée après avoir fait des courses en ville. Lui, il était resté à la maison, en bon chaton de garde qu'il est. Bref. Ils sont rentrés très excités, surtout les enfants, et ils ont commencé à déballer un objet sans intérêt, avec beaucoup de fils emmêlés. « Un peu de patience, disait le père. Laissez-moi l'installer. Jérôme, où est la souris ?

– Dans le carton, p'pa. »

« Bien, s'est dit Grisminou à qui le mot souris avait fait le même effet qu'à toi quand on dit bonbon. Il y a donc une souris, quelque part dans un carton. » Il a sauté dans le premier carton venu. Rien.

« Grisminou, sors de là ! a hurlé Julie.

P'pa, Grisminou va tout abîmer ! »

Grisminou s'est pelotonné sous le canapé en attendant que les choses se calment. Il guettait la souris qui n'allait pas tarder à sortir. Mais rien. Toute la soirée, il entendit parler de cette maudite souris invisible.

« Jérôme, clique avec la souris ; mais non, pas comme ça ! Fais-la glisser sur le tapis ! »

Ils sont devenus fous, ma parole, a pensé Grisminou. Il n'y a pas de souris dans cette pièce, j'en suis sûr ! Voilà, il y a une semaine que cela dure, et ce pauvre Grisminou n'a pas encore compris qu'il s'agit de la souris de l'ordinateur ! •

La bonne farce

« Tu viens jouer avec moi maman ?

– Non Chloé, pas pour l'instant, je prépare une farce !

– Tu prépares une farce ? Tu veux que je t'aide ? »

Pas de réponse.

« Une farce pour qui ? demande Chloé, très intriguée.

– Pour papa et toi !

– Ouah ! Super ! et pour quand ?

– Pour le dîner Chloé ! »

La petite fille se met à sautiller en se disant qu'ils vont bien rire et que c'est gentil de la part de maman de faire des farces alors qu'elle a plein de travail et pas tellement de temps.

L'après-midi passe et Chloé s'occupe de son mieux en attendant le grand moment. Elle se demande à quoi va ressembler la bonne farce de maman. Et ce pauvre papa qui ne se doute de rien ! Ça a l'air assez compliqué à organiser. Maman passe du temps enfermée dans la cuisine. En plus, il faut un tas de matériel que maman sort du placard. Chloé entend plein de

bruits pendant un petit moment. Ensuite, elle entend sa maman chantonner. C'est bon signe, ça va réussir. Enfin, papa rentre et tout le monde se met à table. Chloé s'agite sur sa chaise et lance des regards complices à sa maman.

Maman a l'air très calme, Chloé se demande comment elle fait pour garder son sérieux.

D'abord il y a l'entrée et rien ne se passe. Puis...

« C'est pour quand la farce ? demande Chloé n'y tenant plus.

– Pour maintenant ! s'exclame maman tout en déposant un joli plat de tomates... farcies sur la table.

– Surtout, mâche bien Chloé ! On ne sait jamais avec les farces ! » dit papa en riant.

Parfois, les adultes rient pour des choses pas tellement drôles, se dit Chloé déçue. •

Petit Pierre et la nouvelle voiture

Le papa de Petit Pierre a acheté une nouvelle voiture. L'ancienne marchait encore très bien, pourtant. Bien sûr, elle n'avait pas un moteur superpuissant, des lumières partout sur le tableau de bord et de la peinture métallisée, mais Petit Pierre aimait bien s'étendre sur le siège arrière en rentrant de la plage. Et puis, son chien Bimbo avait le droit d'être assis à côté de lui quand ils partaient en balade. Maintenant, tout devient plus compliqué.

Le papa de Petit Pierre n'arrête pas de crier :

« Fais attention, voyons, tu vas mettre des miettes avec ton goûter ! Et puis, essuie tes pieds avant de monter, tu vas salir la moquette ! »

En plus, on ne peut pas descendre les vitres soi-même, comme dans la vieille camionnette, et on ne peut plus

stationner juste devant l'école, parce que les vélos des grands risqueraient de rayer la carrosserie. Et ce pauvre Bimbo est obligé de rester à la maison maintenant !

Non, vraiment, c'est plus rigolo du tout de partir en voiture !

Avant, il n'y avait pas la radio, alors on chantait des chansons quand on partait en vacances, on faisait des paris sur la couleur de

...

la prochaine auto qu'on allait croiser, ou bien on faisait des charades.

Le pire, c'est qu'à cause d'elle, Petit Pierre n'aura pas de vélo neuf à Noël. Il paraît que l'ancien est encore tout à fait convenable ! Petit Pierre a protesté :

« La vieille voiture était encore très bien, elle aussi, et elle est allée à la casse !

– Ce n'est pas pareil », a répondu son papa. Ça, c'était bien une réponse de papa ! Non, vraiment, il la déteste, cette voiture, Petit Pierre ! •

Pim, Pam, Poum et le bouledogue

Depuis quelques jours, il y a une niche dans le jardin d'à côté. Et dans la niche, un énorme chien avec les dents qui dépassent et le nez tout aplati. Pas l'air commode, le monsieur ! Pour l'instant, on n'a pas entendu sa voix, mais ça doit être terrible se disent Pim et Poum, les chatons. Et puis, il n'est pas attaché. Pas question d'aller lui faire des grimaces comme à l'affreux roquet qui habite de l'autre côté de la rue ! Le gros a beau avoir l'air de dormir toute la journée, il vaut mieux être prudents. Il va falloir faire un détour pour aller jouer avec Pam, leur petite copine. La voilà, justement, la petite chatte blanche. Elle s'avance tranquillement sur la pelouse, à deux mètres de la niche ! Aïe, aïe, aïe ! L'énorme chien va lui sauter dessus et n'en faire qu'une bouchée ! Cachés dans un arbre, Pim et Poum tremblent pour leur amie. Que va-t-il se passer ?

Mais... mais... elle est folle ! La voilà maintenant qui s'approche de la gamelle du molosse ! Les deux chatons ont envie de lui crier de se sauver avant qu'il ne soit trop tard. Tranquillement, la queue toute droite en l'air, mademoiselle Pam renifle la pâtée du chien. Celui-ci a levé la tête.

Les terribles crocs s'approchent de la jolie fourrure de la petite chatte et... non ! pas possible !

De la gueule monstrueuse sort une langue rose qui vient lécher le nez de la demoiselle.

Ça alors ! Aujourd'hui, Pim et Poum ont appris qu'il ne faut pas juger les gens sur leur apparence.

On peut avoir l'air méchant, ou bizarre, et être très gentil. •

Pirate a mal aux dents

C'est un énorme, énorme requin. De ceux qui dévorent tout et n'importe quoi. Il a toujours faim. C'est bien là son malheur. L'autre jour, voyant quelque chose bouger derrière un corail, il s'est précipité, gueule ouverte, pour engloutir le malheureux poisson qui devait se trouver là. Malheureusement pour lui, il s'agissait, non pas d'un maquereau ni d'une délicieuse dorade, mais bien de l'ancre d'un voilier qu'on était en train de descendre doucement vers le fond. Avant d'avoir compris son erreur, Pirate le requin avait refermé son énorme mâchoire sur le métal et... aïe, aïe, aïe ! Depuis, il souffre et ça lui a même coupé l'appétit, c'est dire s'il a mal !
Bien que pas très aimable, Pirate a quand même un ami fidèle : Piccolo, un minuscule poisson qui le suit tout le temps. Piccolo est trop petit pour chasser tout seul, alors il se contente des restes de son redoutable compagnon. En échange, il lui rend quelques services, comme lui nettoyer les ouïes, ce que Pirate ne peut pas faire seul, même quand ça le démange affreusement ! Pirate ne peut pas non plus voir ce qui lui fait si mal, là, dans la bouche. Alors Piccolo, prudemment, s'approche de la terrible mâchoire :
« Ouvre, Pirate, je n'y vois rien. »
Et l'énorme requin obéit. Il reste là, l'air tout bête, la gueule grande ouverte, pour qu'un tout petit poisson, pas plus gros que la moitié de la moitié de la moitié de rien du tout, se faufile entre ses dents aiguisées.
« T'as une dent cassée, mon pauvre vieux. Il va falloir te mettre à la diète. »
Et Piccolo, prudent, se réfugie sur le dos du squale. On ne sait jamais avec les requins malades, surtout quand ils ont si mauvais caractère ! •

À bientôt les hirondelles !

Ce matin, toutes les hirondelles des alentours sont perchées côte à côte sur les fils du téléphone, immobiles, silencieuses. Plus personne dans le ciel. Qu'est-ce qui se passe ? Est-ce qu'elles attendent un coup de téléphone ?
« Oui, se dit Loulou, ça doit être ça. Sinon, pourquoi perdraient-elles leur temps, elles qui sont toujours en mouvement ? »

Quand Loulou sort de l'école le soir, plus personne sur les fils. Et dans le ciel, au-dessus du village, pas une aile. Il faut demander à papa. Il doit savoir, lui.
« Papa, est-ce que les hirondelles peuvent téléphoner ?
– Je ne crois pas. Les oiseaux sont bien mieux

• • •

53

équipés que nous, tu sais. Ils communiquent avec d'autres choses que des fils de fer !

– Alors, poursuit Loulou, pourquoi les hirondelles étaient toutes alignées sur les fils du téléphone ce matin ? Pour faire la course ?

– Eh non, mon pauvre Loulou, c'est l'automne. Les hirondelles s'en vont chaque automne. Elles n'aiment pas le froid, alors elles se rassemblent et elles partent toutes ensemble au Soleil. Elles reviendront au printemps prochain, je te le promets.

– Et si elles ne se rappellent plus où on habite, l'année prochaine ?

– Ne t'inquiète pas Loulou, elles reviennent toujours au même endroit.

– C'est triste le ciel sans oiseaux !

– Mais Loulou, il en reste plein ! Il y a les rouges-gorges et les moineaux, et tous les autres. Tiens, on va leur fabriquer un perchoir sur le balcon. Tu y mettras des graines et du lard cet hiver. Tu verras, ils viendront. Pas besoin de leur téléphoner ! » •

Poussière vole

Depuis deux jours, un drôle de vent chaud souffle sur le jardin. Le poirier a beaucoup de mal à protéger ses fleurs si fragiles. Quand enfin la tempête se calme, tout est en désordre, mais heureusement personne n'a été jeté à terre. Il y a même des inconnus qui ont échoué là, bien malgré eux : une coccinelle, quelques feuilles bizarres et un grain de sable. Le petit grain de sable jaune serait passé inaperçu s'il n'était tombé dans la corolle d'une fleur. Il vient de loin, de très loin, du Sahara. Il vivait paisiblement dans le désert quand une terrible tempête s'est levée et l'a entraîné dans ses tourbillons. Il a traversé la Méditerranée sans oser respirer, et le voilà, encore tout étourdi.

« Comme ça sent bon, ici ! Où suis-je ? »
Une petite voix toute douce lui répond :
« Bien sûr que ça sent bon, puisque tu es dans une fleur.
Bonjour, je me présente :

Grain-de-pollen-de-fleur-de-poirier, et toi ?

– Criss, répond le grain de sable jaune du désert.

– Tu tombes bien, Criss-sable-jaune-du-désert, je me marie aujourd'hui. Je t'invite. Tu vois le poirier en fleurs, là-bas, au fond du jardin ? C'est là que ma fiancée m'attend.

– Juste une petite question, reprend Criss-sable-jaune-du-désert : comment tu vas y aller ?

– Oh ben, c'est facile. Je vais me mettre sur le bord d'un pétale et hop ! Le vent fera le taxi !

– Et moi, tu crois que le vent pourrait me ramener dans le désert ?

– Je ne crois pas. Le sirocco ne souffle jamais dans l'autre sens. Mais reste ici, tu verras, tu te feras des amis de toutes les couleurs. Et puis, je suis là, moi. » •

Qui a volé les citrouilles ?

Monsieur Louis est un très bon jardinier. Ses tomates sont les plus grosses du village. Sans parler de ses fraises !

Par contre, il a très mauvais caractère et il a toujours peur qu'on le vole. Jusqu'à l'année dernière, il ne supportait pas les enfants. Dès qu'il les voyait s'approcher du mur de son jardin, il les menaçait avec son râteau. Il faut dire que, dans le jardin de monsieur Louis, il y a des citrouilles énormes. En automne, il les ramasse et les rentre dans sa cave pour l'hiver.

Un soir de l'année dernière, en sortant de chez lui pour fermer son portail à clé, il remarqua une lueur orange qui semblait provenir de son potager. Vite, il rentra dans sa maison pour appeler les pompiers, puis il s'enferma à clé.

À l'arrivée des pompiers, monsieur Louis sortit de chez lui. Tout le village était dans la rue, et lui tout seul au milieu de ses salades.

Entre eux, sur le mur, une rangée de masques grimaçants, avec de la lumière à l'intérieur.

« Mes citrouilles ! Au voleur ! »

Le chef des pompiers s'approcha de monsieur Louis qui piétinait ses légumes tant il était en colère :

« Calmez-vous monsieur Louis, ce n'est pas si grave ! C'est Halloween aujourd'hui. Je crois que si vous donnez quelques bonbons aux enfants, vos potirons seront épargnés l'année prochaine. Qu'en pensez-vous ? »

À partir de ce jour-là, monsieur Louis invita les enfants dans son jardin. Ensemble, ils firent pousser assez de citrouilles pour décorer tout le village le soir d'Halloween. •

L'araignée veut des amis

Azaé l'araignée en avait assez de rester toute seule sur sa toile. Personne ne venait lui rendre visite, à part des petits moucherons, des moustiques myopes, qui se collaient à sa toile, ou une vieille tante poilue qui pique quand on l'embrasse. Oui, c'était décidé, Azaé devait se faire des amis, des vrais ; des gens de qualité, comme les papillons, les abeilles et les libellules.

Azaé s'imaginait déjà buvant le thé avec ses nouveaux amis dans une fleur de pivoine. Elle avait bien une vague connaissance, un voisin gentil et discret, Simon le hanneton. Mais il était bien trop gros et bien trop maladroit pour la délicate Azaé.

Une abeille passa alors près de sa toile.

« Veux-tu être mon amie ? lui demanda Azaé.

– Pas le temps, beaucoup de travail, salut ! »

Vint un papillon magnifique aux ailes bleu azur.

« Hé, Monsieur, Monsieur, voulez-vous être mon ami ? »

Le beau papillon ne lui accorda pas un regard. Quant à la libellule, cette idiote, en volant en tous sens, elle déchira la toile de la pauvre Azaé qui fondit alors en larmes. Mais, de la troisième tige, derrière la deuxième feuille à gauche, Azaé entendit soudain une toute petite voix :

« Eh oui ! Parfois la vie est injuste. »

Azaé se pencha par la fenêtre de sa toile et aperçut Simon occupé à faire briller ses ailes et ses élytres.

Ce Simon, toujours soucieux de sa mécanique ! Il fallait qu'il puisse démarrer au quart de tour pour rejoindre les nuages.

« Allez, Azaé, monte sur mon dos, allons faire un tour ; je vais te faire oublier tes soucis. »

Dans un vrombissement d'ailes, il offrit à Azaé son premier voyage dans les airs et, surtout, une belle preuve d'amitié. •

Qui s'y frotte s'y brûle

Tout est calme. Pelotonné sur le canapé, Doudou-Chat vient de s'endormir. Il a d'abord ronronné pendant quelques minutes, juste pour se bercer, puis, tout doucement, les rêves sont arrivés ; des rêves de chat où on court dans les herbes à la poursuite des sauterelles, des rêves où tout est doux et savoureux comme le yaourt à la fraise. Ah ! Le yaourt à la fraise ! Doudou-Chat se découvre comme une petite faim et le voilà aussitôt réveillé. Bon, un petit tour à la cuisine et il reviendra s'enrouler au milieu des coussins.

D'abord, ouvrir les yeux, s'étirer un peu, rien ne presse. Ouvrir les yeux, voilà ce qu'il ne fallait pas faire ! Parce que là, juste devant lui, quelque chose brille dans le noir. Deux boules rouge sombre, dangereuses. Quel animal possède des yeux aussi effrayants ? Et si ça se mangeait ? L'estomac de Doudou-Chat vient de le ramener à la réalité. Il faut aller voir de près.

Prudemment, il s'approche de la chose. Plus près, plus près encore. Les griffes sorties,

Doudou-Chat bondit. Aïe, aïe, aïe ! Ça brûle ! Ça brûle horriblement et ça sent le roussi. Et puis, les deux yeux se sont séparés et, maintenant, il y en a un de chaque côté de la pièce ! Affolé, Doudou-Chat s'enfuit. Au passage, il renverse un vase qui s'effondre dans un bruit de verre brisé. La lumière s'allume.

« Qu'est-ce qui se passe ici ? Doudou, tu as encore fait une bêtise ! »

Et Doudou-Chat comprend son erreur. Les yeux du monstre qui flamboyaient dans l'ombre, ce n'étaient que des braises de la cheminée. •

La bonne nouvelle

« Bonjour, j'ai une lettre pour vous ! Hé ! J'ai une lettre pour vous ! »
Grognon ouvrit les yeux avec difficulté. Qui osait le déranger ? Il vit un blaireau qui jouait les facteurs. Un petit coup de patte lui apprendrait à vivre et, surtout, à ne pas réveiller les animaux qui hibernent. Ce n'est pas bien de déranger une brave bête qui, tout au long de l'année, fait des efforts pour se nourrir, se reproduire et élever ses enfants, et qui a besoin de repos durant tout l'hiver. Mais lui, le blaireau, qui était-il, d'où venait-il ? Et cet idiot continuait à agiter sa lettre sous le museau de Grognon.
« Une lettre très importante !
– Laisse-moi dormir, espèce de gros rat à poils durs ou tu auras à faire à mes crocs et à mes griffes ! »
Le facteur était vexé. Certes, il était tout jeune dans la profession, mais ce n'était pas une raison pour lui

parler comme ça. Mais que pouvait bien contenir cette lettre ?
Qui pouvait déranger un ours en pleine hibernation ? Pouvait-il l'ouvrir lui-même ? Déjà ses petites pattes tremblaient d'excitation. D'une griffe délicate, il ouvrit la lettre destinée à Grognon, la lut et cria :
« Grognon, Grognon, il faut vous réveiller !
– Encore toi ! Mais je vais te... »
En voyant la lettre que le blaireau lui tendait, Grognon se calma instantanément.
« Le printemps est arrivé ! » s'exclama-t-il.
Eh oui : la fameuse lettre annonçait le retour du printemps. Il était temps de se réveiller. Depuis ce jour, Grognon et le jeune facteur sont les meilleurs amis du monde. •

T'es trop p'tit

C'est toujours pareil. Dès que Rémy veut jouer avec les grands, ils lui répondent la même chose :
« Non, t'es trop p'tit. »
Le pauvre Rémy reste planté là avec son nounours dans les bras. Pourtant, il sait jouer aux billes, lui aussi.
Et puis quand son grand frère est tout seul, sans ses copains, il est bien plus gentil avec lui. Pour la console, c'est même pas la peine de demander. Il n'y a des manettes que pour deux et c'est jamais lui le deuxième !
« T'es trop p'tit. » Ben voyons ! Pourtant, il l'a déjà battu son frère, et plus d'une fois !

Quand ils jouent à cache-cache, ça les dérange pas qu'il soit là. Mais c'est toujours lui qui compte et les autres qui se cachent, et puis il les trouve jamais.
Aujourd'hui, ils ont entrepris une partie de foot.

•••

Enfin, de mini foot, parce qu'il n'y a pas trop de place dans la cour et puis les parents râlent à cause des carreaux. Au foot, quand même, ils pourraient accepter de le prendre avec eux, mais non, comme d'habitude :
« Fiche-nous la paix, t'es trop p'tit. »
Rémy est resté sur le côté, son goûter à la main. On le bouscule.
« Pousse-toi ! Tu vois pas que tu gênes ? »
À ce moment-là, Ludovic reçoit le ballon en pleine figure. Il tombe et se met à hurler. Tous les autres se sauvent. Attention, ça va chauffer ! Ils n'avaient pas le droit de jouer là. Ludovic pleure, tout seul au milieu de la cour. Alors le petit Rémy s'approche et s'assied à côté du garçon : « T'as mal ? »
Ludovic ne répond pas et continue à brailler un peu moins fort. Rémy lui tend sa tartine :
« T'en veux ? »

Ludovic fait non de la tête, mais il sourit. La prochaine fois, il acceptera peut-être que Rémy joue avec lui. Peut-être... •

Trois petits étourdis

Picou, Pica et Pipic, les trois petits hérissons, s'en vont à la queue leu leu le long des haies et des fourrés, sans regarder derrière eux. Leur maman leur a dit de rentrer avant la nuit à cause des renards. Ils n'ont même pas écouté. Nos trois amis s'en vont donc sans regarder derrière eux. Hier, ils ont repéré un pommier plein de pommes bien mûres qui commencent à tomber sur le sol. Arrivés dans le verger, Picou, Pica et Pipic commencent à s'empiffrer, sans regarder derrière eux. Ces pommes sont délicieuses, sucrées et croquantes comme ils les aiment.
Au bout d'un moment, leurs ventres sont remplis. Pica, la plus gourmande des trois, dit à ses frères :
« Je n'en peux plus. Dommage qu'on ne puisse pas tout emporter ! »
Picou, le plus âgé, lui répond :
« Mais on peut. Regarde ! »
Et le voilà qui se roule sur le tapis de pommes.
Quand il se relève, une pomme est restée plantée sur ses piquants.
« Yaou ! Génial ! Tu as inventé ça tout seul ?
– Non, répond Picou.

C'est papa qui m'a expliqué. »
Les trois petits hérissons se roulent par terre et les voilà qui repartent sans regarder derrière eux, avec chacun une pomme plantée sur ses piquants. Ils auraient mieux fait de se retourner, parce que le renard était là, pendant tout ce temps.
Pour attaquer, il attendait juste qu'ils repassent près de son terrier, sans regarder derrière eux.
Il n'aurait plus alors qu'à se mettre à table.
Assuré d'attraper au moins un de ces écervelés, le renard saute, plante ses dents et... retombe sur son derrière avec seulement une pomme dans la gueule. Le temps qu'il comprenne ce qui s'est passé, les trois petits hérissons se sont enfuis. Sans regarder derrière eux ! •

Le roi des rats

Qui a déjà connu un animal aussi méchant, lâche et cruel que le fameux roi des rats ? Le roi des rats et ses acolytes avaient chassé les souris de la cuisine du château des Nouettes et avaient pris leur place. Le comte des Nouettes était réputé pour la magnificence de ses réceptions et, surtout, pour la qualité des plats préparés par Anatole, son cuisinier. Le comte exigeait chaque soir un nouveau plat. Anatole dirigeait sa cuisine et ses cuisiniers comme un général d'armée. Il n'excusait aucune erreur ou aucun manquement à la discipline. Il fallait que les plats soient bons, beaux et bien chauds. Un soir, alors qu'Anatole éteignait les feux de la cuisine, il vit un énorme rat. Surpris, il fit un pas en arrière et observa le roi des rats qui contemplait son futur domaine avec satisfaction. Puis, très vite, un sourire étrange se dessina sur le visage d'Anatole.

« Cher roi des rats, dit Anatole, je t'accueille bien volontiers dans ma cuisine.

– Normal, fit le roi des rats, je suis le plus fort, et tu ne peux contester mon pouvoir.

– Bien sûr, mon roi, mais pour toi et ta troupe, j'ai préparé une très bonne soupe. Regardez derrière moi, regardez cette belle marmite. À l'intérieur, vous trouverez un fabuleux festin.

– Pousse-toi, imbécile, ma bande avec moi ! »

Et là, une immonde horde noire composée de rats malfaisants se précipita dans la marmite qui fut aussitôt refermée par Anatole.

« Mmm ! Ce ragoût est délicieux, mon cher Anatole ! Mais de quoi est-il composé, quelle est votre recette ?

– Ah non, cher comte, vous savez bien que je ne donne jamais mes secrets. »

Satisfait, Anatole revint dans sa cuisine en souriant. En se lissant les moustaches, il se dit que, bien préparé, tout peut avoir bon goût, même des rats et leur roi. •

Trottinette et Trotte-Menue

Les deux petites souris s'en vont au marché. Elles ont pris leur minuscule panier, elles ont mis leurs foulards à carreaux et les voilà parties. Avant de sortir de leur trou, elles regardent à droite et à gauche. Bon. Pour l'instant, tout va bien. Grisminou le chat n'est pas là.

Ah ! Celui-là ! Il a toujours l'air de dormir, mais il ne faut pas s'y fier. Il est capable de vous sauter dessus en un éclair. Pourtant, il est gavé de croquettes, ce monstre !

Il y a aussi Riff, le chien ratier des voisins qui adore courir après elles. Pas de Riff non plus. Maintenant, reste le plus difficile : entrer dans le magasin du marchand de fromage. Là, le danger est pire encore : toutes les issues sont gardées par les rats d'égout du quartier. Des rats énormes, crasseux, méchants... et nombreux. Que peuvent faire deux petites souris grises face à ces voyous ? Mais ils ne sont pas là. Quelle chance !

•••

•••

Trotte-Menue suit sa sœur, mais elle tremble de peur :

« Tu crois pas qu'on devrait rentrer à la maison ? »

Trottinette n'est pas d'accord :

« Non, on y va. Je sens une bonne odeur de Beaufort ; c'est le fromage que je préfère. »

Les voilà entrées. Mais à peine ont-elles réussi à grimper sur le comptoir qu'un grand bruit les glace d'effroi.

C'est le marchand qui tape partout avec un torchon pour les faire fuir. Trottinette et Trotte-Menue s'enfuient chez elles, le ventre et le panier vides. Quelle vie que la vie de souris !

Imagine si toi, qui n'as qu'à ouvrir le frigo pour avoir du fromage, tu devais faire comme elles ! •

Tu sais faire ça ?

Aujourd'hui, toute la famille éléphant part pique-niquer au bord de la rivière. Trompette est ravi parce qu'il aime bien s'amuser dans l'eau. On s'arrose mutuellement avec la trompe, on se roule dans la boue et après, on se jette de la poussière sur la tête. Même les grands le font. Même grand-mère. Elle dit que c'est bon pour la peau.

Quand la famille éléphant arrive à la rivière, il y a déjà beaucoup de monde. C'est normal, il fait très chaud, alors tous les animaux de la savane viennent se rafraîchir. Il y a les gazelles, les zèbres, les buffles. Trompette est très content, parce qu'il y a aussi Toute-Grande, sa copine la girafe. Trompette aime bien jouer à « Tu-sais-faire-ça ? » avec Toute-Grande. Par exemple, il s'arrose avec sa trompe et il demande à la girafe : « Tu sais faire ça ? »

Bien sûr que non ! À son tour, Toute-Grande se cache sous les arbres et on ne la voit plus, parce que les taches de sa fourrure se confondent avec l'ombre des feuilles. Elle dit : « Tu sais faire ça ? »

Trompette essaie, mais il est si gros qu'il y a toujours un bout qui dépasse d'un côté ou de l'autre ; on le voit très bien. Alors il ramasse un tronc d'arbre couché par terre en enroulant sa trompe autour et il dit : « Tu sais faire ça ? »

Toute-Grande écarte les pattes, elle penche son immense cou vers le sol et s'efforce de pousser le bout de bois, mais elle a aussitôt la tête qui tourne.

« Et ça, tu sais le faire ? » dit Trompette en cueillant une feuille au sommet d'un arbre.

Toute-Grande n'a même pas besoin d'allonger le cou pour y arriver. Voilà quelque chose qu'ils savent faire tous les deux ! •

Un ballon, deux enfants et un crabe

Tu crois peut-être que je vais te raconter l'histoire de deux enfants qui jouent au ballon sur la plage avec un crabe ! Pas du tout. D'abord, parce que ce n'est pas possible, tu es bien d'accord ? L'histoire que je vais te raconter est plus incroyable que ça.

Il y avait une fois deux enfants qui jouaient au ballon sur la plage. Le crabe était là, lui aussi, mais il se tenait prudemment à l'écart. Le ballon aurait pu l'assommer et les enfants lui marcher dessus sans le faire exprès. Il y avait aussi, pas très loin, un très gros chien noir, un terre-neuve. Ces animaux-là adorent l'eau. D'ailleurs, ils ont les pattes un peu palmées comme des nageoires, juste un peu. Mais les terre-neuve aiment aussi courir après les ballons, et ce jour-là… Le petit garçon avait aperçu le crabe.

Il se baissa pour le ramasser juste au moment où la petite fille lançait le ballon dans sa direction. Celui-ci roula vers la mer et le vent l'emporta au large.

La petite fille courut dans l'eau pour le rattraper, mais il y avait de grosses vagues et elle perdit pied.

Le chien bondit. Mais le voilà bien hésitant. Il y avait dans l'eau deux choses très intéressantes pour un chien terre-neuve : un ballon et une petite fille.

On ne sait pas si les chiens sont aussi intelligents que les humains. Ce qui est sûr, c'est que les chiens terre-neuve choisissent toujours de sauver les gens. Et ce jour-là, sans regarder le ballon qui s'éloignait, le chien a attrapé délicatement le bras de la petite fille entre ses énormes crocs et il l'a ramenée au bord. •

Un gros bébé

Monsieur et madame Mésange viennent de finir leur nid. Ils vont enfin pouvoir accueillir les œufs que madame Mésange va pondre. Ça y est, ils sont là ! Trois œufs tout jolis, bien à l'abri dans le nid douillet. Monsieur et madame Mésange sont si contents qu'ils sont montés sur la plus haute branche du chêne pour chanter ensemble. Mais pendant qu'ils font des trilles, le coucou arrive. Il est beaucoup plus gros que le couple chanteur, et surtout, il est très, très paresseux. Il n'a pas envie de perdre du temps à construire un nid ! Il va pondre son œuf dans celui-ci. Les mésanges feront le travail à sa place.

En revenant chez eux, les mésanges ne remarquent rien. Il y a un œuf de plus, mais comme ils ne savent pas compter, ils ne s'inquiètent pas. Ils s'installent à tour de rôle sur leurs œufs pour les tenir au chaud jusqu'à ce que les oisillons naissent. Enfin, les voilà, ces bébés tant attendus. Monsieur et madame Mésange ne s'étonnent pas du fait que l'un d'entre eux soit si gros et qu'il ne leur ressemble pas du tout. Qu'il est beau ! Et quel appétit il a ! Toute la journée, les pauvres oiseaux s'épuisent à

ramener de la nourriture à cet énorme bébé qui a toujours plus faim que les autres et qui réclame sans arrêt de nouveaux vers de terre. Un beau jour, les petits s'envolent.

« Coucou ! Coucou ! Au revoir papa, au revoir maman ! » chante le petit coucou dans une langue qu'ils ne connaissent pas.

Ouf ! Celui-là leur aura donné plus de mal que les autres. L'année prochaine, monsieur et madame Mésange feront à nouveau des bébés. Avec un peu de chance, le coucou ira pondre ailleurs. •

MARS
MARS
23

Zut, il neige !

« Pilou, Pilou, viens voir, il neige ! Pilou, viens voir ! » Catastrophe ! disent les yeux de Pilou. Il se recouche près du radiateur en soupirant. Il déteste la neige, Pilou. Pourtant, tous les autres chiens adorent se rouler dans la poudreuse. Pas lui. Le pauvre caniche n'a pas de chance. Alex, son maître, attend l'hiver avec impatience. Quel calvaire, la neige ! C'est froid et ça colle aux poils ; il va encore falloir courir pour attraper des boules toutes gelées et s'en prendre plein la truffe !

Mais pourquoi les enfants sont-ils si différents des chiens ? Ils croient toujours qu'on aime les mêmes choses qu'eux ! Est-ce qu'il oblige Alex à courir après des bâtons ou des pierres, lui ? Est-ce qu'il le réveille en plein milieu d'un rêve pour aller faire pipi sur commande ?

« Pilou ! Viens mon chien, on va dehors. » Et voilà ! Adieu la douce chaleur, adieu la paix. Pourtant, d'habitude, il aime bien sortir notre Pilou, surtout avec Alex, parce que celui-ci a toujours quelque chose

à manger dans sa poche. Et puis, il y a les copains. Ceux d'Alex, et ceux de Pilou aussi. Quand les enfants s'amusent, surtout quand ils font des bêtises, Pilou va rejoindre Poilu le griffon et Wouf le teckel, et ils font la course sur les pelouses.

C'est interdit bien sûr, mais les chiens ne savent pas lire et il arrive qu'ils ne comprennent pas ce qu'on leur dit. Surtout quand ils ne veulent pas entendre.

« Pilou ! Si tu ne viens pas tout de suite, je sors tout seul. Tant pis pour toi, parce qu'il y a plein de neige et qu'on aurait pu jouer. »

La porte a claqué.

« Enfin », se dit Pilou. Et il se rendort. •

La taupe qui voulait voler

« Qu'est-ce qu'il fait noir ici, j'en ai vraiment assez !
se lamente Jojo la taupe, seule au fond de sa galerie.
Comme j'aimerais pouvoir mettre mon nez dehors !
Ah ! regarder le ciel, les merveilleux nuages, et
réchauffer ma fourrure sous les rayons caressants du
Soleil ! Oui mais voilà, si je sors, les jardiniers et leurs
chiens me mettront aussitôt en pièces, c'est certain...
Que faire ? »
Tout à coup, Jojo entend du bruit au-dessus de sa tête :
Toc, toc, toc. C'est Anatole, le corbeau.
« Oh, excuse-moi, lui dit-il. Je suis à la recherche de
petits vermisseaux, mais il fait si chaud dehors qu'ils
sont tous partis s'enterrer bien profondément.
Du coup, je n'ai pas mangé depuis deux jours
et je commence à avoir
sérieusement faim...
– Il fait chaud, dis-tu ?
demande Jojo.

– Oui, répond Anatole. Il fait un temps superbe, et le
ciel est magnifique : bleu, avec juste quelques petits
nuages tout blancs et tout ronds comme des pommes.
– Dis-moi, Anatole, si je t'apportais un beau panier
rempli de vermisseaux, me rendrais-tu un service ?
– Mais, tout ce que tu voudras, Jojo.
– Je voudrais que tu m'emmènes voir le ciel ; je
voudrais voler ! »
Alors Anatole prend Jojo sur son dos et lui fait faire
une grande promenade dans les airs. Jojo est aux
anges.

Et depuis, chaque
semaine, en échange de
quelques vermisseaux,
Jojo la taupe s'envole à
travers le ciel pour un
magnifique voyage. •

Alice n'aime pas les chiffres

« Allons, Alice tu peux répondre
à une question aussi facile. Combien
font 6 et 6 ? »
Alice ne pouvait pas répondre à
la maîtresse, car Alice détestait
les additions, les soustractions,
les divisions, bref : tous les chiffres.
Elle aimait lire, écrire, écouter de la
musique, mais elle n'aimait pas les
chiffres.

Un jour, elle vit dans le journal une annonce qui
vantait les mérites d'une méthode pour
aimer les chiffres. Rien de plus
simple : il suffisait de composer un
numéro de téléphone. Un numéro
plein de... chiffres. Berk ! Non,
pas ça.
Une autre méthode existait,
mais il fallait payer 365 euros, ou
36,50 euros en dix mensualités,

•••

ou 3,65 euros en 100 mensualités. Non, décidément, tout cela était trop compliqué pour Alice. Que faire ?

Pas grand-chose pour le moment, car les grandes vacances arrivaient : deux longs mois pour aller se baigner, construire des cabanes, lire à l'ombre d'un arbre son livre préféré et se promener à vélo. Alice adorait le vélo. Elle pouvait avaler des kilomètres en une seule journée. Mais voilà, ce jour-là, elle était allée trop loin ; Alice ne reconnaissait plus le paysage. Elle était perdue.

Un jeune garçon passait à bicyclette.

« Hé ! Sais-tu où se trouve Cenville ? lui demanda Alice.

$6+2$

$7-5=?$

3×3

– Bien sûr, c'est à 12 kilomètres d'ici.

Il faut tourner à la 4e route à droite et prendre la 2e à gauche, ensuite il faut rouler 10 bonnes minutes avant de franchir un 1er pont, puis un second et longer une grande horloge. Après, tu vas tout droit et tu arrives à Cenville. »

Encore des chiffres ! Toujours des chiffres !

« Tu as l'air de bien aimer les chiffres, dit Alice.

– J'adore ! répondit le garçon.

– Tu voudrais bien m'apprendre à les aimer ?

– Bien sûr, je t'accompagne Alice, ce sera l'affaire de 5 minutes ! » •

26 MARS Chat des villes, chat des champs

Un jour, un chat de gouttière décida qu'il en avait assez de vivre en ville :

« Je ne suis pas fait pour vivre dans cette grisaille. J'ai besoin d'air pur, je veux gambader dans les prés ! »

Mais quel long chemin pour arriver à la campagne ! Il fallait d'abord traverser de nombreuses routes où les voitures roulent à toute allure. Que de fois il avait manqué se faire renverser ! Puis, il y avait les bois sombres où l'on se perd comme un rien. Il finit pourtant par y arriver. Enfin il les voyait, les champs de blé, de maïs, de tournesols. Au bout d'un chemin, il aperçut une jolie ferme. À bout de forces, le petit chat se dirigea vers la ferme.

Il franchit la barrière et pénétra dans la courette. À peine avait-il fait deux pas qu'il croisa un âne.

« Que viens-tu faire ici ? lui demanda l'âne.

– J'ai parcouru un long chemin et je suis fatigué. J'aimerais rester un peu ici pour me reposer.

– Tu n'es pas un animal de ferme, tu n'as rien à faire ici ! » lui rétorqua l'âne.

Le petit chat tout triste continua son chemin. Il croisa un cochon.

« Bonjour, Monsieur, J'ai parcouru un long chemin et je suis fatigué. J'aimerais rester ici pour me reposer.

– Certainement pas, dit le cochon. Tu n'es même pas un animal de ferme ! »

Tout malheureux, le petit chat s'apprêtait à partir lorsqu'une petite fille apparut sur le pas de la porte.

« Maman ! cria la petite fille. Viens voir, il y a un petit chat ! Tu crois qu'il peut rester avec nous ?

– Mais bien sûr, ma petite Jeanne, répondit la maman. Il a l'air si fatigué. »

Alors la petite fille prit doucement le chat dans ses bras et l'emmena dans la maison. Et il fut si bien accueilli qu'il y resta pour toujours ! •

Les jumelles

Ce matin, la maîtresse, a eu l'air bien ennuyée quand elle a présenté à la classe les jumelles :
« Voici Émeline et Justine », a-t-elle dit.
Théo et les autres élèves les ont regardées un moment : impossible de les différencier ! Elles se ressemblaient comme deux gouttes d'eau. Coiffées de la même manière, elles portaient les mêmes vêtements. Au fil de la matinée, il devenait évident que personne ne pourrait les reconnaître. Dans la classe, tout le monde trouvait ça rigolo, sauf la maîtresse. Au déjeuner, c'était pire que tout :
« Je t'ai déjà servi du jus de pommes ? a demandé la maîtresse à Justine.
– Non, moi c'est Émeline », a répondu celle-ci d'un air angélique.
Cinq minutes après, la maîtresse s'est approchée d'Émeline et a demandé :
« Je t'ai déjà donné une part de tarte ?
– Non, moi c'est Justine », a répondu Émeline sans sourciller.
Profitant de sa confusion, les autres élèves ont réclamé d'autres parts de tarte en prétextant qu'ils n'en avaient pas eu. Du coup, la maîtresse a servi trois fois plus de jus de pommes et de tartes que d'habitude. À la fin de la journée, elle finissait même par mélanger les noms des autres élèves. Pauvre maîtresse !
Quand la cloche a sonné, elle a pris les jumelles à part et leur a dit :
« Je n'aime pas imposer à mes élèves leur manière de s'habiller, mais il va falloir que vous trouviez quelque chose pour je puisse vous reconnaître à l'avenir.
– Oh, répondirent en chœur Émeline et Justine, vous voulez peut-être parler de quelque chose comme ça ? »
Et elles ont sorti deux pendentifs avec leurs initiales gravées. La maîtresse était partagée entre la colère et le soulagement : enfin, elle pourrait les différencier !
Une fois la maîtresse partie, Albin, qui avait tout entendu, demanda aux jumelles :
« Vous portez vos pendentifs tous les jours ?
– Oh, oui, répondirent-elles avec un sourire, d'ailleurs nous nous amusons à les échanger tous les matins ! » •

Julie se pose des questions

Il y a beaucoup de choses que Julie voudrait savoir. Mais quand elle pose des questions à ses parents, ils ne répondent pas toujours ; parfois, il lui semble même qu'ils ne lui disent pas toute la vérité. Par exemple, quand elle a dit :
« Papa, pourquoi je suis une fille et pas un garçon ?
– C'est la nature », a répondu son père.
Tu parles d'une réponse ! Si elle faisait comme ça à l'école quand la maîtresse l'interroge ! En attendant, elle ne sait toujours pas comment on naît fille ou garçon. Pareil en ce qui concerne la Lune et les étoiles. Ce pauvre papa a fait très fort ! Il a commencé à expliquer que les étoiles sont des planètes, ou je ne sais quoi, et que la Lune... Bref, il s'est embrouillé, et puis c'était l'heure des informations, alors les questions...

•••

Quant à savoir comment on fait les enfants, alors là ! Il paraît que Julie est encore trop petite. Ma parole, ils la prennent pour un bébé ou quoi ? Elle sait très bien que la petite graine de papa va dans le ventre de maman, que le bébé grandit là et qu'un beau jour on va le chercher à la clinique. Pas besoin de faire des mystères !
Autre question sans vraie réponse à ce jour : « Comment la Terre s'est fabriquée ? » Tonton Eric lui a vaguement raconté une histoire de big-bang, mais Julie doute du sérieux de cette interprétation. Big-bang ! On dirait le langage des dessins animés les plus idiots que la télé nous montre ! Non, décidément, les grandes personnes ne savent pas grand-chose, mais elles ne veulent pas l'avouer ! Au lieu de raconter n'importe quoi, elles feraient mieux de dire tout simplement : « Je ne sais pas. » •

MARS
MARS
29

Le zèbre uni

Zéphyr était un petit zèbre qui vivait dans un cirque. Ni triste ni gai, il suivait son destin loin de son Afrique natale. De ville en ville, de place en place, le cirque chaque soir donnait une représentation pour la plus grande joie des villageois et, bien sûr, des enfants ! Le petit zèbre devait courir autour de la piste avec quelques-uns de ses compagnons d'infortune. Les spectateurs prêtaient peu d'attention à ce défilé sans grâce d'un zèbre suivi gauchement d'un chameau et d'un lama qui avaient du mal à suivre le rythme de la fanfare.

Zéphyr faisait partie de la ménagerie, ni triste ni gai. Le clou de la soirée était invariablement le numéro magnifique d'un cheval blanc qui caracolait et semblait valser sous les lumières des projecteurs. Zéphyr pensait souvent :
« Comme je l'envie, comme j'aimerais être applaudi autant que lui ! »
Un jour, n'y tenant plus, il décida que son moment de gloire était arrivé. Après son tour de piste, il laissa le vieux chameau et le lama rejoindre leurs boxes. Traînant le sabot, il se dirigea discrètement vers un gros tas de sciure blonde qui n'avait pas été étendue sur la piste. Il se coucha dedans, se roula, se contorsionna tant et tant qu'il se releva tout uni et doré. D'un seul bond, il s'élança sur la piste. Monsieur Loyal, surpris par cette improvisation, fit un signe aux musiciens qui entamèrent une valse. Élégant, Zéphyr dansa avec grâce, reproduisant les arabesques qu'il avait vu faire par le grand cheval blanc.
Les projecteurs faisaient briller son pelage doré. Il était magnifique ! La foule ébahie applaudit à tout rompre. Depuis, de ville en ville, de place en place, lorsque le cirque s'installe, les gens se massent pour voir danser le zèbre uni. Zéphyr est heureux. •

Le vampire qui détestait le sang

Dracula et sa femme Draculette étaient les vampires les plus heureux du monde : ils avaient enfin un enfant ! C'était un adorable petit vampire qu'ils baptisèrent Dragibus. Il y avait de quoi se réjouir : Dracula et Draculette étaient les derniers descendants de la lignée des vampires. Ce garçon représentait tous leurs espoirs. Mais bien vite, ils s'aperçurent que quelque chose clochait. Quelque chose que, même dans leurs pires cauchemars, ils n'auraient pu imaginer : le petit Dragibus n'aimait pas le sang. Non seulement il ne l'aimait pas, mais il le détestait plus que tout au monde.
« Malédiction ! s'exclamaient ses parents. S'il n'aime pas le sang, notre lignée va s'éteindre ! »
Dragibus ne leur ressemblait pas ; il avait de petites dents toutes rondes. « Comme vous avez de grandes dents ! disait-il à ses parents.
– C'est pour mieux sucer le sang, mon enfant, répondaient-ils.
– Sucer le sang ? Beurk ! Mais à quoi ça sert ?

En plus, ça n'est même pas bon. Moi je préfère la grenadine !
– La grenadine ? Mais ce n'est pas pour les vampires !
– Eh bien moi, j'aime ça. Et j'aime aussi le jus de tomates, la confiture de fraise et le steak haché. »
Les deux vampires étaient atterrés.
Pourtant, un soir, Dracula surprit Draculette en pleine nuit qui farfouillait dans le réfrigérateur.
« Que fais-tu ? lui demanda-t-il.
– Rien, rien...
– Mais, je rêve ! » s'écria Dracula.
Draculette s'était préparé un steak haché avec du ketchup !
Intrigué, Dracula goûta finalement au plat et trouva cela excellent.
Cela devint même son repas préféré. Et depuis, grâce à Dragibus, plus jamais Dracula et Draculette ne burent une seule goutte de sang. •

Patapon est en danger

Patapon, le petit chat de la ferme, adorait se promener en tout lieu. Il grimpait sur les meules de foin, escaladait les gouttières, courait entre les blés. Un jour, il sauta sur la margelle du puits. Mais c'était l'hiver et il avait gelé. Patapon n'y prit pas garde et glissa au fond du puits ! Et là, impossible de remonter, c'était bien trop haut ! Que faire ? Toutes griffes dehors, il essaya de s'agripper : en vain. Alors, il se mit à appeler à l'aide ; le pauvre miaulait de toutes ses forces ! Les autres animaux finirent par entendre ses cris. Au bout de quelques minutes, il y eut un attroupement autour du puits. Les animaux étaient tous là. Mais comment sauver Patapon ? Personne n'osait se risquer dans un puits si profond. Et puis, une fois au fond, comment remonter ? C'est Têtu, l'âne de la ferme, qui le premier eut une idée : « Nous n'avons qu'à faire une chaîne. Je vais laisser pendre ma queue dans le puits. Toi, le coq, ordonne à Cacotte et aux autres poules de s'y accrocher ; elles sont suffisamment nombreuses pour arriver au fond.
– D'accord, répondit le coq.
Mesdames, au travail ! » Seul dans son puits, Patapon attendait plein d'espoir.
« Tiens bon ! » lui cria Cacotte.
Toutes les poules se tenaient les ailes, formant ainsi une longue chaîne qui arriva bientôt jusqu'à Patapon. Celui-ci s'agrippa à l'aile de Cacotte et Têtu se mit à avancer, entraînant derrière lui tout ce petit monde. Quand enfin tout le monde fut sorti du puits, ce ne fut que cris de joie :
« Hourra ! Patapon est sain et sauf ! Bravo, Têtu ! »
Qui osera dire à présent : « bête comme un âne ? » •

Avril

AVRIL
AVRIL
1

Sambo et la grenouille

Sambo est un petit garçon qui habite dans un petit village en Afrique. Lorsqu'il a fini l'école, Sambo aime par-dessus tout aller hors de son village et partir se promener. Il se balade dans la savane, observe les plantes, joue avec les animaux. Il se sent tellement libre dans ces moments-là ! Un jour qu'il se promenait près des marécages, Sambo entendit un petit bruit qui lui parut étrange. C'était comme le cri d'un animal blessé. Sambo connaissait bien les animaux et comprenait, mieux que quiconque, leur langage. Sambo se rapprocha de l'endroit d'où venait le bruit : pas de doute, c'était bel et bien un appel au secours. Seulement il ne voyait rien. Il se pencha au-dessus du marécage, se rapprocha de l'eau et vit enfin une toute petite grenouille qui se débattait.

La pauvre s'était coincé la patte dans des branchages enchevêtrés, et elle ne parvenait pas à se dégager. Alors Sambo la prit dans ses mains et, délicatement, débloqua sa petite patte. La grenouille tremblait.
« Merci, dit-elle. Mais, dis-moi, tu ne vas pas me manger au moins ?
– Ça ne va pas, non ! répondit Sambo en rigolant.
– Tu ne vas pas m'enfermer non plus ?
– Mais non, n'aie nulle crainte. J'aime être libre, et j'aime que les autres le soient aussi !
– Je n'oublierai jamais ce que tu as fait pour moi, dit la grenouille. Et tu verras : un jour, je saurai moi aussi te rendre un grand service. »
Sambo reposa délicatement la grenouille.
« Au revoir, jolie grenouille, à bientôt. » •

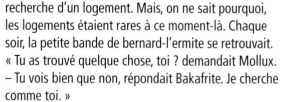

AVRIL
AVRIL
2

Un logement sûr

Bakafrite est un jeune bernard-l'ermite. Tu sais sans doute ce qu'est un bernard-l'ermite ? C'est un petit animal marin qui vit dans les coquilles abandonnées par certains coquillages. Or, ce petit bernard-l'ermite, comme tous ceux de son espèce, était à la recherche d'un logement. Mais, on ne sait pourquoi, les logements étaient rares à ce moment-là. Chaque soir, la petite bande de bernard-l'ermite se retrouvait.
« Tu as trouvé quelque chose, toi ? demandait Mollux.
– Tu vois bien que non, répondait Bakafrite. Je cherche comme toi. »
C'était grave, car un bernard-l'ermite sans coquille, c'est un être vulnérable et sans défense.
Un jour, pourtant, Bakafrite en eut assez : ça ne peut plus durer, se dit-il. La vie devient trop dangereuse sans carapace. Je suis à la merci du moindre crabe, et puis il fait froid sous l'eau ! Tant pis, en attendant de trouver une maison solide, je vais trouver un logement provisoire. Et Bakafrite ramassa toutes les algues qu'il put et se confectionna une sorte de grand manteau végétal.

•••

Le soir, il retrouva les autres. Il arborait fièrement sa nouvelle tenue.

« Regardez les amis, qu'en pensez-vous ? »

Tous les autres bernard-l'ermite éclatèrent de rire :

« Regardez-moi ça, cette espèce d'algue sur pattes. Il se croit à mardi gras ou quoi ? Non mais ce qu'il est ridicule !

– Je sais, c'est un peu bizarre, mais c'est provisoire », répondit Bakafrite vexé. Mais, soudain, tous les bernard-l'ermite avaient cessé de rire. Un énorme crabe qu'ils n'avaient pas vu venir s'était approché. En un instant, il les dévora tous. Tous, sauf Bakafrite qu'il avait pris pour une algue ! •

Le château de crabes

Cédric et Mina sont à la plage. Aujourd'hui, ils ont emmené tout leur matériel : ils vont faire le plus beau château de sable jamais vu !

Ça y est, ils ont trouvé l'emplacement. Pas trop près du bord, une vague pourrait l'inonder. Pas trop loin non plus, il faut que les douves, une fois creusées, se remplissent d'eau. Avec leurs seaux et leurs pelles, ils travaillent d'arrache-pied. Déjà, une tour apparaît. Encore quelques modelages et les remparts sont terminés. À l'aide de roseaux ils construisent le pont-levis. Il ne leur reste plus qu'à décorer leur œuvre avec des coquillages et des galets. Ah, vraiment, ce château fort a fière allure ; dommage qu'il soit inhabité, il y manque quelques chevaliers !

« Papa, papa, nous

avons fait le plus beau château du monde, viens voir !

– Ce château est effectivement magnifique. Et, c'est vrai, c'est le plus beau château du monde ; regardez, même les crabes viennent l'admirer. »

Fous de joie, les enfants découvrent toute une horde de crabes pas très disciplinés qui s'engagent sur le pont-levis. Ravis et médusés à la fois, Mina et Cédric observent les crabes qui déambulent dans le château et commencent à l'effriter. En quelques minutes, il n'y a plus de remparts, la tour a dégringolé, toute leur œuvre est dévastée.

« Quelle attaque ! s'exclame papa. C'était vraiment un merveilleux château de sable. Mais, surtout, ne soyez pas tristes, avec un destin pareil, celui-là restera toujours le plus beau château du monde dans votre cœur. » •

Le bonhomme de neige

Alexis est un peu triste : tous les enfants du village sont partis en vacances cet hiver. Tous, sauf lui.

« Cette année, lui avaient dit ses parents, nous ne pourrons pas partir en vacances. Nous n'avons pas assez d'argent. »

Du coup, Alexis va se retrouver seul. Quinze jours sans personne avec qui jouer ! Quel ennui ! Heureusement,

il neige à gros flocons et Alexis adore la neige.

« Tiens, se dit-il. Si je faisais un bonhomme de neige ? »

Alexis commence alors à sculpter son bonhomme : une énorme boule de neige pour le corps, une plus petite pour la tête, deux cailloux pour les yeux, une carotte pour le nez, des branches pour les bras et les mains, et hop ! le tour est joué !

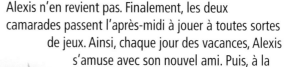

•••

Quel magnifique bonhomme de neige ! Il est presque aussi grand qu'Alexis. Eh oui, le bonhomme est bien joli, mais, maintenant, que faire ? Un bonhomme de neige, ça ne remplace pas un copain. Mais, voici que, tout d'un coup, le bonhomme de neige semble remuer. Alexis n'en croit pas ses yeux. Et pourtant.

« Brrr ! Ce qu'il fait froid ici ! dit le bonhomme de neige en se frottant les mains. Bon, que fait-on maintenant ? demande-t-il à Alexis. Si on faisait une course ? »

Alexis n'en revient pas. Finalement, les deux camarades passent l'après-midi à jouer à toutes sortes de jeux. Ainsi, chaque jour des vacances, Alexis s'amuse avec son nouvel ami. Puis, à la fin des vacances, le bonhomme de neige dit :

« Tu sais, avec le temps qui radoucit, je vais bientôt fondre. Mais il ne faudra pas que tu sois triste, car chaque hiver, si tu le veux bien, tu me reconstruiras, et alors nous jouerons ensemble comme aujourd'hui. » •

Un monstre dans le placard

Certains jours, la maîtresse a du mal à se faire obéir. Ce jour-là, elle a demandé à ses élèves de lire en silence pendant qu'elle irait voir le directeur. À peine a-t-elle quitté la classe que les petits sacripants s'en donnent à cœur joie. Alors la maîtresse revient et leur dit :

« Pendant mon absence, je tiens à ce que vous surveilliez bien le placard, comme ça, il ne s'échappera pas. Surtout, ne faites pas de bruit, sinon il pourrait se réveiller... »

Et elle sort de la classe. Mais de qui... ? De quoi parlait-elle... ? Cette fois, les élèves restent silencieux...

« Peut-être y a-t-il un ogre dévoreur d'enfants là dedans, chuchote Gaby.

– Moins fort, tu vas le réveiller ! fait Clémence d'un air inquiet.

– Ou c'est peut-être une chose verte et visqueuse comme on en voit dans les films, murmure Bastien.

– C'est un monstre, c'est sûr, ils aiment bien les endroits sombres d'habitude », affirme Ugo.

Tous les élèves

frissonnent de peur. Mais que fait donc la maîtresse ? Pourquoi ne revient-elle pas ?

« Écoutez, dit Justin, je vais ouvrir et refermer vite la porte, comme ça, on saura au moins à quoi il ressemble... »

À pas de loup, il s'approche du placard tandis que les autres reculent de quelques pas, il ouvre la porte et... rien. Ouf ! Rassuré, Justin entre dans le placard tout sombre. En l'explorant, il se cogne contre un seau, et le balai et la serpillière qui se trouvent là tombent sur le seau en faisant un grand boum !

« Ferme vite la porte ! s'écrient les autres. Il y a un monstre tout poilu là-dedans ! »

Justin ne se fait pas prier et referme la porte aussitôt. Il était moins une, un peu plus et le monstre sortait...

Quand la maîtresse revient enfin, tous les élèves sont sagement assis en train de lire. Elle a un petit sourire : « Quand rien d'autre ne marche, il n'y a que le coup du monstre dans le placard qui peut les calmer. »

Où sont nos dents ?

Il y a fort longtemps les poules avaient des dents. Oui, des dents, de très belles dents bien blanches. Mais ces volatiles n'étaient pas les animaux inoffensifs que l'on connaît aujourd'hui. Les poules étaient de redoutables chasseuses ; les autres animaux les craignaient, même les renards ! Les hommes, qui à l'époque ressemblaient à de grands singes, évitaient de croiser les troupeaux de poules dans les grandes plaines. Bref, les poules régnaient sur de vastes territoires. Mais, un jour, alors que quelques poules se prélassaient dans un verger en dégustant de belles pommes, arriva la grande catastrophe !

« Aïe ! cria l'une d'elles, je crois que je viens de croquer un petit caillou.

– Idiote, répondirent les autres, il n'y a pas de cailloux dans les pommes.

– Ouille ! fit une autre, je crois que cette pomme n'était vraiment pas mûre.

D'ailleurs, je viens de perdre une dent.

– Quoi ?! » s'écrièrent les autres horrifiées.

Inutile de préciser qu'à cette époque les poules naissaient et mouraient avec toutes leurs dents. Affolées, les plumes hérissées, elles rentrèrent dans leur village pour annoncer la terrible nouvelle. Hélas ! ce qui venait de leur arriver avait déjà touché bien d'autres poules. Certaines cachaient leur bec, qui avait une ou deux dents en moins, avec leurs ailes. D'autres sanglotaient en tenant dans leurs ailes toutes les dents qu'elles avaient perdues. Des dents devenues toutes noires. Le mal touchait tout le monde, même les coqs, d'habitude si fiers de leurs belles dents blanches. Il faut dire qu'à cette époque, la brosse à dents n'existait pas. C'est bête, mais c'est pour cela qu'elles n'en ont plus. •

Drôle de rencontre

Bobosse, le chameau, traverse le désert en compagnie de toute sa famille et d'une caravane de nomades. Ils marchent plutôt la nuit, parce que le jour il fait trop chaud. Dans la journée, les hommes se tiennent à l'abri du Soleil sous un bout de tente, et Bobosse peut aller librement autour du campement.

Ce jour-là, il se promène en rêvant d'une oasis bien fraîche, avec de grands palmiers pour faire de l'ombre et le bruit de l'eau dans les fontaines, quand, tout à coup, presque sous ses pieds, un serpent se dresse, un serpent très venimeux :

« Vous m'avez fait peur, dit Bobosse. Je ne vous ai pas vu arriver.

– On ne me voit jamais arriver, répond le serpent.

– Pourquoi restez-vous en plein Soleil, alors que vous pourriez vous cacher dans le sable ? »

Le serpent prend un air mystérieux :

« J'ai rendez-vous.

•••

71

– Ici ? en plein désert ? À part nous, il n'y a personne à des centaines de kilomètres à la ronde !

– C'est bien pour ça, dit le serpent, toujours aussi énigmatique.

– Et, sans indiscrétion, vous pouvez me dire avec qui ?

– Un prince. Il vient des étoiles. Je lui ai promis de l'attendre ici pour l'aider à repartir chez lui. »

Bobosse commence à se demander si le Soleil ne lui a

pas un peu tapé sur le ciboulot, à ce serpent du désert. Un prince venu des étoiles ! N'importe quoi !

Et, soudain, Bobosse se rappelle ce que lui a raconté le renard des sables : une histoire incroyable de prince, devenu son ami, qui parlait de repartir sur sa planète...

Bizarre, bizarre...

Comme on lui a dit de se méfier des gens qu'il ne connaît pas, Bobosse rentre au campement. On ne sait jamais. •

Paul va se faire disputer

Driiiinnng ! Le réveil de Paul se mit à sonner à 7 h comme tous les matins. Mais Paul voulait dormir cinq minutes de plus, cinq petites minutes, car ce matin Paul était fatigué. Et ce satané réveil qui continuait à sonner. La tête sous l'oreiller Paul voulut prendre le réveil pour l'éteindre. Ce qu'il n'aurait jamais dû faire. En voulant attraper le réveil, Paul le fit tomber sur une chaise qui était en équilibre.

La chaise se renversa sur le panier du chat qui, effrayé, bondit sur la table en renversant le bol et les couverts du petit déjeuner. Le chat en fut si surpris qu'il sauta par la fenêtre ouverte et atterrit sur la tête de la concierge occupée à nettoyer le trottoir au jet d'eau. La concierge eut très peur de cette bestiole pleine de griffes qui lui était tombée dessus ;

mais elle était surtout furieuse de voir sa perruque rester accrochée à l'une des pattes du chat. Elle essaya de le rattraper, son tuyau d'arrosage toujours ouvert, inondant tous les gens sur son passage. Mais elle arrosa surtout un policier à mobylette qui, aveuglé par le jet d'eau, percuta une voiture. Le camion poubelle qui le suivait essaya alors de l'éviter, mais il freina trop fort et entra dans un échafaudage de peinture qui s'écroula dans un grand bruit sur des voitures stationnées là. Les pots de peinture volèrent en tous sens et arrosèrent les boutiques, les chiens et les passants. Puis le calme revint. Alors, Paul qui était maintenant bien réveillé, se pencha à la fenêtre et voyant sa concierge lui demanda : « Vous n'auriez pas vu mon chat par hasard ? » •

Pomme et poire s'inquiètent

Dans un beau verger, un pommier et un poirier avaient poussé tout près l'un de l'autre. Une branche du pommier touchait une branche du poirier. Sur chaque branche, il y avait une pomme et une poire. Depuis leur premier bourgeon et leur première fleur, elles ne s'étaient jamais quittées. Pour elles, les jours passaient tranquillement. Elles regardaient les oiseaux voler, un chien qui courait après un chat, les jours de pluie qui succédaient aux jours de plein Soleil. C'était l'été, il faisait de plus en plus chaud ; les hommes cherchaient l'ombre et les insectes s'agitaient. La pomme et la poire avaient, elles aussi, très chaud ; elles sentaient bien qu'elles avaient grandi, grossi, mûri. Hélas ! bientôt viendrait le temps de la cueillette.

« Pomme, dit la poire, je ne veux plus mûrir. Je ne veux pas qu'on me cueille.

– Poire, lui répondit la pomme, crois-tu que cette idée ne m'effraie pas ? Je ne veux pas qu'on nous sépare. Que toi tu finisses en compote et moi en...

– Tais-toi, ne parlons plus de cela et profitons de nos derniers jours d'amitié.

– Mais après ?

– Après nous trouverons bien une solution. Tiens, et si nous sautions de nos branches ?

– Chut ! quelqu'un approche. Essayons de nous cacher derrière nos feuilles. »

Une grosse main prit la pomme et la poire et les fit tourner au Soleil.

« Comme elles sont belles, jolies et dodues à souhait », dit une grosse voix.

Cette grosse voix était celle d'un ogre qui les prit et les avala tout rond, d'un coup d'un seul.

« Hé, poire, hé, nous voilà dans l'estomac de l'ogre ! Mais nous ne sommes pas séparées, dis ?

– Non, et ici nous serons amies à tout jamais. » •

Le chat qui voulait être un chien

« Niaourf ! Niaourf !

– Plus fort, Titus, on ne t'entend pas ! Ce sont des jappements de chiot que tu nous fais là !

– Oui, je manque encore un peu d'expérience, je ne suis qu'un chat, mais le ton y était, non ? D'ailleurs, que signifie ce Niaourf ?

– Eh bien, en langage chien, cela veut dire que la soupe était bonne.

– Mais vous ne pensez qu'à manger, ma parole ! » s'exclama Titus.

Pacha dut alors avouer à son ami que, dans l'existence

d'un chien, la nourriture et les friandises étaient les choses les plus importantes. Avec un bon panier pour dormir.

« Mais qu'est-ce qui m'a pris de vouloir devenir chien ? demanda Titus.

– Nous sommes fidèles, nous aimons les enfants et nous sauvons les gens ensevelis sous les avalanches, lui répondit Pacha.

– D'accord, alors apprends-moi à sauver des gens sous la neige !

•••

●●●

– Mais comment puis-je faire ça ? Nous sommes en plein mois d'août !

– Tu n'as pas tort, et les enfants ?

– Hm, Hm... fit Pacha d'un air gêné. Moi, ils me grimpent sur le dos et me tirent les oreilles, alors je les évite.

– Parle-moi de la fidélité dans ce cas. C'est une chose merveilleuse, n'est-ce pas ? Tu es un brave chien aimé par toute la famille. Tu es prêt à parcourir des kilomètres pour rejoindre tes maîtres. Et, comme tous les chiens, tu te laisserais mourir sur la tombe de ton maître s'il mourait.

– Ho, ho, pas si vite ; je n'ai pas envie de mourir, même pour mon maître. Non, ce que je sais, fit Pacha en remuant en tous sens sa truffe humide, c'est que c'est l'heure de manger ! »

« Je crois, qu'un bon ami n'est pas forcément un bon professeur », se dit Titus en le regardant s'éloigner de sa démarche pataude. ●

Saute-monstre

Tu as déjà joué à saute-mouton, n'est-ce pas ? Un enfant se plie en deux, un autre saute par-dessus, puis il va se placer à côté de lui, les autres sautent et ça recommence. On saute une fois, deux fois, trois fois... Plus on est nombreux, plus c'est rigolo. Les sept petits monstres qui se croient plus malins que tout le monde et qui en avaient assez de faire des bêtises ont décidé de jouer à saute-monstre.

Tu connais les sept petits monstres ? Ils sont bêtes, mais bêtes ! Il y a :

Un petit monstre vert
Un petit monstre poilu
Un petit monstre à trois pattes
Un petit monstre tout rouge
Un petit monstre trop gros
Un petit monstre qui colle
Un petit monstre invisible

Pour commencer, les sept petits monstres se disputent pour savoir lequel d'entre eux va se placer pour que les autres sautent par-dessus lui.

« Pas moi, dit le monstre vert. Ma couleur n'est pas sèche. Vous allez l'abîmer.

– Pas moi, dit le monstre poilu. Vous allez me tirer les poils avec vos doigts crochus.

– Pas moi, dit le monstre à trois pattes. Je vais tomber si vous m'appuyez sur le dos.

– Pas moi, dit le monstre tout rouge.

Parce que... parce que ! voilà !

– Pas moi, dit le monstre trop gros. Mon ventre m'empêche de me plier en deux.

– Pas moi, dit le monstre invisible. Je vous préviens : vous allez sauter à côté et vous casser la figure !

– Moi, je veux bien, dit le monstre qui colle. Il faut bien que quelqu'un commence.

– Ah non ! Surtout pas toi ! disent les autres monstres tous ensemble.

– Ben pourquoi ?

– Parce que tu colles ! »

Et ils continuent à se disputer. Quand je te disais que les sept petits monstres sont bêtes ! ●

Le gentil fantôme

« Whouououou ! Whouououou ! » Dans ce château perdu on entend parfois des cris lugubres dès que tombe la nuit. Car vous l'aurez compris : ce château est hanté. Ces cris glacent le sang des habitants. Mais depuis un certain temps, si l'on tend l'oreille, l'on peut entendre aussi de tout petits cris :

« Wi, wi, wi ! »

Est-ce une souris, est-ce une fourmi qui crie ainsi ? Non, c'est Brrr, le petit fantôme. C'est un tout jeune fantôme, et ses cris n'impressionnent personne. Car Brrr est incapable de faire peur. Ses parents l'obligent pourtant :

« Ce soir, tu vas terroriser les habitants du château, allez, courage, on est avec toi. »

Alors, à contrecœur, Brrr s'élance à travers les couloirs du manoir et s'efforce de pousser des cris terribles :

« Wii, wii, wii ! »

« Tu entends ce bruit ? demande Julien à sa sœur.
– Oui, c'est un moustique, je crois », lui répond-elle.

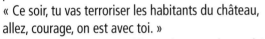

Brrr a tout entendu et il est vexé : les deux enfants du château le prennent pour un moustique !

« Ils vont voir un peu, je vais les faire trembler ! »

Brrr décide alors de se montrer. Il pénètre dans la chambre des deux enfants et hurle : « Wii, wii, wii ! » en prenant un air menaçant. Lorsqu'ils l'aperçoivent, Julien et Manon s'écrient :

« Oh, il est trop mignon ! Bonjour gentil petit fantôme, comment t'appelles-tu ? »

Brrr est un peu décontenancé, lui qui croyait leur faire peur.

« Heu, je m'appelle Brrr.
– Eh bien, nous, c'est Julien et Manon. Tu veux faire une partie de cache-cache avec nous ?
– Heu, oui », répond Brrr qui ne comprend pas très bien ce qui se passe.

Alors, pendant une bonne partie de la nuit, tous les trois jouent à cache-cache et finissent par devenir les meilleurs amis. Aujourd'hui, Julien et Manon sont même invités à prendre le thé chez les parents de Brrr. •

Lili le papillon

Lili est un jeune papillon tout bleu. Il est très curieux et passe sa journée à explorer le grand jardin clos de murs où il est né.

Il aime se laisser porter par le vent, fermer les yeux en se posant et deviner où il se trouve.

Il aime aussi essayer toutes les fleurs du jardin. Il y en a même où il peut entrer. Avec sa longue trompe, il goûte à chacune d'elles. Avec ses ailes, il les caresse pour tester leur douceur. Avec ses yeux, il admire toutes leurs couleurs.

Il aime encore rentrer parfois dans la maison. Mais, chut ! c'est un secret, car sa maman le lui a rigoureusement interdit.

Il aime par-dessus tout jouer à chat avec les enfants.

•••

Attention, il ne faut pas se laisser attraper ! Mais s'ils sortent leur maudit filet, le jeu est terminé, il ne faut quand même pas exagérer.

Lili est presque le plus heureux des papillons. Son gros chagrin, dont il ne peut se consoler, est de ne pas savoir danser. Il a essayé les pointes, les entrechats, les sauts de biche ; non, jamais il ne pourra. Ses pattes s'emmêlent, ses ailes le gênent, son abdomen est trop raide. Lili est désespéré. Tout triste, il vole au-dessus des enfants qui discutent adossés à un muret. Ils parlent de la fête de l'école ;

la petite fille prépare un spectacle de danse. Et, parce qu'il n'y a rien de plus gracieux, de plus léger, de plus dansant, tous les enfants seront habillés en papillon. Et la petite fille sera en bleu, comme son ami le papillon.

Lili en est tout ému, il se met à valser comme jamais, quel bonheur d'être un papillon ! •

Vaches folles

Aujourd'hui, il fait un temps magnifique, un temps à aller jusqu'au glacier ! Jane et Nicolas aiment beaucoup cette balade, ça change tout le temps. D'abord on suit un sentier dans les bois, ensuite il faut traverser les alpages, zigzaguer dans les éboulis, contourner le lac et voilà, c'est le début du glacier. Les voici déjà dans les bois. Les enfants débouchent sur les alpages, mais ils s'arrêtent à l'orée du bois pour attendre Lili, le grand-père de Jane, qui les accompagne. Traverser ces grands prés au milieu des vaches est toujours un peu effrayant. Pourtant, elles ont l'air bien tranquilles ; elles les regardent en ruminant.

Tiens, mais qu'est-ce qu'elle a celle-là ? Une des vaches qui marchait dans le pré vient de se mettre à galoper ; elle pousse des cris effroyables et sa cloche sonne à tue-tête. Nicolas et Jane ont très peur : « Lili, Lili, il y a une vache qui rugit, elle court dans tous les sens !

– Regarde, on dirait un bison, elle a peut-être la vache folle ! »

En entendant ça, la vache Mirza se tourne vers ses copines : « Encore ces histoires de vaches folles ! Venez on va leur montrer un troupeau en folie ! »

En un clin d'œil, toutes les vaches sont debout. Elles se mettent à courir dans tous les sens en meuglant à l'unisson.

« Vite, vite, retournons dans les bois, elles sont vraiment folles, ces vaches ! » s'écrie Lili.

Dès que la petite troupe a disparu, les vaches se roulent par terre de rire. Des larmes plein les yeux, elles reprennent leur souffle : « Ceux-là, ils ne vont pas revenir de sitôt.

– Et encore quelques copines de sauvées. C'est pas demain qu'ils mangeront un tournedos ! » •

Pas si facile d'être un arbre

À côté du grand chêne, il y a deux châtaigniers et un frêne, et tout plein de bruyères au pied. Tous ces gens-là sont amis. Plus loin, un bouleau blanc est coincé entre deux grands sapins. Voilà le problème : il est coincé. Ces deux gros messieurs étalent leurs branches toujours vertes, et le pauvre petit bouleau ne voit jamais le Soleil. Pourtant, ses feuilles si fragiles ont grand besoin de chaleur et de lumière. Tous les jours, le bouleau regrette d'avoir poussé là :

« Ah ! si j'avais su, dit-il, j'aurais choisi un autre endroit. Là-bas, par exemple, près des acacias. Ils n'ont pas mauvais caractère, eux !

– Tu es toujours en train de te plaindre ! lui répond le sapin le plus proche. Et d'abord, si tu n'es pas bien ici, tu n'as qu'à t'en aller !

– Et comment ? répond le bouleau. J'ai les racines dans la terre !

– T'as même pas essayé ! reprend l'autre sapin. Allez, tire ! Tire !

Tu n'as aucune force ! Ce n'est pas comme nous autres, les grands sapins. Moi, je pars quand je veux. Regarde ! »

Et le grand sapin tire sur ses racines tant qu'il peut... mais rien ne se passe. Il tire encore. Rien. Alors le vent du nord lui dit :

« Veux-tu que je t'aide ?

– Bonne idée, répond le sapin. Vas-y souffle un grand coup ! »

Le petit bouleau a compris, lui, et il tente d'empêcher son voisin de faire une si grosse bêtise.

« Non, dit-il au vent, non ; ne fais pas cela, je t'en prie ! S'il tombe, il va mourir ! »

Mais le sapin s'énerve :

« Écarte-toi ; tu vas voir ce que tu vas voir ! »

Le vent souffle, souffle, souffle et le sapin tire, tire, tire... et tombe par terre, les racines en l'air. Un peu tard pour réfléchir, non ? •

Le voyage de Plop

Aujourd'hui, il pleut sur la montagne. Une grosse averse chaude, parce que c'est l'été. Plop, la goutte d'eau, vient de tomber sur une branche de sapin. La voilà qui file le long des épines odorantes. Ôôôô ! ça va trop vite ! Elle coule maintenant sur la terre et s'enfonce, s'enfonce, s'enfonce sans pouvoir se retenir... elle glisse entre les cailloux, s'enfonce encore et arrive tout étourdie dans une grotte :
« Ya quelqu'un ? » demande-t-elle un peu angoissée

de se retrouver toute seule dans le noir.
Un bruit familier lui parvient :
« Oui, par ici ! en dessous de toi. Allez, rejoins-nous ! »
Plop se laisse tomber dans la rivière souterraine où toutes les gouttes de pluie se sont rassemblées. Aussitôt, elle se sent entraînée à toute vitesse sans rien voir et, enfin, voilà la lumière !

•••

•••

Ouf ! Plop n'aurait pas aimé rester enfermée sous la terre plus longtemps, elle aime trop le Soleil. En plus, ses camarades et elle forment une jolie source toute fraîche qui sort entre des cailloux de toutes les couleurs.

« Où allons-nous ? » demande Plop.

La fontaine répond en gazouillant :

« Nous avons rendez-vous avec le ruisseau qui coule au fond du vallon, et nous partirons ensemble vers la rivière.

– Et après ?

– Après, on va à la mer, comme d'habitude ! Mais d'où tu sors toi ? »

Maintenant, Plop comprend ce qui lui est arrivé. Elle et ses sœurs étaient bien tranquilles dans la mer, à jouer avec les dauphins. Il faisait très chaud. Tout d'un coup, elle s'est sentie toute légère, avec la tête qui tournait, et elle s'est retrouvée là-haut, dans les nuages ; en dessous, il y avait une montagne ; le nuage s'est cogné contre, et Plop est tombée sur un sapin et... tu connais la suite ! •

Nicolas et les éclairs

Nicolas court dans la tempête, il fait nuit, il a froid, il est tout seul et il a peur. Le ciel est zébré d'éclairs, le tonnerre gronde ; c'est sûr, la foudre va lui tomber dessus. Il court, il court, il se retourne et aperçoit une horrible sorcière dressée au-dessus de lui avec ses longs doigts crochus. Tiens, on dirait madame Kouglof la pâtissière. Elle se penche tout près de lui, et lui murmure à l'oreille :

« Alors Nicolas, tu reprendras bien un petit éclair ?

– Noooon ! » hurle Nicolas terrorisé.

Un éclair l'éblouit, c'est sûr, il va mou...

La main de maman posée sur son front le réveille. Rassuré mais encore tremblant de peur, Nicolas lui lance un regard reconnaissant.

« Oh maman, tu m'as sauvé la vie. » Et il lui raconte son horrible cauchemar.

« Et la sorcière ressemblait à madame Kouglof la pâtissière ? Tiens, tiens, mais dis-moi, combien d'éclairs au chocolat as-tu mangés en cachette hier soir ?

– Euh, 3 ou 4, peut-être 5 », murmure Nicolas qui ne veut plus entendre parler d'éclairs.

Maman lui apporte un verre d'eau avec une cuillerée de bicarbonate, elle lui masse doucement le ventre, essuie son front trempé de sueur, le reborde et l'embrasse tendrement sur le front.

« Je ne crois pas que tu recommences à chaparder de sitôt. Et demain, tu vas devoir supporter la vue de tous ces éclairs que j'ai achetés pour l'anniversaire de ta grand-mère. Dors mon tout-petit, c'est fini. »

Ah ça non ! plus jamais Nicolas ne mangera en cachette. Oh non ! jamais plus il ne mangera un éclair au chocolat ! •

Les étoiles ont un visage

Depuis qu'elle est toute petite, Sophie adore regarder les étoiles. C'est tellement extraordinaire ! Pendant l'été, tous les soirs elle s'allonge sur la terrasse et elle admire ce spectacle. Il lui arrive souvent de s'endormir en les regardant et, pendant toute la nuit, elle rêve de parler avec les étoiles. Parfois, Sophie aimerait vraiment être cosmonaute pour enfin voir ces astres de plus près. Un soir comme tous les autres, elle pensa tellement fort à ces mille lumières que quelques-unes d'entre elles se regroupèrent pour former un visage. Une grande bouche s'ouvrit et dit :

« Bonjour petite fille, comment t'appelles-tu ?

– Moi, c'est Sophie, et vous ?

– Malheureusement, je n'ai pas de nom. Mais si tu veux, tu peux m'en donner un !

– Attendez... heu... Rita, ça vous va ?

– Oh oui ! C'est très joli, merci ! Sais-tu que je te vois tous les soirs ? dit le visage étoilé.

– C'est vrai ? Mais tu ne t'ennuies pas trop là-haut ?

– Si hélas ! J'aimerais tellement te rejoindre.

– Si tu veux, tu peux venir vivre sur notre planète ! répondit la petite fille.

– Mais si je m'en vais de là-haut, la Lune deviendra triste et il n'y aura plus d'étoiles dans le ciel !

– Ah oui, ce serait dommage... Est-ce que tu pourras me répondre quand je t'appellerai ? »

Le visage d'étoiles sourit :

« Bien sûr, je te répondrai et à tous moments !

– Bon, au revoir, dit Sophie en bâillant ; je dois aller me coucher ! Mais je te parlerai tous les soirs de toutes les semaines de toutes les années de toute ma vie pour que tu ne t'ennuies pas ; à bientôt ! » •

Monsieur Siffflll fait la sieste

C'est l'été et il fait une chaleur infernale. Cela ne dérange pas du tout monsieur Siffflll le serpent, mais ça lui donne envie de dormir et il s'installe n'importe où pour faire la sieste. Mais alors, n'importe où ! Tiens, par exemple, l'autre jour, ça a failli mal tourner. Après un bon déjeuner, monsieur Siffflll s'est senti soudain tout ramollo. Ses yeux devenaient lourds, lourds... Il se trouvait à ce moment-là dans un drôle d'endroit ; le sol était noir, lisse et très chaud. Parfait pour une petite sieste. Et paf ! Le voilà endormi. Soudain, une curieuse vibration dans la peau de son ventre. Tu sais, bien sûr, que les serpents n'entendent

pas, mais qu'ils sentent le moindre mouvement autour d'eux avec leur peau très fine et très sensible. Le temps d'ouvrir un œil, vouf ! une ombre était passée. Certainement un sanglier ou un chevreuil. Monsieur Siffflll se rendormit instantanément. Ce n'était pas un bête sanglier qui allait l'empêcher de digérer en paix ! Vouf ! À nouveau, cette étrange vibration et une ombre qui disparaît. Cette fois-ci, monsieur Siffflll était tout à fait réveillé, et pour tout dire, d'assez mauvaise humeur.

Vouf ! Ce coup-là, la chose était passée à ras de son nez. Les choses, parce qu'il y en avait deux, l'une

•••

derrière l'autre. Il n'a pas eu vraiment le temps de voir, mais il lui a semblé que c'était noir et rond. Pour l'odeur, il ne saurait pas dire. Des inconnus, en tous cas, et pas très propres.

Prudent, monsieur Siffflll ondula en direction de l'herbe toute proche et disparut. Heureusement pour lui, parce que juste à ce moment-là, deux voitures se doublaient, exactement à l'endroit où il avait fait sa sieste. •

AVRIL
AVRIL
20

Les feuilles d'or

C'est l'hiver. Il y a longtemps déjà que la forêt a quitté ses couleurs d'automne. Seul un arbre a résisté : le gros mûrier qui se dresse à la lisière de la forêt. Il est resté tout doré, très fier de son habit de lumière. Ensuite, le vent s'est mis à souffler. Il s'est déchaîné sur la pauvre forêt, arrachant les feuilles, cassant des branches. Le gros mûrier s'est battu comme un lion, mais il a perdu des feuilles à foison.

Tous les arbres se sont dénudés, il ne restait que le mûrier. Un grand rideau de pluie s'est abattu sur la forêt, toutes les feuilles du mûrier sont maintenant tombées.

Toutes ? Non, deux larges feuilles dorées restent là haut bien accrochées.

Tout est calme maintenant. Le ciel est tout blanc et le froid s'installe. Paresseusement, quelques flocons de neige dansent au milieu des branches et viennent se poser sur le sol. Très vite, d'autres viennent les rejoindre.

Ils sont de plus en plus nombreux, très légers, pas trop pressés d'arriver, mais déjà au sol par milliers. Le tapis de feuilles mortes est entièrement recouvert, tout blanc.

Tout là-haut, les deux feuilles se sentent bien seules, elles aussi ont envie de danser. Une première s'élance, elle valse et virevolte avec les flocons, puis elle vient se poser tout doucement sur ce gros matelas scintillant.

La neige a cessé. Alors, la dernière feuille du mûrier se détache et plane majestueusement, toute seule dans le ciel.

Délicatement, elle atterrit et se blottit à côté de son amie. Sur la neige immaculée, on croit voir deux écus d'or. •

La feuille abri

La famille Campagnol est désespérée. Hier un affreux blaireau les a délogés de leur terrier. Tôt ce matin, monsieur Campagnol est parti à la recherche d'un nouvel abri. Madame Campagnol est restée avec ses quatre petits. Ils sont là, blottis les uns contre les autres, dans un creux, près du gros mûrier. Pour comble, la neige se met à tomber.

Madame Campagnol s'active auprès de sa portée. Sans arrêt, elle chasse les flocons et époussette ses petits. Il ne faut pas que la neige s'installe, le sol doit rester sec. Vite, vite, elle balaye avec sa queue, repousse la neige avec ses pattes.

À force d'entasser la neige autour d'eux, elle a construit un mur en arrondi, on dirait presque une vraie cabane, dommage qu'il n'y ait pas de toit. Les flocons tombent toujours, madame

Campagnol est tout essoufflée ; elle ne pourra bientôt plus résister.

Ouf, la neige vient de s'arrêter. Madame Campagnol peut enfin se reposer. Mais qu'il fait froid ! Que vont-ils devenir ?

Soudain madame Campagnol ressent une légère brise. Inquiète, elle lève ses petits yeux en épingle et voit une belle feuille de mûrier toute dorée qui se pose juste sur le mur de neige en arrondi. Un toit ! ils ont un toit ! Elle est encore en train de s'exclamer quand une deuxième feuille vient se plaquer et fermer la cabane, laissant juste la place pour passer. Toute la famille s'ébroue ; les petits campagnols s'étirent d'aise. Voilà monsieur Campagnol qui revient, il pousse devant lui trois jolis glands dorés.

Oh, le bel hiver qu'ils vont passer ! •

La lettre de lapin

« Regarde Chloé ce que parrain t'a envoyé pour ton anniversaire ! Un cadeau !

– Ouha ! Ouvre vite maman !

– Qu'il est beau ce lapin en peluche ! Regarde Chloé, il y a une lettre dans sa capuche !

– Lis-la moi maman, ça va plus vite quand c'est toi, et puis tu y mets bien le ton alors je comprends mieux, dit Chloé en s'asseyant dans un fauteuil.

– Tu es sûre ? Tu veux que je la lise ? C'est peut-être un secret ?

– Tant pis, si c'est un secret t'auras qu'à l'oublier et puis c'est tout ! »

Et la maman de Chloé prit la lettre et la lut :

Bonjour, toi, l'enfant,
Je suis un lapin.
Quand tu seras grand
J'aurai du chagrin.

Si tu me caresses
Et si tu m'emportes,
Alors ma princesse
Je ferai escorte
À tout ton cortège
D'animaux savants.
Prends-moi et m'héberge
Pour longtemps, longtemps.

La lettre se terminait par une grosse signature. Chloé se pencha et lut : Pa-rrain.

« Parrain ! Quel drôle de nom pour un lapin en peluche !

– Mais enfin Chloé ! C'est parrain qui a écrit la lettre !

– N'importe quoi maman ! Dans la lettre, il le dit bien, le lapin, que c'est lui qui écrit. Il dit : je. Tu n'as qu'à relire si tu n'as pas compris. »

La maman de Chloé se mit à rire si fort que papa

•••

•••

l'entendit depuis le garage.

« Que se passe-t-il ? Qu'est-ce qui est si drôle ? » demanda-t-il en entrouvrant la porte.

– Rien ! Rien ! répondit Chloé, c'est maman qui vient de lire la lettre de parrain.

– Tiens ? Bernard a écrit ? demanda papa.

– Mais non ! cria Chloé, excédée, Parrain le lapin ! Pas Parrain-Tonton !

– Bien, bien, bien, Parrain le lapin ! J'en connais un qui va être content ! » s'exclama-t-il en regardant maman. •

AVRIL
AVRIL
23

La vache Mirza

La famille campagnol a pris ses quartiers d'été. À la lisière de la forêt, à l'ombre d'un noisetier, face à un grand pré. Les petits campagnols font les fous toute la journée.

Ils ont des amis partout, surtout dans le pré qui est très habité. Des taupes, des musaraignes, des oiseaux, des vers de terre, des scarabées, des coccinelles, mais aussi des moutons, un chien de berger, des vaches...

Leur meilleure amie est une vache, Mirza. Le matin, ils viennent la saluer et font des pitreries sous ses naseaux. Parfois ils grimpent sur son front, escaladent ses cornes, s'exercent au hip-hop sur son dos, puis se laissent glisser le long de sa queue.

Lorsque Mirza s'allonge, ils la laissent bien tranquille.

Ils savent qu'il fait trop chaud pour bouger et qu'elle prend son temps pour ruminer.

Mais les jours où elle a l'air en grande forme, où ses grands yeux noirs pétillent de malice, ils savourent leur plaisir à l'avance. Ils peuvent alors grimper sur son dos, et une fois bien installés, donner le signal du départ. Tap, tap, tap ! font leurs petites pattes. Mirza les promène alors dans le pré. Ils se laissent ensuite bercer, un coup à droite, un coup à gauche en admirant le paysage.

Lorsqu'elle est sûre qu'ils sont bien accrochés, qu'il n'y a pas de pierre à l'horizon, elle entame un galop léger. Sa cloche sonne joyeusement, les petits campagnols entament leur chant sioux et Mirza meugle en imitant le bison. Parfois, l'un ou l'autre dégringole, mais jamais ils ne se font mal. Mirza, tu es vraiment une drôle de vache ! •

82

La première montagne

Avant, il n'y avait que des plaines, des prés, des champs, des pâturages...

Il n'existait ni creux ni bosses. Aucune colline, aucune montagne, pas la moindre petite inégalité à la surface de la Terre. Tout était plat.

Un jour, des hommes eurent envie de voir d'un peu plus haut ; ils se mirent au travail pour construire quelque chose sur quoi grimper. Mais ils utilisèrent du sable et, très vite, le vent emporta leur ouvrage.

Ils étaient désolés que tant de travail partît en poussière en quelques instants. Avec courage, ils recommencèrent dans un seul but : avoir enfin une vue sur le monde qui les entourait. Mais le vent détruisit à nouveau leur ouvrage. Une nuit, un homme appelé Montagne aperçut une étoile filante et, comme le veut la tradition, il fit un vœu :
« Fasse que de la terre s'élève jusqu'au ciel et nous pourrons ainsi dominer le monde. »

Le lendemain, au réveil, un homme aperçut une ombre inhabituelle sur le sol. Il en fut très étonné. Il regarda autour de lui et vit une butte, une grosse butte, une énorme butte de terre ! Il cria en réveillant toute la tribu :

« Regardez, regardez ! Là !

– Oh ! Incroyable, mon vœu a été exaucé ! dit Montagne.

– Quel vœu ? demanda le chef.

– Cette nuit, j'ai vu une étoile filante et j'ai fait le vœu que la terre monte jusqu'au ciel !

– Je ne sais pas comment cela s'est produit, dit joyeusement le chef, mais désormais, nous appellerons montagnes ces choses extraordinaires. » C'est ainsi que les montagnes sont nées dans le monde entier. •

Une valse pour Bouboulina

Toute la jungle préparait la grande fête de la fin de l'année. Les singes répétaient leurs morceaux de musique, les zèbres préparaient le grand buffet, et les porcs-épics décoraient la grande place pour le bal. Ah, le bal ! C'était toute une affaire pour les jeunes animaux de la région. Il fallait préparer sa robe ou son costume, mais il fallait surtout savoir danser pour recevoir le premier prix de danse. Ainsi, dans chaque famille, la grande sœur ou le grand frère apprenait à danser aux plus petits.

Hélas ! Bouboulina, la jeune éléphante, était fille unique. Elle n'avait ni frère ni sœur, pas même un cousin. Elle devait donc se débrouiller seule pour apprendre à danser. Elle alla voir son jeune voisin, Momo l'hippopotame, qui lui dit qu'il n'avait pas envie de se faire écraser les pieds. Bouboulina n'eut pas plus de succès auprès de Long-Cou, le girafon, qui lui dit qu'il était bien trop grand pour elle, et qu'elle était bien trop grosse ! Tous des goujats ! pensa-t-elle. Dépitée, elle rentrait chez elle quand elle entendit :

« Bouboulina, fais attention où tu mets les pattes ! » C'était Jojo, la taupe.

« Oh, excuse-moi, mais je suis si préoccupée par le bal que je ne fais attention à rien. Vois-tu, il me manque un cavalier pour apprendre à danser.

•••

– Ne compte pas sur moi, ma chère. Je n'ai jamais su danser. Mais j'ai une idée : pourquoi ne danses-tu pas avec Edgar ?

– Quel Edgar ? Le rhinocéros ou le jeune lion ? J'espère que tu ne me parles pas de cet affreux crocodile !

– Mais non Bouboulina, je parle d'Edgar, le papillon. »

Quand le soir du bal arriva, c'est une superbe Bouboulina qui fit son entrée au bras d'Edgar le papillon.

Ils formaient un couple de danseurs formidables. Edgar voletait autour de Bouboulina qui tournoyait légère et gracieuse. Ils firent l'admiration de tous et reçurent le premier prix des jeunes danseurs. •

L'indiscrétion de Quentin

« Qu'est-ce que ce gros cahier grand-père ? demanda un jour Quentin.

– Ah ! ça, petit, c'est le livre de ma vie ! J'y écris tout ce que je vis pour m'en souvenir ! répondit le grand-père.

– Montre-moi, ce doit être amusant..., demanda le garçon intrigué.

– Ah, non ! tu ne peux pas, chacun garde ses secrets et personne d'autre ne doit les lire... », murmura le grand-père. Très déçu, Quentin alla jouer en pensant que, décidément, les adultes n'étaient pas très marrants. Un après-midi, Quentin profita de l'absence de son grand-père : il ouvrit le tiroir du secrétaire et prit le vieux cahier.

Il s'assit en tailleur sur le sol et l'ouvrit. Comme à son habitude, il commença à le feuilleter en partant de la fin. Et alors là, surprise ! Il put lire ces mots :

« Un après-midi, profitant de l'absence de son grand-père, Quentin me prit malgré l'interdiction de le faire et me lut en commençant par la fin... »

Quentin apeuré referma le livre. Puis, la curiosité en éveil, il le rouvrit :

« Ce jour-là, Quentin fit trois choses qu'il est très mal de faire : il désobéit, il fut indiscret et il lut en commençant par la fin. Sa punition ne tarda pas... »

Quentin lâcha le livre et s'enfuit terrorisé. Il crut ainsi échapper à la punition, mais il en avait lu trop ou pas assez, car il était écrit :

« Son indiscrétion lui revint souvent en mémoire et il la regretta toute sa vie... Après cela, il ne désobéit jamais plus. Et surtout, plus jamais il ne commença la lecture d'un livre par la fin ! » •

Ta bonne étoile

La joue appuyée contre la vitre, Pauline est triste. Quatre mois déjà qu'elle n'a pas vu sa grand-mère. Celle-ci lui manque. Et puis, chez elle, c'est le grand air. Ici, Pauline est toujours enfermée. Quand elle n'est pas à l'école, elle est dans le métro, et quand elle sort du métro elle rentre dans sa maison, un appartement situé au vingt-huitième étage ! Comme elle voudrait courir dans les prés, faire des bouquets avec sa mamie !

Pauline se penche et regarde en bas la place grise, les trottoirs gris, la rue grise. Elle soupire et lève les yeux vers le ciel. Tiens, il y a des étoiles ce soir.

Avec mamie, la nuit, elle s'allonge dans la prairie pour observer les étoiles. Mamie sait le nom de beaucoup d'entre elles et Pauline s'entraîne à en reconnaître quelques-unes :

l'étoile du Berger, la Grande Ourse, Cassiopée. Mamie lui a dit que chacun de nous avait sa bonne étoile et que si Pauline cherchait bien, elle trouverait sûrement la sienne. Un soir, Pauline l'a trouvée, là, juste pour elle, à côté de Cassiopée.

Pauline a oublié la ville, elle cherche dans le ciel. Voici, la Petite Ourse ; ici Cassiopée et là, sa bonne étoile ! Elle n'est pas restée chez grand-mère, elle est là, juste au-dessus, pour veiller sur la petite fille. Pauline a retrouvé sa gaieté ; maintenant, elle sait que tout un tas de bonnes choses vont lui arriver. Et puis, bientôt les vacances de Pâques, elle va passer deux longues semaines chez sa mamie. Toi aussi, tu as sûrement ta bonne étoile, il suffit de regarder dans le ciel et de bien chercher ! •

Lolo s'ennuie

Lolo est une jolie vache avec de grands yeux maquillés et de longues cornes blanches. Elle s'ennuie, la pauvre Lolo, mais elle s'ennuie ! Son veau est maintenant trop grand pour continuer à téter. Il a fallu les séparer. Dorénavant, elle ne le voit plus que le soir, en rentrant à l'étable. Si ça continue, Lolo va tomber malade. Toute la journée, elle reste la tête appuyée sur la barrière et elle pousse de grands soupirs.

À côté du pré, il y a une forêt de sapins. Lolo sait bien qu'il y a du monde là-dedans : elle sent

l'odeur des sangliers. De temps en temps, au matin, elle voit l'herbe de son pré toute retournée. C'est le travail des sangliers pendant la nuit. Lolo fait un détour. Berk ! Ça sent le cochon !

Mais, un jour, en arrivant, il lui semble entendre pleurer. Elle s'approche de la forêt et tend l'oreille. Il y a quelqu'un, là, tout près. Une petite voix effrayée couine doucement.

•••

•••

« Ah ! non, se dit Lolo, si c'est encore un sanglier, il n'a qu'à rester là où il est ! J'en ai assez qu'ils marchent dans mon assiette avec leurs onglons tout noirs ! »
Et elle s'en va à l'autre bout du pré, comme si elle n'avait rien entendu.
« Maman ! Maman ! Où tu es ?
Maman ! »
Alors Lolo la vache se

rapproche et dit gentiment :
« Viens là, n'aie pas peur. »
Une drôle de petite chose brune avec des raies noires sur le dos sort des fourrés, toute timide.
« Approche. Tu es perdu ? Est-ce que tu as faim ? »
Et Lolo la gentille vache se couche sur le côté pour laisser téter le petit marcassin orphelin. •

Les amies de tante Lucie

Lise aime beaucoup aller chez sa tante Lucie ; elle a des vaches, des petits veaux, des poules et un cheval. Comme dans toutes les fermes, il y a beaucoup de mouches l'été chez tante Lucie. Elle a beau fermer les fenêtres et mettre des rideaux devant les portes, ces bestioles arrivent toujours à entrer. La maman de Lise, qui est la sœur de tante Lucie, trouve ça dégoûtant et elle lui dit de mettre de la bombe insecticide. Mais tante Lucie n'est pas d'accord :
« Je ne vais pas empoisonner toute la famille pour quelques mouches, dit-elle en riant. Il y a assez d'araignées dans la maison pour les éliminer, et sans risque de pollution !
– Arrête avec ça, proteste la maman de Lise. Tu me fais froid dans le dos ! Et puis tu vas faire peur à la petite. »

Depuis toujours, la maman de Lise craint les araignées. Mais pas Lise, grâce à tante Lucie qui lui a expliqué que les araignées sont très utiles et absolument pas dangereuses, du moins chez nous.
« Bien sûr, il y en a de très venimeuses dans les pays tropicaux, et encore, je suis sûre que si on les laisse en paix... »
Tante Lucie dit qu'il ne faut jamais détruire une toile d'araignée dehors, parce que ça leur donne beaucoup de travail pour les réparer et qu'elles en ont besoin pour capturer les mouches. Chez elle, elle en laisse quelques-unes, dans des endroits que personne ne voit. Elle dit aussi que ce n'est pas la peine d'effrayer les gens qui ne comprennent pas ça. Aussi, quand Lise et sa maman viennent la voir, elle capture délicatement toutes les araignées qu'elle trouve dans la maison et les dépose dehors. Sacrée tante Lucie ! •

Dansons sous la Lune

Lise et ses cousins, David et Jonathan, sont en vacances chez tante Lucie. Ce soir, ils ont décidé d'aller dormir à la belle étoile. Ils prennent des couvertures, des lampes de poche et s'installent dans un pré près de la ferme. Ils jouent à être des gauchos qui gardent leur immense troupeau dans la pampa. Le troupeau : les quatre vaches de tante Lucie qui ruminent paisiblement dans le pré d'à côté ! Quant aux chevaux de nos cow-boys, il s'agit d'Arthur, le vieux cheval de trait d'oncle Pierre, et de Pompon, l'âne, endormis dans leur enclos. Mais bon, c'est presque pareil. Il suffit d'y croire.

C'est la pleine Lune. Oncle Pierre a raconté aux enfants que les soirs de pleine Lune, les lutins se rassemblent dans une clairière. Ni Lise ni ses cousins ne croient à ces histoires de fées et

de lutins, mais ils ont décidé d'aller voir quand même. Ils s'approchent en rampant entre les arbres et que voient-ils, là, au beau milieu ? Des formes bizarres qui s'agitent sans bruit dans la faible clarté de la nuit. Qu'est-ce que c'est ? Des lutins ? Soudain, un nuage cache la Lune et aussitôt nos amis se retrouvent dans le noir complet. Brrr... Pas rassurés du tout, les cousins. Et si c'était vraiment des lutins ? Il vaudrait peut-être mieux rentrer à la maison !

À ce moment-là, la Lune réapparaît et inonde la clairière de lumière. Les enfants voient mieux ce qui se passe. Et ce qui se passe les fait bien rire : une dizaine de lapins de garenne, assis sur leur derrière ! Futt ! ils ont disparu. Des lapins ? Vraiment ? Lise et ses cousins n'en sont plus très sûrs. Demain matin, ils seront prêts à jurer qu'ils ont vu des lutins qui dansaient sous la Lune. •

Mai

Guerre aux chasseurs !

« Cette fois, c'est la guerre ! déclara Jojo la taupe.
– Tu ne crois pas que tu en fais un peu trop ? lui dit Grognon l'ours.
– Trop c'est trop ! dit-elle. Il y en a assez de ces chasseurs ! Non seulement ils chassent, mais en plus ils abîment notre belle forêt en tirant en tous sens : sur les fleurs, sur les arbres, sur les nids, dans les terriers. Comme ils ne sont pas très malins, il faut en profiter ; organisons-nous pour les chasser de la forêt !
– Oui, mais comment ? demanda Couinc le canard.
– Oui comment ? renchérit Pacha, le brave chien.
– Que fais-tu ici, toi ? demanda Jojo en se tournant vers Pacha.
– Eh bien, j'aime beaucoup vous écouter discuter, alors je me suis approché et finalement je suis d'accord avec vous. Je n'aime pas beaucoup la chasse. Croyez-vous que ça m'amuse d'accompagner mon maître au

petit matin, en plein hiver, qui me tire des coups de fusil au ras des oreilles, dans des forêts humides et des marais boueux ?
– Mais c'est très agréable, les marais boueux, rétorqua Couinc.
– Écoute Jojo, j'ai peut-être une idée, intervint Grognon. Il n'y a que Pacha qui peut nous aider à chasser les chasseurs. Pacha, tu seras le gardien de notre domaine. Quand les chasseurs s'approcheront de notre forêt, tu n'auras qu'à aboyer trois fois et nous irons nous cacher. »
Le plan de Grognon fonctionna à merveille, et Pacha était trop content de rendre service aux autres animaux. En effet, les chasseurs, lassés de ne voir aucun animal dans la forêt, l'abandonnèrent pour aller chasser ailleurs, à la grande joie de Pacha et de ses nouveaux amis. •

Martin va chez le dentiste

Aïe, aïe, aïe ! Aujourd'hui, Martin va chez le dentiste pour la première fois. Jusque-là, il n'était pas inquiet du tout. Tous ses copains y sont déjà allés ; certains ont même des appareils pour redresser leurs dents, et aucun ne s'est jamais plaint. Mais, ce matin, il a un peu peur, Martin, et ça, c'est de la faute de son papa. Quand il est rentré du travail hier soir, son papa se tenait la joue et il était de très mauvaise humeur :
« J'ai horriblement mal aux dents. »
La maman de Martin a dit : « Tu vois, tu ne veux jamais aller chez le dentiste ; eh bien voilà, maintenant, tu as gagné ! »
Le papa de Martin a grommelé quelque chose comme : « Je me méfie de ces gens-là... »
Martin n'a pas entendu la suite, parce que son papa l'a expédié dans sa chambre. Il paraît qu'il faisait trop de bruit et que c'était agaçant.

Tu parles ! Martin a très bien compris : on raconte aux enfants que le dentiste ne fait pas mal du tout et, en réalité, c'est le contraire. La maman de Martin est venue le voir dans sa chambre et elle lui a expliqué : « Papa a un peu peur d'aller chez le dentiste, tu sais ; il a trop attendu avant d'aller faire soigner ses dents ; alors, maintenant, elles sont tout abîmées, et évidemment il a très mal. Mais si le dentiste te soigne avant que tu n'aies mal, ce n'est rien du tout. C'est pour ça qu'il ne faut pas attendre.
D'ailleurs, demain on va juste vérifier que tu n'as pas de dents cariées. »
Martin sait que sa maman ne lui raconterait pas de mensonges, mais quand même, il n'est pas tranquille. Ah ! Ce papa ! •

Une journée aux sports d'hiver

Pendant les vacances de Noël, Damien et sa famille vont aux sports d'hiver. La montagne est un vrai terrain de jeux : on peut se fabriquer un toboggan, construire des bonshommes de neige… Ce que Damien préfère, c'est faire de la luge avec son petit frère ; de toute façon, du ski ou du snow-board, il ne sait pas en faire. Tout débute avec le télésiège pour pouvoir prendre les pistes. Une fois arrivés en haut, les parents regardent longtemps le paysage enneigé. Cela laisse un peu de temps à Damien et son frère pour se faire une bataille de boules de neige.

Aujourd'hui, les enfants n'ont pas eu de chance : la piste était pleine de bosses et ils se sont renversés avec la luge. Pas de blessures, mais ils ont fait un beau vol plané ! Eh oui, il y a aussi des dangers !

Ils ont un peu cassé la luge, mais ils sont quand même arrivés en bas. Puis, ils ont attendu que leurs parents descendent paisiblement, tranquillement et surtout lentement ! Pas très hardis, les parents ! On peut dire qu'eux, ils y vont mollo !

Pour se réchauffer, toute la famille est entrée dans un café boire un bon chocolat chaud avec un croissant et, là, qui ont-ils aperçu ? Un champion de ski très connu qu'ils avaient vu à la télé ! Tout timides, Damien et son frère sont allés lui demander un autographe. Il était étonné que des petits comme eux le reconnaissent. Très sympa, il leur a même écrit un petit mot après sa signature. Ah oui, vraiment, Damien aime beaucoup la montagne ! Bon, il fait froid, mais on s'amuse bien. •

Le club des dents-de-fer

C'est drôle, depuis quelque temps, de plus en plus d'enfants portent des appareils dentaires. Jusqu'à la semaine dernière, Loulou, ça le faisait rire. À chaque fois qu'un copain arrivait avec son truc dans la bouche, il se moquait de lui, surtout qu'au début on a un peu de mal pour parler. Oui mais voilà, cette fois-ci, c'est lui qui y est passé. Le dentiste a dit à ses parents :

« Si vous ne lui faites pas faire un appareil, il aura les dents de travers. »

Loulou a eu beau pleurer et refuser de sortir de la maison ainsi équipé, il a bien fallu qu'il obéisse.

Pauvre Loulou, le ciel lui est tombé sur la tête ! Après un moment de découragement, il a pris une grande décision. Pour empêcher les autres de rire de lui, il va le faire lui-même. Dorénavant, ses copains devront l'appeler Dents-de-Fer. Et Dents-de-Fer est très fier de sa mâchoire. Mieux que ça : il a décidé de faire un club des Dents-de-Fer dans lequel seuls les privilégiés qui ont un appareil dentaire pourront entrer, qu'ils soient filles ou garçons. Ça a très bien marché, et maintenant, plus personne ne rit des enfants qui portent un appareil, au contraire, c'est la mode à l'école.

•••

•••

Chaque fois qu'un nouvel enfant de la classe arrive avec sa rangée de morceaux de métal dans la bouche, les membres du club des Dents-de-Fer lui font un petit cadeau. C'est mieux que de se moquer de lui, non ? Du coup, les porteurs de lunettes ont décidé de créer leur club, eux aussi, et ils l'ont appelé : le club des Double-Vue. Ah on rigole bien maintenant dans la classe de Loulou ! •

La petite souris est passée

Ce soir, Mina reste éveillée : la petite souris va passer. Depuis trois jours, elle attend ça ! C'est la première dent de lait qu'elle perd. Perdue, pas vraiment, elle est là, cachée sous son oreiller. Mais, au fait, que devient la dent après ? Bien sûr, maman le lui a dit : la petite souris va venir la chercher, et même, elle lui laissera un cadeau. C'est vrai, le mois dernier Cédric a perdu une dent, il a eu un euro. Cela ne lui dit pas où vont toutes ces dents. Tout en réfléchissant, Mina glisse doucement dans le sommeil sans s'en apercevoir.

Ça n'est pas cette fois qu'elle verra la petite souris !

Le lendemain, dès qu'elle entrouvre un œil, Mina se rappelle et glisse la main sous son oreiller. Elle trouve un euro, une belle pièce brillante !

« Cédric, Cédric, regarde la pièce que la petite souris m'a laissée. »

Ensommeillé, Cédric se retourne dans son lit, glisse sa main sous son oreiller. Il est bien étonné d'y rencontrer une pièce toute dorée.

« Regarde, moi aussi la petite souris m'a rendu visite ! »

Tout surpris, il se penche sur la pièce, la gratte ; elle est en chocolat !

Les deux enfants bondissent dans la chambre de leurs parents pour leur montrer leur découverte.

La pièce d'un euro de Mina ne les surprend pas, mais qu'est-ce que c'est que cette histoire de pièce en chocolat ? Ils s'interrogent du regard. Non, ce n'est pas eux qui l'ont mise là. Quel mystère ! Mais comme les parents savent toujours tout, ils se tournent en souriant vers leurs enfants :

« Eh bien, vous en avez de la chance ! » •

Jojo le mérou

Pauvre Jojo ! Comment s'est-il retrouvé dans cet aquarium ? Il ne se rappelle plus comment c'est arrivé, mais il se souvient très bien d'avant, quand il vivait dans la mer Méditerranée. Il habitait dans un trou assez grand pour y être à l'aise malgré ses 20 kilos, et il sortait juste le bout de son nez pour voir ce qui se passait. Quelle belle vie ! Personne ne l'embêtait et il était heureux dans cette eau bleue, avec les rayons du Soleil qui passaient à travers pour faire briller les couleurs des petits poissons des rochers.

Pauvre Jojo ! Déjà, ce n'est pas drôle d'être en prison, mais en plus, bonjour l'ambiance ! Il y a un monde fou dans cet aquarium. Des gens que Jojo le mérou ne fréquenterait pas si on lui demandait son avis.

Dans la mer, on peut toujours changer d'endroit si la compagnie est désagréable, mais ici ! Le pire, c'est à l'heure du déjeuner. On ne choisit pas son moment ! Il faut se précipiter quand on vous déverse la nourriture. Et c'est le plus gros, ou le plus méchant, qui mange en premier. Et notre pauvre Jojo n'est pas méchant, pas méchant du tout. Alors, parfois, il ne lui reste rien. Les gens qui s'occupent de l'aquarium ont remarqué que Jojo était très malheureux, qu'il ne mangeait pas à sa faim et qu'il commençait à maigrir. Ils ont décidé de le ramener chez lui. C'est pour aujourd'hui.

On l'a attrapé et on l'a mis dans un grand casier plein d'eau. En route pour la côte. Arrivé là, on a renversé le casier dans la mer et voilà notre Jojo de retour chez lui. Il va en avoir des choses à raconter à ses voisins ! •

Je veux être une sorcière !

« J'en ai assez, je ne veux plus être gentille ! » Elvire, la petite fée, trépignait : « Oui, j'en ai plus qu'assez ! Je dois toujours bien me tenir à table ; je ne dois jamais dire de gros mots ; je dois être sage, douce, attentionnée. Ce n'est vraiment pas drôle à la fin !

– Mais c'est normal, lui répondit sa maman, la fée Viviane. Tu es une petite fée.

– Justement, c'est ça le problème. Pourquoi les fées doivent-elles être des petites filles modèles ?

– Parce que, c'est comme ça.

– Eh bien, si c'est comme ça, je ne veux plus être une fée !

– Mais alors, qu'est-ce que tu voudrais être ?

– Je veux être une sorcière !

– Une sorcière ? Quelle horreur !

– Oui, une sorcière ! Elles en ont de la chance, elles ! Elles font ce que bon leur semble. Elles ne font pas leurs devoirs ; elles bavardent en classe ; elles se racontent des histoires qui font peur ; elles confectionnent des potions en mélangeant tout un tas de trucs dégoûtants ; elles jouent des mauvais tours aux gens et leur font d'horribles farces.

•••

•••

C'est ça la vraie liberté !

– Mais, ma chérie, sais-tu que les petites sorcières n'ont pas de cadeaux à Noël ni aux anniversaires ? Les sorcières n'ont pas le droit de goûter, ni même de prendre un dessert. Et surtout, leurs mamans ne leur font jamais, jamais de câlins ! »

Alors aussitôt la petite Elvire se blottit dans les bras de sa maman en la serrant très fort :

« Je veux rester une petite fée toute ma vie ! » lui dit-elle.

Et la maman d'Elvire lui fit un énorme câlin. •

Quand le chat n'est pas là

Comme tout le monde le sait, chats et souris sont ennemis. Mais il existe une exception : dans une maison de campagne abandonnée habitaient Kit et Cat, une souris et un chat pas comme les autres, puisqu'ils étaient les meilleurs amis du monde. Kit la souris vivait avec sa famille dans la charpente et dans les murs, tandis que Cat, le chat sauvage, arrivait tout droit de la forêt. Depuis qu'ils étaient tout petits, Kit et Cat étaient inséparables. Mais la famille de Kit la souris vivait dans l'angoisse de se faire dévorer toute crue. Un jour, elle exigea que ce maudit chat s'en aille. Pourtant, Kit leur assura : « Cat n'est pas un chat comme les autres ! » Rien n'y fit et Cat dut partir. Kit la souris était bien triste sans son meilleur ami et elle pensait tout le temps

à lui. Un matin, Kit la souris décida de quitter la maison pour rejoindre Cat. Mais arrivée chez celui-ci, elle se trouva nez à nez avec un grand chat noir qui se lécha les babines en voyant ce festin de roi. Cat arriva juste à temps pour sauver la pauvre souris :

« Nooooon ! Laisse Kit tranquille, c'est mon amie !

– Comment ton amie ? Je ne vais tout de même pas laisser filer mon déjeuner ! dit le grand chat noir.

– Je te dis de laisser mon amie tranquille !

– Si tu ne veux pas que je la mange, emmène-la loin d'ici avant que je ne change d'avis ! »

Kit et Cat ne se le firent pas dire deux fois. Les voilà partis à la recherche d'un nouvel abri où personne ne les ennuiera. Ça c'est des amis ! •

Salto, le vieux cheval

Dans la ferme où vivait Mathieu, il y avait un très très vieux cheval appelé Salto. Tout le monde disait de Salto qu'il était fatigué, qu'il fallait qu'il parte à la retraite, qu'il faisait peine à voir. Mais Mathieu, lui, adorait son cheval. Il le montait et partait se promener de longs après-midi à travers champs. Mais, un jour, le père de Mathieu appela son fils :

« Écoute, Mathieu. Nous allons être obligés de nous séparer de Salto. Ce cheval est devenu bien trop vieux. Il ne peut plus nous servir et nous coûte trop cher en entretien. Il n'est même plus capable de tirer une charrue. Nous allons le vendre.

– Non ! Je ne veux pas qu'on vende Salto ! C'est le meilleur cheval du monde !

– Mais Mathieu, ce cheval n'est plus bon à rien.

– Ce n'est pas vrai !

Salto n'est pas trop vieux ! Laissez-moi quelque temps avec lui, et je vous jure qu'il vous surprendra.

– Bon, si tu veux », répondit le père en levant les yeux au ciel.

Mathieu décida alors de dresser Salto. Il lui apprit à se tenir sur ses deux pattes arrière, à danser, à exécuter tout un tas de tours. Le vieux cheval, amusé par l'exercice, semblait retrouver une seconde jeunesse. Tant et si bien qu'au bout de quelque temps, Mathieu put organiser un vrai spectacle avec Salto comme attraction principale. Les gens venaient de loin pour admirer ce cheval en échange de quelques pièces. Non seulement Salto n'était pas bon à rien, mais il rapportait même plus d'argent qu'il n'en coûtait. Mathieu avait gagné : plus jamais ses parents ne reparlèrent de vendre Salto. •

La belle surprise

Lise est venue passer les vacances de mardi gras à la campagne chez sa tante Lucie. À cette époque de l'année, ses copines vont faire du ski ou bien elles restent chez elles. Mais Lise ne manquerait pour rien au monde ce qui se passe dans la ferme de tante Lucie en février.

À peine réveillée, Lise enfile un manteau sur son pyjama et elle file à la bergerie. Comme ça sent bon ! Et dire qu'il y a des gens qui disent que les chèvres sentent mauvais ! Tante Lucie est déjà là depuis longtemps. Elle donne du fourrage à ses chèvres et elle remet de la paille fraîche sur la litière pour que tout le monde soit bien au chaud et au sec. « Les bêtes sont comme nous, dit-elle ; elles aussi ont

besoin de confort quand il fait froid dehors. Surtout en ce moment. »

Pourquoi en ce moment ? Parce que c'est l'époque des naissances. Pendant la nuit, en grand secret, deux chevreaux sont nés. Qu'ils sont beaux ! Tout blancs, tout lisses, avec des petits sabots noirs. Déjà ils sont sur leurs pattes et ils tètent leur maman en remuant leur petit bout de queue. Lise adore les regarder jouer. Ils font semblant de se battre avec leurs cornes, mais ils n'ont pas encore de cornes !

•••

93

Ils se dressent sur leurs pattes de derrière et retombent front contre front avec un air terrible ! Puis ils font des bonds et courent dans tous les sens. Ils n'ont pas encore un jour ! Pendant ce temps, la maman chèvre mange tranquillement, en jetant de temps en temps un coup d'œil dans leur direction. Parfois, elle bêle d'une voix douce pour les appeler ; alors ils se précipitent pour venir boire un peu de lait avant de retourner jouer. Ah non, vraiment, Lise ne manquerait cela pour rien au monde. •

MAI
MAI
11

L'escargot astronaute

« 5, 4, 3, 2, 1, 0 ! »
Mais rien ne se produisit, pas la moindre étincelle, rien. Ochoko, l'escargot, se gratta la tête. Il était pourtant sûr d'avoir vérifié les moteurs de sa fusée ! Cela faisait des mois qu'il était sur ce projet : il voulait partir dans l'espace, lui, l'animal le plus lent de la Création ; il voulait partir sur l'engin le plus rapide du monde.

Pour le moment, en tout cas, il n'était pas prêt d'aller chatouiller les étoiles. Il relut encore ses fiches techniques. Tout était réglé pourtant : le triglodon à roulettes avait été changé, le patakès atomique réactivé, et toute la luciolite avait été filtrée.

Alors, qu'est-ce qui pouvait bien coincer ?
Il regarda avec tristesse le beau casque qu'il avait acheté à la NASA et les sachets de salade en poudre qui devaient lui servir de nourriture durant son voyage.
« Alors, Ochoko, toujours dans la Lune ? lui lança Joséfa, la tortue, qui était accompagnée de

Pacha, le chien. Qu'est-ce que tu fabriques encore ici ? Ce n'était pas aujourd'hui le grand départ ?
– Laissez-moi tranquille, répondit Ochoko agacé, vous voyez bien qu'elle ne fonctionne pas cette fusée ! Et ce n'est pas avec vos cerveaux ramollos que je vais trouver une solution ! »
Devant l'air ahuri de ses deux amis, Ochoko s'excusa d'avoir été si méchant.
« Je n'ai peut-être pas de cerveau, lui dit alors Pacha, mais j'ai une truffe. Ces machines ont toujours une drôle d'odeur d'habitude. Et toi, ta machine, elle n'a aucune odeur. Pourquoi ?
– Mais c'est bien sûr ! Tu es génial mon vieux Pacha ! Ce qui manque, c'est de l'essence ! J'ai simplement oublié de mettre de l'essence dans ma fusée ! »
Ochoko salua ses deux amis et entreprit de charger le réservoir de sa fusée. Une heure plus tard, la fusée d'Ochoko n'était plus qu'un petit point dans le ciel. •

•••

Patrick et son ami imaginaire

Patrick a beaucoup d'imagination ; il s'est inventé un ami, Gulo, avec qui il parle et avec qui il joue. Il leur arrive plein d'aventures. Un lundi de janvier, juste avant de rentrer à l'école, Patrick dit à son ami imaginaire :

« Je t'invite à venir passer une journée dans ma classe.

– Je ne sais pas si c'est une bonne idée », répond Gulo. À côté de Patrick se trouve un de ses camarades qui s'étonne :

« Tu parles en l'air maintenant ?

– Tu ne peux pas comprendre, je parle à mon ami ! »

Son camarade ricane :

« Mais bien sûr ! » Gulo suit Patrick et, arrivé dans la classe, il lui demande :

« Où je m'assieds ? Je ne vais quand même pas rester debout pendant des heures !

– Tu n'as qu'à prendre une chaise, il y en une au fond de la classe.

– Pardon Patrick, que dis-tu ? demande sa maîtresse.

– Comment ? Ah ! Non rien ! » bredouille Patrick. À côté de lui, il y a François, un de

ses copains, qui a l'air très étonné du comportement de Patrick. À la récré, François l'interroge :

« Tu peux me dire ce qui se passe, Patrick ?

– Heu... je... rien, pourquoi ?

– Allez ! je suis ton ami, non ? insiste François.

– Oui, oui... bon d'accord : j'ai un copain imaginaire, avoue Patrick.

– Un copain imaginaire ? C'est pour ça que tu parles tout seul ? En fait, tu parles à...

– Gulo, il s'appelle Gulo. Il est gentil, rigolo, et il m'aide même à faire mes devoirs !

– Ouaôô ! Il a l'air super ! »

Patrick regrette déjà d'avoir révélé son secret. Si François raconte cette histoire à toute la classe, les autres vont se moquer de lui. Un ami imaginaire ! Heureusement, à la fin de la journée, Gulo lui dit :

« Tu as raison, l'école c'est pas amusant ! Je vais t'attendre à la maison ! » •

Avec ton cœur

Chloé aime beaucoup les fleurs. Pendant que les autres enfants trépignent devant les magasins de jouets, Chloé déploie des ruses incroyables pour entraîner sa mère vers la vitrine de la fleuriste.

« Maman ! Comment s'appelle cette fleur ? Maman ! Achète des fleurs ! Maman ! Pourquoi elles n'ont pas la même couleur alors qu'elles sont dans le même vase ? Maman ! C'est quand l'anniversaire de grand-mère ? Maman ! D'après toi, c'est laquelle la plus jolie des fleurs ?

– Ça suffit Chloé ! Tu vas nous mettre en retard, papa nous attend. Si tu es sage, ce soir je te dirai le secret des fleurs. »

Emplie de cette étrange promesse, Chloé, réjouie, attend le soir. Et quand vient l'heure d'aller se coucher, elle s'installe dans son lit, tremblante

d'impatience. Enfin sa maman arrive et lui raconte le secret des fleurs : « Devine qui est la plus jolie des fleurs ? La rose éclose ou le muguet de mai ? La pensée si sensée, la violette si secrète ? Est-ce l'hortensia si délicat ? Est-ce le coucou ou bien le houx ? Est-ce le crocus ou encore plus... le cactus et l'hibiscus ?

•••

•••

Le myosotis, l'iris, le lys, le narcisse... ou l'arum et son calice ? Est-ce le dahlia qui pousse en tas ou bien l'œillet pour les bouquets ?
Le coquelicot des champs de blé ou les pivoines de l'allée ?
La gentiane dans la montagne, le nénuphar tout plat des mares ?
Le rhododendron avec son drôle de nom ou la marguerite qu'on cueille si vite ?

Est-ce donc le glaïeul et ses très grandes feuilles ou la primevère parmi les premières ? Pas d'impatience, je vais te faire une confidence : de toutes les fleurs, la plus jolie est toujours celle que tu choisis ! Si tu offres des fleurs, fais-le avec ton cœur. » •

MAI
MAI
14

Trois petites castagnes

Soon, Toon et Loon sont trois sœurs inséparables. Elles sont nées dans la même bogue de châtaigne. Après avoir passé un bel été suspendues dans les airs, il leur a fallu se lancer, car l'automne était arrivé. Elles ont atterri en douceur, leur bogue est intacte. Elles sont restées longtemps sans bouger, dans le noir, impatientes de découvrir l'endroit où elles étaient tombées. Mais prudence, si leur bogue reste fermée, elles sont protégées.

Un jour, enfin, la bogue, n'en pouvant plus, a éclaté. « Que c'est beau ! » s'exclament Soon, Toon et Loon qui découvrent le sous-bois et ses tapis de feuilles, de feuillage rouge et de champignons bleus.

Elles ont très envie de partir se promener, mais elles connaissent la règle d'or : bien cachée dans ta bogue d'or, au printemps tu vivras encore ! « Groink, groink ! » entendent-elles soudain.

Elles se serrent très fort toutes les trois pour paraître moins dodues et supplient la bogue de bien pointer ses piquants. Ouf ! le sanglier est passé tout près, mais il ne les a pas regardées.

Les jours passent, riches en émotion. Il faut échapper aux sangliers, aux ramasseurs, à la moisissure, au dessèchement.

Ce matin, Soon, Toon et Loon ne sont pas en grande forme : « Pouah ! s'écrie Soon. J'ai envie de vomir, la tête qui tourne.

– Moi, j'ai l'impression que ma tête va exploser ! gémit Toon.

– Et moi... Oh, regarde Toon, il y a un truc qui pousse sur ta tête ! »

Radieuses, elles sortent de leur bogue toute cabossée et admirent leur tout nouveau germe.

« On a réussi, on se transforme en châtaignier ! » s'exclament les trois sœurs ravies. •

•••

La cabane

Depuis des jours et des jours, Sam et Alex insistent auprès de leur grand-père :

« Pépé tu nous fais une cabane ?
On t'aidera. Tu veux bien, dis ? »

Pépé Jean fait un peu la sourde oreille, parce qu'il connaît ses petits-enfants. Ils changent d'avis sans arrêt ; ils s'enthousiasment pour une idée, puis ils laissent tomber pour passer à autre chose. S'ils lui reparlent de cette histoire de cabane à plusieurs reprises, il envisagera la construction, pas avant.

Mais le soir, en rentrant de l'école, les voilà qui reviennent à la charge :

« Pépé, notre cabane, quand est-ce que tu la fais ? »

Pépé Jean soupire. Il n'y aura pas moyen d'y échapper. Alors, il se met au travail. D'abord, il choisit un emplacement à peu près plat entre les arbres qui serviront de poutres, puis il demande aux enfants de l'aider à apporter des planches pour construire les murs. C'est lourd, mais

ils n'osent pas rouspéter, sinon pépé Jean les laissera tomber, ils le savent bien.

Ça y est, les planches sont clouées. Déjà, ça ressemble à une vraie cabane de trappeur. Maintenant, il faut mettre le toit. Une ou deux tôles recouvertes de mousse feront l'affaire. Ensuite, on s'occupera de la porte et de la fenêtre.

Le lendemain, quand les enfants arrivent, ils ont la surprise de voir la porte en place et bien fermée.

Ils appellent. Personne. Alors ils frappent.

« Qui est là ? » répond une grosse voix inconnue à l'intérieur.

Très étonnés, et un peu inquiets, Sam et Alex demandent :

« Et vous, qui êtes-vous ? Qu'est-ce que vous faites dans notre cabane ? »

La porte s'ouvre alors et pépé Jean apparaît :

« Je suis l'ogre et je vais vous manger ! »

Ouf ! Ah, ce pépé Jean ! on ne s'ennuie jamais avec lui ! •

Promenade dans la jungle

L'éléphant se promenait tranquillement dans la jungle, lorsque 2 singes, chargés de paquets, lui sautèrent brusquement sur le dos :

« Bonjour mon ami, pourrais-tu nous raccompagner, nous habitons à 3 pas d'ici ? Nous sommes très fatigués, car nous rentrons du marché. »

4 perroquets curieux vinrent se poser à côté des singes :

« 5 jours, il y a 5 jours que nous n'avons parlé à personne. Ah, vraiment, nous n'en pouvions

plus ! » se mirent-ils à jacasser tous en chœur.
6 oreilles gémirent sous ces cris stridents. L'éléphant, avantagé, pouvait au moins les replier. Les singes, eux, devaient trouver un stratagème :

« 7 heures que nous n'avons rien mangé, il est temps d'y remédier, 4 perroquets bien gras sauront bien faire notre affaire. »

Sitôt ces mots prononcés, les perroquets s'envolèrent jacasser ailleurs.

8 longs kilomètres plus tard, notre éléphant fatigué décida de se reposer à

•••

l'ombre d'un cocotier. Il le secoua nonchalamment avec sa trompe, et 9 noix de coco mûres à point roulèrent à ses pieds. Il en offrit 3 au premier singe, 3 au deuxième, et il en resta 3 pour lui.

« Nous sommes arrivés », déclarèrent les 2 singes qui rassemblèrent leurs 10 paquets et, pour le remercier, offrirent au gentil éléphant :

20 bananes dorées, 30 mangues sucrées, 40 fleurs de cerisier, 50 baies de genévrier, 60 litres de thé, 70 œufs de scarabée, 80 brins d'herbe aux fées, 90 feuilles mentholées.

Puis ils firent 100 pirouettes, à l'endroit et à l'envers, ils s'éloignèrent et lui envoyèrent 1 000 baisers du bout de leurs petits doigts légers. •

Le lion n'aime pas être dérangé

MAI MAI 17

Quand il fait trop chaud dans la savane, tous les animaux font la sieste. Les lionnes et les lionceaux ont choisi l'ombre légère d'un acacia ; le lion s'est couché à l'écart, parce que les petits sont trop turbulents et qu'ils l'empêchent de dormir. Depuis un moment, Lou, l'aîné des lionceaux, a des fourmis dans les jambes. Bon, la sieste, ça va pendant une petite heure, mais après, il a envie de s'amuser, lui !

Il fait une tentative pour attraper la queue de sa mère. Sans lever la tête, la lionne déplace sa queue. Lou recommence et, cette fois, il mord dans la fourrure, par jeu bien sûr. Paf ! Ah, ça n'a pas traîné ! La patte de la lionne s'est abattue sur le nez du lionceau avec juste ce qu'il fallait de force pour lui faire comprendre de cesser d'importuner la dormeuse. Pas découragé pour autant, Lou saute sur le dos de son frère Lam. Les deux

lionceaux roulent dans la poussière en se mordillant et en poussant des petits cris. La lionne se lève en bâillant et distribue sans prévenir une petite tape à chacun des deux combattants, puis elle se recouche comme si de rien n'était. Un peu secoués, Lou et Lam se calment un quart de seconde et, ayant déjà oublié la correction, ils se dirigent vers leur père et sautent sur son dos. Les inconscients !

Le lion secoue sa crinière d'un air furieux, ouvre son énorme gueule et un rugissement terrible cloue sur place les deux petits. Hou là ! Hou là ! Il vaut peut-être mieux battre en retraite.

Les lionceaux vont se réfugier auprès de leur mère et, le nez sur les pattes, ils attendront la fin de l'après-midi pour oser bouger.

On ne dérange pas le roi des animaux pendant sa sieste. •

Sauvetage

Jane et Nicolas sont partis faire une grande balade en montagne, tout là haut, dans le vallon des Ouertzs. « ça s'appelle les Ouertzs, car il y a des tas de petits ruisseaux qui courent partout dans l'herbe grasse. Ils viennent du glacier que l'on aperçoit, au pied des massifs rocheux, leur explique Lili, le grand-père de Jane. Allez, courage, on est presque en haut. » Ouf, les voilà arrivés au vallon. Comme il est agréable de marcher sur cette herbe douce après tous ces éboulis de pierre. Les plus petits ruisseaux sont asséchés ; çà et là quelques flaques boueuses contiennent encore un peu d'eau. « Regardez ! s'écrie Jane. Il y a des milliers de têtards dans cette flaque ; ils vont mourir asphyxiés. – Nous allons les sauver », la rassure Nicolas en retirant son chapeau. Les deux enfants remplissent leurs chapeaux de boue grouillante de têtards et courent les vider dans le torrent à côté. Grand-père Lili n'est pas très convaincu, mais il se met lui aussi à faire des allers-retours avec des centaines de têtards. Tout l'après-midi les enfants ont travaillé avec acharnement, et lorsque Lili donne le signal du départ, il ne reste plus un seul têtard dans les flaques. Très contents de leur expédition, Jane, Nicolas et Lili descendent en chantonnant vers la vallée.

« Croc, croa ! crie Nicolas. – Coua, Coua ! » répond Jane. Et ils éclatent de rire.

« Qu'y a-t-il de si drôle ? demande Lili.

– Hum, on pensait aux milliers de grenouilles que nous avons sauvées et qui vont dévorer des millions de moustiques l'année prochaine », s'esclaffe Nicolas. •

Grisminou et le terrible ennemi

Comme sa maman le lui a recommandé, Grisminou le chaton est resté sagement à la maison. Alex et Sam, les deux enfants, sont à l'école et leurs parents sont partis travailler. Quant à la maman de Grisminou, elle avait quelque chose à faire dans le jardin. Il a tout ce qu'il lui faut : une tasse pleine de lait, un bon coussin sur le canapé et son ami le poisson dans son bocal pour lui tenir compagnie. Seulement, ce n'est pas très bavard, un poisson, et Grisminou s'ennuie un peu. Que font les petits quand ils sont tout seuls et qu'ils s'ennuient ? Oh, ne dis pas que tu ne le sais pas ! Eh ! oui, ils font des bêtises !

Grisminou commence par renverser sa tasse de lait, mais ça, il ne l'a pas fait exprès.

•••

Ensuite, il saute sur le buffet pour tenter d'attraper une mouche, et paf ! voilà la carafe d'eau par terre, en mille morceaux !

En faisant bien attention de ne pas se couper les pattes, Grisminou sort de la cuisine et remonte sur le canapé. Là, au moins, il ne risque pas de produire une nouvelle catastrophe. Pas si sûr, car en sautant il bouscule le tricot de Mamie, et une pelote de laine roule sur le tapis. Aussitôt, Grisminou se hérisse. Quelle est cette chose ronde et poilue ? Une souris ? Grisminou n'a encore jamais vu de souris. Il bondit sur la pelote de laine, y plante les griffes de ses quatre pattes à la fois, roule sur lui-même, mord et se retrouve complètement emberlificoté dans le fil. Impossible de bouger. Ah ! Il va avoir l'air malin quand on va le trouver ! •

Les 99 petites souris

99 petites souris, ça fait :

99 queues de souris,

99 têtes de souris ; et combien d'yeux, alors ?

Ah, et les oreilles ? Combien d'oreilles ?

99 museaux de souris, avec leurs moustaches, ça fait combien de moustaches ?

99 corps de souris ; et combien de pattes ?

99 bouches de souris ; et combien de dents ?

Tu trouves que c'est trop difficile à compter ?

D'accord, on va recommencer avec une seule.

Tu verras, c'est plus facile, quoique...

Donc, une petite souris, ça a :

Combien de queues ?

Combien d'yeux ?

Combien d'oreilles ?

Combien de moustaches ?

Combien de pattes ?

Combien de bouches ?

Combien de dents ? Ah, ça... Même les grandes personnes l'ignorent ! Mais ce qui est sûr, en revanche, c'est que les petites souris ont des dents très pointues pour pouvoir grignoter le fromage.

Alors, imagine 99 petites souris, avec leurs 99 moustaches pour sentir les bonnes choses, et deux fois 99 petits yeux malins qui cherchent un endroit pour se faufiler dans les placards, et deux fois 99 oreilles pour entendre arriver le chat, et quatre fois 99 pattes pour se sauver quand il arrive, et beaucoup, beaucoup de petites dents pointues pour tout manger !

Tiens, justement, le voilà, le chat.

« Au secours ! Vite, sauvons-nous ! » crient les petites souris toutes ensemble.

Parce que le chat, lui, il a :

une grande queue touffue. Une terrible paire de moustaches qui sentent la souris à des mètres et des mètres de distance. Deux yeux verts qui voient dans le noir. Deux oreilles poilues qui entendent les pas de souris. Quatre pattes silencieuses et pleines de griffes. Et une bouche garnie de dents terribles pour dévorer les 99 petites souris insouciantes. Sauf si elles sont déjà parties ! •

Les deux étoiles

Quelle chaleur ! Toute la journée Luz et Stella, les deux petites étoiles, ont envié les poissons et les baigneurs qui jouaient dans l'eau.

Quelle chance ils ont ! Elles voudraient tant y aller elles aussi ! Comme il doit être agréable de se laisser porter par les vagues, de sentir le goût du sel sur ses lèvres. Parfois, certaines étoiles partent pour le grand voyage ; elles filent, filent droit vers la mer, et on ne les revoit jamais plus. Luz et Stella sont bien jeunes, mais elles ont tellement supplié qu'elles seront du prochain départ.

Tout excitées, elle se penchent dans le vide et admirent la mer toute lisse avec ses reflets d'argent. Un, deux, trois, partez !

C'est un véritable feu d'artifice, un festival d'étoiles filantes ! Le ciel est tout illuminé ! Luz et Stella filent en deux arabesques parfaites et plongent avec délice dans la mer.

« Que c'est agréable ! Très délassant ! s'exclame Luz.

– Et surtout rafraîchissant », répond Stella.

Elles nagent un moment dans l'eau, elles dansent émerveillées par tout ce qu'elles découvrent. Un thon vient les saluer ; un banc de minuscules poissons fluorescents les doublent à toute allure ; trois sardines frétillantes leur proposent de les accompagner au marché. Tout doucement, elles descendent vers le fond et se posent délicatement sur le sable. Elles se sentent très fatiguées, leur lumière vacille, puis s'éteint.

Elles sont là, allongées, sans bouger. Vont-elles disparaître à jamais ?

Non, deux magnifiques étoiles de mer sont nées. •

Hippopotames et compagnie

Mon père, ma mère, et moi, nous vivions dans la savane, paisiblement. Mais nous avions un très, très gros problème :

c'était la saison sèche et nous n'avions pratiquement plus d'eau pour boire et nous baigner. Les hippopotames ont besoin de se mouiller en permanence, sinon, gare aux coups de Soleil ! Personne ne bougeait ; nous restions à l'ombre toute la journée.

« Maman, maman, quand est-ce qu'on aura de l'eau ? J'ai très chaud ! »

Ma mère répondait :

« Tout le monde a chaud et tout le monde a besoin d'eau, tu sais. Tu apprendras qu'il faut se contenter de ce que l'on a ! »

Petit à petit, la saison sèche s'adoucissait et quelques averses nous permettaient de nous rafraîchir un peu, ce qui nous faisait grand bien !

Plus tard, la saison des pluies arriva. À chaque instant, de gros nuages nous menaçaient. Il plut si fort et si longtemps que la rivière déborda et noya toutes les prairies alentour. Qu'allions nous manger ? Inquiète, ma mère constatait les dégâts :

« Il ne nous reste plus rien !

– Si, maman, nous avons de l'eau, et même beaucoup d'eau !

– De l'eau ? dit maman d'un air désespéré, moi je trouve qu'il y en a trop ! Toute notre nourriture a été emportée par le courant.

– Mais, maman, tu disais qu'il faut se contenter de ce que l'on a ! »

Ce jour-là, j'ai pris une belle fessée pour avoir été insolent. Quelques mois après, la saison des pluies prit fin ; l'herbe n'avait jamais été aussi verte et nous avions de l'eau en abondance. •

MAI MAI 23 Les marionnettes se disputent

Le spectacle vient de se terminer. Monsieur François, le marionnettiste, range ses marionnettes dans leur coffre. Tout en pliant soigneusement leurs vêtements, il leur parle comme à ses enfants :

« Dormez bien mes chéries. Vous avez été magnifiques ce soir. Polichinelle, tu as un peu déchiré ton bonnet ; demain, je le recoudrai. Il faut aussi que je change la dentelle de ton jupon, ma Colombine. Bonne nuit ! »

Les marionnettes font semblant de ne pas bouger, mais à peine le couvercle du coffre refermé, les voilà qui commencent à se disputer :

« Enlève ton coude de mon œil ou je vais te mordre, menace la jolie Colombine en se tournant vers un beau prince vêtu de soie.

– Excusez-moi, ma chère amie, proteste le prince de carton et de chiffon d'une voix précieuse, ce n'est pas le mien, c'est celui de cet affreux mal poli de Grosfilou, le voleur. D'ailleurs, s'il vous a heurtée, c'est qu'il était en train de fouiller dans ma poche pour me

prendre mon mouchoir en dentelle.

– Ce n'est pas vrai ! grogne la marionnette du voleur. D'ailleurs, qu'est-ce que tu veux que j'en fasse de ton mouchoir ? Les marionnettes ne sont jamais enrhumées ! »

À ce moment-là, le couvercle s'ouvre, et monsieur François le marionnettiste se penche et d'un air inquiet il dit :

« J'ai cru entendre crier, mais non, tout va bien. J'ai dû rêver. »

Pauvre monsieur François ! Lui qui croit ses marionnettes si tranquilles ! Enfin, pas vraiment... car il n'a toujours pas compris pourquoi, même en les rangeant avec tant de précautions, il les retrouve toujours en désordre, les cheveux ébouriffés et les vêtements froissés. •

Avec un gland

Le gland est le fruit que je préfère. D'abord, parce que c'est le fruit du chêne, un arbre majestueux. Ensuite, parce que c'est un très beau fruit, un peu bizarre et qu'on peut garder très longtemps. Mais, surtout, il est très utile. On peut faire des tas de choses avec un gland.

Mimi, la souris, part au marché et elle est très ennuyée, car le vent souffle bien fort aujourd'hui : gare aux chutes de fruits !

Elle regarde autour d'elle et aperçoit un gland. Elle le grignote avec ses petites dents et se fabrique... un casque.

« Je serai ainsi protégée, se dit-elle. Et je resterai élégante ! »

Les fourmis sont bien embêtées elles aussi. Avec la pluie, un petit ruisseau s'est formé. Elles ne peuvent plus regagner leur fourmilière. Heureusement, un gros chêne commence à perdre ses glands.

Elles en font rouler quelques-uns vers la rive, elles grimpent dedans et...

en quelques secondes les voilà de l'autre côté. Sauvées ! Oscar, le lion, va à une réception. Il s'aperçoit en chemin qu'il manque un bouton à sa veste. Pour le roi des animaux, ça fait un peu négligé. Vite, il faut trouver une solution. Matti, son page, un singe très futé, a une idée. Il ramasse un gland dans la forêt et le coud en un tour de main.

Le cortège peut repartir !

Robinson, le cochon, et son amie Rosa, l'écureuil, sont affamés. Par chance, ils passent sous un chêne et peuvent alors se régaler.

Un gland suffit à Rosa, il en faut cent pour Robinson !

Il existe sans doute beaucoup d'autres manières d'utiliser les glands. Ma grand-mère m'a raconté que, pendant la guerre, ses parents les faisaient griller pour faire du café. Moi, j'en ai toujours un dans ma poche, on ne sait jamais ce qui peut arriver ! •

La pie voleuse

Dans la maison, il se passe des choses étranges. Des tas d'objets disparaissent sans aucune explication. Hier matin, papa a retourné toute la maison sans retrouver son diapason. Peu après, grand-père, très énervé, cherchait en vain ses hameçons. Le soir, c'est la chère étoile d'or de Manuel qui avait disparu. Ce matin, en se réveillant, maman court après ses faux diamants. À midi, c'est la crise, Lola pleure : ses barrettes à paillettes sont introuvables. Quant à mamie, le chignon en bataille, la voila qui s'essouffle à chercher ses ciseaux d'argent. Maintenant, c'est une vraie révolution ! Tout le monde parle en même temps :

« Manuel, appelle papa, rends-moi mon diapason !
– Calme toi grand-père, supplie mamie, tu as dû encore perdre tes hameçons au fond de la rivière.

– Qui a osé ranger ma chambre ! crie Manuel. Je suis sûr que mon étoile a fini à la poubelle.

•••

– Allons, Lola, tu retrouveras tes barrettes, je suis certaine que tu les as oubliées à l'école, assure maman.

– Ouais, ouais, murmure Lola, et tes diamants, tu les as oubliés ? À mon avis on te les a plutôt volés.

– Et mes ciseaux, soupire mamie, ils ne se sont tout de même pas envolés ? »

Toute la famille s'interroge : volés, perdus, oubliés, jetés, empruntés... envolés ?

À cet instant, un jacassement attire leurs regards dehors. Sur une branche, tout en haut du vieux tilleul, un nid brille de tous ses feux.

« Oh, s'écrie la famille, soulagée et étonnée, une pie, une pie voleuse ! »

Du nid douillet s'échappent : un diapason, des hameçons, une étoile d'or, des barrettes à paillettes, des faux diamants et des ciseaux d'argent. •

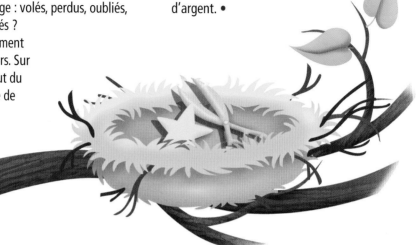

Chic, on fait des crêpes !

26 MAI

Quelle chance ! Cet après-midi, on fait des crêpes. Mamie a enveloppé Julie et sa petite sœur dans de grands tabliers et voilà nos pâtissières au travail. D'abord, on verse la farine dans un saladier, puis on creuse un trou au milieu. Mamie appelle ça faire la fontaine. Ensuite, on casse les œufs. C'est le plus difficile, parce qu'il ne faut pas en mettre partout. N'oublions pas le lait. Et on remue, on remue. Après, il faut attendre une heure pour que la pâte se repose. Mais Julie et sa petite sœur n'ont pas envie qu'elle se repose, elles ! Elles ont envie de manger des crêpes, et tout de suite !

« Ce n'est pas parce que vous criez comme des sauvages que la pâte va lever plus vite, dit Mamie. Par contre, si on commence une partie de petits chevaux maintenant, on aura tout juste le temps de la finir avant de se mettre au travail. »

Et, en effet, le temps passe si vite en jouant que les enfants sont surprises quand leur grand-mère leur dit : « Ça y est, c'est prêt. On y va. »

Elle met la poêle sur le feu et verse un peu de pâte dedans :

« Regardez bien comment je fais, ensuite ce sera votre tour. »

Hop ! la crêpe s'envole, se retourne et retombe bien au milieu de la poêle.

« À toi, Julie. » Julie saisit le manche de l'ustensile et, d'un grand geste, envoie la crêpe en l'air. Oui, mais voilà, celle-ci retombe juste sur le nez du chien qui s'était approché, attiré par les bonnes odeurs. Il l'engloutit sans attendre qu'on lui en donne la permission ! Tout le monde éclate de rire. Heureusement, il reste beaucoup de pâte. On va pouvoir se régaler. Enfin, une belle pile de crêpes est disposée sur une assiette. Maintenant, à table ! •

La dent perdue

Un jour, dans les profondeurs de l'océan, Forban, le requin redouté de tous, perdit une dent dans une bataille avec d'autres requins. C'était une dent spéciale, une dent magique ; en la perdant, il perdait toute sa force et devenait peureux et inoffensif ; seule sa réputation de méchant prédateur le protégeait un peu des autres prédateurs, mais pour combien de temps ? Il fallait retrouver la dent magique au plus vite, parce que si la nouvelle se propageait, certains habitants de l'océan n'hésiteraient pas à le défier. Mais comment faire ? Pendant le combat, Forban avait vu sa dent disparaître dans un trou au fond de la mer. Il hésita un peu, mais il n'y avait pas d'autre solution, et il s'aventura dans la crevasse qui semblait illuminée de l'intérieur. Plus il descendait,

plus la lumière était éblouissante. Arrivé tout au fond, il vit un monde merveilleux, plein d'animaux marins inconnus. Dans un coin, une drôle de bête lui souriait. La bête tenait la dent magique du requin entre ses pinces. Celui-ci s'approcha pour récupérer son bien le plus précieux, mais l'étrange animal refusa de le lui donner.
« Cette dent est à moi, dit Forban pas très aimable. Pourquoi ne veux-tu pas me la rendre ?
– Je te la rendrai, requin, mais à une condition. À l'avenir, je veux que tu ne te serves de ta force que pour la bonne cause, et non pas pour tuer.
– Mais, comment je vais manger ?
– Promets et je te rends ta dent ; sinon, tu resteras aussi faible qu'une sardine ! »
Le requin choisit bien sûr de récupérer sa dent et il dut être très gentil tout au long de sa vie. •

Le mouton qui parlait aux loups

Frison, le mouton, en avait assez de voir ses frères et ses sœurs mangés par les loups. Il demanda à ses frères de se révolter, en vain ; ils avaient tous trop peur. Même le berger, terrorisé, s'enfermait dans sa bergerie et les laissait sans défense. Un matin, Frison alla chercher de l'aide auprès du vieux hibou qui, en échange de sa laine, lui proposa de lui apprendre le langage des loups.
« Mais que vas-tu faire de ma laine, cher vieux hibou ?

– Je vais la donner aux oiseaux pour qu'ils fassent leurs nids et aux marmottes pour qu'elles aient bien chaud en hiver.
– Alors c'est d'accord, commençons tout de suite la leçon. »
Le vieux hibou était un bon maître. Il avait été le hibou d'un sorcier et avait appris de lui beaucoup de tours.

•••

Maintenant qu'il était à la retraite, il aidait ses amis de la forêt. Au coucher du Soleil, Frison connaissait par cœur le langage des loups.

« Waaahhhooouuu ! Que je suis content ! s'écria-t-il. Comment te remercier vieux hibou ?

– En n'oubliant pas ta promesse, dit-il.

– Grouuuifff ! Promis, juré !

– Maintenant, va défendre le troupeau. »

À la nuit tombée, Frison revint dans son pré, chaudement accueilli par ses frères et sœurs. Mais personne ne voulait croire qu'il avait appris le langage des loups. Pour toute démonstration,

il s'approcha à... pas de loup de la bergerie et hurla : « Grrrooouuu ! »

La porte s'ouvrit à toute volée et le berger s'enfuit en prenant ses jambes à son cou. Frison se tourna alors vers la forêt et poussa un cri féroce : « Grooonnhoouuaa ! »

On entendit alors dans le lointain un tout petit « houhou ».

« Que disent les loups ? demanda un jeune mouton.

– Que jamais ils ne reviendront dans le pré », répondit Frison. Le jeune mouton s'approcha de Frison et lui dit : « Alors, apprends-moi à dire « Hourra » en langage loup. » •

Le serpent mal dans sa peau

« Aïe ! Tu ne peux pas faire attention où tu marches ?

– Désolé, répondit le sanglier. Je n'ai pas une très bonne vue, et puis tu es si petit ! »

« Eh oui, c'est toujours la même chose, se dit le tout petit, petit serpent. Personne ne regarde les plus petits que soi, ceux qui vivent à ras du sol. Il n'y a que les fleurs que l'on regarde, que l'on trouve jolies. Les fleurs, c'est beau et ça sent bon. »

Le petit serpent se faufila dans un buisson pour réfléchir tranquillement.

« C'est décidé je vais devenir une fleur !

– Hé ! Tu déchires ma toile !

– Excuse-moi Azaé, chère araignée. Mais on dirait que tu as fait un festin de papillons ce matin ?

– Oui, mais je n'en mange pas les ailes qui me donnent mal

au ventre. D'ailleurs, je deviens de plus en plus délicate. Si je pouvais mettre la dent sur un petit moucheron.

– Oh, Azaé, mon amie, donne-moi les ailes du papillon, attache-les autour de ma tête avec ton fil bien solide et je n'oublierai pas ce service. »

Quand le petit serpent-fleur sortit du buisson la tête haute et le corps bien dressé, tous les animaux, les grands comme les minuscules, s'approchèrent de lui, admiratifs et fascinés par ses reflets moirés. Ses pétales en ailes de papillon changeaient de couleur et étincelaient sous les rayons du Soleil.

« Azaé, chère couturière, tisse une toile derrière moi et attends. »

En effet, une myriade de moucherons s'approchait déjà. Chacun sait que les moucherons sont curieux et gras, mais délicieux à manger. Ce dont ne se privèrent pas Azaé et le petit serpent quand toutes ces petites bestioles vinrent s'échouer sur la toile d'Azaé et dans la large bouche du petit serpent-fleur. Une araignée couturière reste une araignée, et un serpent-fleur, un serpent. •

Qui c'est çui-là ?

Pim et Poum, les deux chatons, sont tellement gourmands que lorsqu'ils ont fini leur pâtée, ils s'en vont tranquillement chez leur copine Pam, la jolie chatte blanche qui habite la maison d'à côté, et ils se remettent à table avec elle. La maîtresse de Pam est une vieille dame qui aime beaucoup les animaux. Mais voilà qu'un jour, en arrivant dans le jardin de leur amie, Pim et Poum voient un grand chat gris rayé de noir, très maigre, avec la peau toute pelée et une oreille déchirée, qui se faufile en direction de la cuisine.

« Qui c'est çui-là ? dit Poum à son frère. Tu le connais ? Qu'est-ce qu'il vient faire ici ?

– C'est sans doute un voleur, répond son frère. Il faut aller voir. Pam doit avoir besoin de nous pour la protéger. » Et voilà nos deux chatons pas plus gros qu'une pelote de laine qui s'aventurent à la poursuite de l'inconnu.

Ils ne sont pas très rassurés, tout de même. Arrivés devant la cuisine, ils s'arrêtent, sautent sur le rebord de la fenêtre et regardent prudemment à l'intérieur avant d'entrer. Et que voient-ils ? Mademoiselle Pam qui partage sa tasse de lait avec l'individu à l'allure bizarre ! Pire : la maîtresse de Pam est là, elle aussi ! Quand les deux frères pointent leur nez, le tigré se retourne et souffle comme un fauve. Oui, il souffle ! Quel culot !

« Calme-toi, lui dit Pam. Tu ne crains rien ici. Les amis, je vous présente Hector. Il va habiter chez nous pour quelque temps. Comme vous le voyez, il a eu des malheurs et il n'a pas toujours mangé à sa faim.

– Mais tu ne le connais même pas !

– C'est vrai, répond Pam. Mais qu'est-ce que ça peut faire, puisqu'il a faim ?

– Tu as raison, dit Poum qui vient de comprendre. Bon appétit, Hector. » •

Le loup qui aimait les légumes

« Marthe, devine ce que je viens de voir ! Un loup dans notre potager ! Un loup qui mangeait nos carottes !

– Allons Roger, viens manger, tu auras mal vu ; il s'agit sûrement d'un gros lapin. » Pourtant, Roger n'avait pas tort : pour la première fois de sa vie, il venait de voir Félix, le loup qui aimait les légumes. Félix n'était pas un loup ordinaire. Ses parents avaient été tués par des chasseurs et il avait été recueilli tout bébé par des lapins qui, évidemment, l'avaient élevé en le nourrissant de légumes. Depuis, il ne mangeait pratiquement pas de viande. Oui, pratiquement, car un loup reste malgré tout un loup : un grand amateur de viande ; ce qui n'était pas fait pour déranger ses parents les lapins, à qui, en retour, il avait transmis son goût. Roger insistait :

« Puisque je te dis que c'est un loup ! Viens voir ! » Sa femme n'eut pas le temps de mettre le rôti au four, Roger la fit venir dans le potager. Elle dut se rendre à l'évidence : c'était bien des traces de pattes de loup. D'ailleurs, au loin, un jeune loup les narguait, deux belles bottes de carottes et de poireaux dans la gueule. Marthe et Roger étaient en train de se gratter la tête d'étonnement quand ils entendirent un grand bruit dans la cuisine. Ils virent alors un lapin s'en échapper, le rôti entre les pattes, suivi d'un autre qui tenait un saucisson entre ses dents. « Allons dormir Marthe, le monde change trop vite pour nous. »

Le soir même, à la lueur d'une Lune rousse, certains virent un loup et deux lapins manger de la viande et des légumes en se racontant de bonnes blagues. •

Juin

1er La sorcière trop gourmande

Niania était une sorcière qui n'était pas seulement méchante, comme toutes les sorcières, mais aussi très gourmande. Ce qu'elle adorait déguster, c'étaient les citrouilles. Toutes les citrouilles. Elle en mangeait tant qu'il était parfois difficile de s'en procurer pour la fête d'Halloween. Un jour, alors que Niania dégustait la quatrième citrouille de son petit déjeuner, elle eut un léger hoquet qui fut suivi d'un deuxième, puis d'un troisième. Bientôt, la sorcière ne put rien faire d'autre que de hoqueter. Très ennuyée, elle alla consulter le grand mage.

« Grand mage – hic ! – aidez-moi – huc ! Ce – hoc ! – hoquet dure depuis – hec ! – trop longtemps – huc ! »

Le mage lui regarda la langue, lui tira les oreilles, lui tapa sur la tête et déclara :

« Ma fille, il ne faut plus manger de citrouille.

– Mais – hic ! – c'est impossible – hoc ! – grand mage, je...

– Silence ! Tu me dois dix crapauds séchés et deux ailes de mouches pour la consultation.

Maintenant rentre chez toi. »

Évidemment, Niania n'écouta pas le mage et continua de dévorer de grosses bouchées de citrouilles entre deux hoquets. De si gros hoquets qu'elle en bondissait à travers la pièce. Bientôt, son corps devint tout vert et se couvrit de grosses pustules.

« Je m'en fiche – hic ! J'aime trop – hoc ! – les citrouilles ! » disait-elle tout en bondissant.

Un jour, sa taille diminua, diminua jusqu'à atteindre celle d'un...

« Très joli crapaud ! Idéal pour ma soupe de ce soir, dit le mage en la saisissant par une patte.

– Pitié – hic ! – pitié – hoc ! – grand mage. C'est moi – huc ! – Niania ! »

À cet instant, Niania, se réveilla en sursaut et se jeta hors de son lit. Elle était seule, il faisait nuit, le feu brûlait doucement dans la cheminée...

« Quel cauchemar ! – hic ! – plus jamais – hoc ! – je ne mangerai – huc ! – de citrouilles. Hic, hoc, huc ! » •

2 Le hérisson veut prendre le train

Picpoil, un jeune hérisson, veut à tout prix connaître la ville. Il se rend donc à la gare pour acheter un billet de train. Le jour du départ, avec son petit baluchon, il attend tranquillement sur le quai presque désert. Mais, lorsque le train arrive enfin, horreur ! les wagons sont remplis de monde. Picpoil monte dans le train. Mais comment faire pour trouver une place assise ? Il tente bien de se frayer un passage à travers la foule à la recherche d'un siège libre. Mais, ce faisant, il pique tous les passagers qu'il approche. Les voyageurs commencent à se plaindre, à hurler sur le pauvre Picpoil qui n'en demandait pas tant, et... finissent par l'expulser du train qui repart sans lui ! Patiemment, il attend le deuxième train.

Malheureusement, il est aussi bondé que le premier et Picpoil est également rejeté du deuxième train.

« C'en est trop, se dit-il. Puisque c'est ainsi, je n'irai jamais en ville, voilà tout ! »

Dépité, il s'apprête à quitter la gare lorsqu'il entend un cri : « Ohé, Picpoil ! »

C'est le conducteur de train qui l'appelle.
« Tiens ? se dit Picpoil. Que me veut-il ? »
Il se rapproche et découvre que le
conducteur n'est autre que son cousin Pikou.
« Mon vieux Picpoil, ça fait longtemps qu'on ne s'est
pas vus. Je vais en ville, tu veux venir ?

Allez, grimpe ! » Et Picpoil, tout
content, s'installe bien aux côtés
de son cousin. Il a de la place
dans la locomotive, il ne dérange pas, et surtout il ne
pique plus personne… Pratique, non ? Le train démarre
et… en route pour la ville ! •

Le squelette amoureux d'une fée

Sam est un jeune squelette qui habite dans le petit
cimetière d'un grand château. Mais il n'est pas seul, il
a pour famille de vieilles tantes squelettes qui tricotent
des écharpes dans des toiles d'araignées et de grands
squelettes qui jouent aux osselets ou au bowling
avec leurs têtes et leurs tibias. Mais il
s'ennuie à mourir dans ce cimetière.
Une nuit, alors qu'il se promène
dans le bois du château, Sam
voit s'agiter au loin une
petite lumière bleue. En
s'approchant, il voit une
très jolie petite fée,
prénommée Sarah, qui
s'entraîne à transformer
un champignon en
crapaud et un crapaud
en champignon.
« Mais qu'est-ce que
tu fais à cette heure
dans les bois ? lui
demande le petit squelette.
– Comme je n'ai pas été très sage aujourd'hui à l'école
des fées, ma maîtresse m'a donné une punition : je
dois transformer 50 000 fois un champignon en
crapaud et 50 000 fois un crapaud en champignon !

– Mais c'est énorme !
– Non, pour nous, les fées, ça va vite. C'est juste
terriblement ennuyeux. D'ailleurs, tout est ennuyeux
ici : il n'y a que des fées, jamais de petits mages.
– Moi aussi je m'ennuie terriblement, dit le petit
squelette. Et puis qui voudrait de moi pour
ami ? Regarde-moi ! Mes os font
des claquettes quand je marche,
et le vent siffle une triste
musique entre mes côtes
quand je rigole.
– Et alors ? Toi, au moins,
tu es différent des autres.
Tu n'es pas comme les elfes,
les fées et les sorcières. Tu es
un garçon et j'aimerais jouer
avec toi au football, faire du
vélo comme une folle et
construire des cabanes ! »
Là-dessus, main dans la
main, ils s'en vont voir le
grand mage. Si un jour tu vas à une fête foraine
n'oublie pas de rendre visite au train fantôme. Tu y
croiseras peut-être Sam et Sarah te tirant les cheveux,
faisant des galipettes et des grimaces pour la plus
grande joie des enfants. •

Le héros de la ferme

Le chat de gouttière avait été complètement adopté
par les fermiers. Jeanne, la petite fille qui l'avait
recueilli, lui avait même trouvé un nom : Patapon.
Il était choyé et gâté par toute la famille, et pas un
moment il ne regrettait son ancienne vie de chat des
villes. Pourtant, il y avait une ombre à son bonheur :
les autres animaux de la ferme ne l'avaient jamais
accepté.

« Je ne leur ai pourtant rien fait, se lamentait Patapon.
Je ne veux qu'une chose : être leur ami… »
Mais eux disaient :
« Depuis que ce chat est là, les fermiers n'ont plus
d'yeux que pour lui. Mais il aura beau faire, il ne sera
jamais un animal de ferme »
Tout cela rendait Patapon fort triste.

« C'est une trompe à aspirer les cauchemars, dit Guillaume. C'est très efficace, tu verras. Maintenant, il suffit que tu mettes le dessin sous ton oreiller et, tous les soirs, le mange-cauchemars se fera un plaisir de dévorer tes mauvais rêves. Tu peux dormir tranquille à présent. »

Delphine prend le dessin dans ses petites mains, se met au lit, place le dessin sous l'oreiller et s'endort paisiblement.

Cette nuit-là, ainsi que toutes les nuits suivantes, Delphine fait de bien jolis rêves. Plus jamais elle ne fera un seul cauchemar : le mange-cauchemars les a tous avalés ! •

JUIN
JUIN
8

Le magasin de jouets

Lorsqu'il eut refermé son livre, le petit Max était tout songeur. Il venait de lire l'histoire de deux enfants qui, un soir, s'étaient fait enfermer dans un magasin de jouets. Jusqu'au petit matin, ils avaient pu ainsi s'amuser comme ils voulaient, essayer les panoplies, brancher les consoles de jeux... C'était comme si, le temps d'une nuit, tous ces jouets leur appartenaient. Si seulement moi aussi je pouvais faire pareil ! se dit Max. Le lendemain, après l'école, il se rendit au centre commercial. Là, il se fit tout petit, se cacha dans un coin et attendit la fermeture. Il avait si peur qu'on le trouve qu'il se retenait presque de respirer. Il entendit les haut-parleurs annoncer que le magasin allait fermer ses portes. Il était tout excité : bientôt il pourrait aller voir tous les jouets dont il rêvait. Mais

soudain, il sentit une main sur son épaule. Cela le fit sursauter. Tout tremblant, il leva les yeux : c'était le gardien.

« Eh bien, mon petit, qu'est-ce que tu fais là ? dit-il. Tu devrais être chez toi à cette heure-ci. »

Max eut si peur qu'il fondit immédiatement en larmes. Il expliqua au gardien qu'il avait juste voulu regarder tous les jouets, qu'il ne faisait rien de mal. Le gardien eut un grand sourire.

« Tu voulais voir les jouets ? Alors, viens avec moi, je vais te faire visiter la réserve du magasin. »

Max n'en revenait pas ! Le gardien ne l'avait même pas grondé ! Il mit sa petite main dans celle du gardien et tous deux, d'allée en allée, firent le tour du magasin. C'était magique ! De retour chez lui, Max garda ce merveilleux souvenir pour lui, comme un secret. •

Trompette a le nez bouché

Ce matin, Trompette, le petit éléphant, s'est réveillé avec le nez bouché.

« Baban, che beux bas resbirer ! Ch'ai bal ! »

Maman éléphant lui tâte le front avec sa trompe.

« Ce n'est pas grave, mon poussin, tu n'as pas de fièvre. Juste un rhume. Et ça, c'est bien fait pour toi. Je t'ai dit cent fois de ne pas te baigner après le coucher du Soleil ! Et puis, vous êtes tout le temps en train de vous arroser, ton frère et toi.

– Bais baban, che be suis bas baigné du dout, che de jure ! Oh ch'ai bal ! Du veux bas regarder dans ba drombe ? Ch'ai l'imbrezion qu'il y a quelque chose dedans. Ça be jatouille. »

Maman éléphant apporte un mouchoir à Trompette. Un grand, très grand mouchoir, grand comme un drap.

« Souffle ! »

Trompette prend son élan ; il devient tout rouge avec les yeux qui pleurent et...

il tombe sur son derrière.

Cette fois, maman éléphant s'inquiète vraiment. Quoi faire ? À ce moment-là, Trompette éternue si fort que tous les animaux de la savane lèvent la tête pour voir d'où vient cet orage si soudain. Mais, mais... qu'est-ce que c'est que ça ? Un poisson plein d'épines, là, dans l'herbe, à cent mètres de la rivière ! Et il gigote, et il se tortille devant les pieds de madame éléphant qui recule doucement pour ne pas l'écraser. D'où sort-il, celui-là ? Du nez de l'éléphanteau, pardi ! Alors maman éléphant se fâche, et quand un éléphant se fâche, ça fait du bruit et de la poussière !

« Trompette, tu n'es qu'un vilain petit menteur et un maladroit, en plus ! Non seulement tu es allé te baigner hier soir, mais tu t'es aspergé sans faire attention à ce qu'il y avait dans l'eau. Voilà comment ce poisson est arrivé dans ta trompe ! » •

Gigi la girafe

Lorsque naquit Gigi la girafe, ce fut une grande surprise pour ses parents et pour le reste des girafes. En effet, comme vous le savez, les girafes naissent habituellement avec des taches marron sur tout le corps. Or, Gigi, elle, était couverte de taches rouges. Quelle étrange petite girafe !

« Cette enfant n'est pas normale, elle doit avoir une maladie ! disait sa tante Sarah.

– Elle est peut-être maudite », s'inquiétait sa cousine Berthe.

Même les autres petites girafes, qui avaient à peu près le même âge que Gigi, se moquaient d'elle :

« Ce qu'elle est vilaine ! Elle a la rougeole ou quoi ? »

Pauvre Gigi ! Elle était bien triste. Pourquoi se moquait-on d'elle ? Elle trouvait cela joli, elle, toutes ces taches rouges.

Or, un jour, le roi des girafes voulut marier son fils, Gino. Mais celui-ci dédaignait toutes les prétendantes que lui présentait son père.

« Bien sûr, la plupart sont gentilles, la plupart sont jolies, mais, moi, je voudrais quelqu'un d'exceptionnel ! »

Alors le roi des girafes envoya chercher dans tout le pays une girafe digne

•••

115

du jeune prince des girafes.
Un des envoyés du roi vint à passer dans le pays de Gigi. Dès qu'il la vit, il fut subjugué. Une girafe à taches rouges, voilà qui n'était pas commun ! Il demanda à Gigi si elle voulait bien rencontrer le jeune prince. Gigi crut d'abord à une blague, mais elle finit par accepter de rencontrer Gino. Celui-ci fut émerveillé : enfin quelqu'un de différent ! Pour leur plus grand bonheur, ils se plurent, se trouvèrent de nombreux points communs

et finirent par tomber amoureux l'un de l'autre. Gigi devint donc la princesse des girafes. Plus jamais on ne se moqua d'elle. Et la grande mode, au royaume des girafes, fut d'avoir le corps recouvert de taches rouges. •

Valentin va à la pêche

Valentin jouait avec sa petite sœur quand son papa dit :
« Tu viens Valentin, on va à la pêche ! »
Valentin ne se le fait pas dire deux fois ! Il fonce vers le cabanon où se trouvent tous les accessoires nécessaires : canne à pêche, bouchon, fil de pêche, hameçon, et un seau pour ramener les poissons. Les voilà partis. Ils prennent un petit sentier à travers joncs et roseaux. Quand ils arrivent à la rivière, ils s'installent dans un coin où il y a beaucoup de poissons. Ils sortent tout le matériel et commencent à pêcher. Le père de Valentin est un très bon pêcheur et, d'habitude, il ramène plusieurs kilos de poissons. Au bout de quelques minutes, Valentin crie tout content :
« Ça mord papa, ça mord ! »
Il force, force pour ramener à la surface le beau poisson qu'il attend. Il va être énorme, celui-là ! Encore un effort ! Ça y est ! Mais

qu'est-ce que c'est que ça ? Une vieille paire de chaussures nouées entre elles qui dégoulinent de boue et de vase. Ah la belle prise ! Valentin et son papa éclatent de rire. C'était un bel après-midi pour les poissons : le père de Valentin n'en a attrapé que deux ! Mais nos deux pêcheurs sont contents quand même. Sur le chemin du retour, ils chantent à tue-tête.
Comme c'est bon de rentrer à la maison où il fait chaud, tandis que, dehors, la nuit tombe et le froid remplace le Soleil radieux. Bien sûr, deux poissons, c'est un peu juste pour faire un plat, mais c'est délicieux malgré tout. Et quelle bonne journée ils ont passé ensemble au bord de l'eau ! •

Les fleurs de glace

Noël vivait dans un lointain pays où il faisait toujours beau et chaud. Un matin d'hiver, le ciel était plus sombre que d'habitude ; on aurait dit que la nuit ne voulait pas laisser place au jour. Noël s'en inquiéta auprès de son grand-père.

« Regarde le ciel, grand-père ; il est bas, il est sombre, il n'y a pas un bruit, et aucun oiseau ne chante.

– Attends mon petit, tu vas assister à un merveilleux spectacle, lui dit son grand-père. Viens avec moi dehors, mais couvre-toi bien. »
Noël regardait le ciel avec son grand-père, quand un vent froid le saisit, et ses yeux se brouillèrent : des points blancs voletaient autour de lui. En tendant les mains, il s'aperçut que ces petites fleurs glacées formaient un beau dessin comme une petite étoile.

« Grand-père, regarde, mais c'est de la neige !

– Oui, Noël, c'est de la neige, et tu as beaucoup de chance, car c'est très rare dans notre pays, et la première et dernière fois que j'en ai vu, j'avais ton âge. »

Le sol commençait doucement à se couvrir d'un blanc manteau, et Noël ne pouvait s'empêcher de courir et de se rouler dans la neige. Mais ce qui intriguait le plus Noël, c'étaient ces flocons de neige. Une fois dans sa main, il les regardait attentivement avant qu'ils ne fondent. Aucun ne ressemblait à un autre, ni par la forme ni par le dessin. Il se tourna alors vers son grand-père.

« Dis-moi, grand-père, d'où viennent ces fleurs de glace ?

– Devine, mon petit.

– Mais c'est simple grand-père, elles sont si belles qu'elles ont dû être façonnées par un habile artisan dans du verre ou du cristal, ou taillées par un magicien dans le plus pur diamant.

– Non, mon petit, trois êtres simples les fabriquent : l'eau, le froid, et toi. Car c'est ton cœur et ton imagination, mon petit Noël, qui les dessinent... » •

Le boulanger et le petit arbre

Gabriel est un boulanger qui vit seul, sans femme et sans enfant. Gabriel est un homme triste et grognon qui aime bien dormir, car il travaille beaucoup. Il doit travailler toute la nuit pour proposer, au petit matin, du pain, des brioches et des croissants encore tout chauds à ses clients. Après le travail, Gabriel aime regarder ses champs de blé ; il aime les regarder mûrir et blondir sous le beau Soleil de juillet. Près de ses champs, un arbre a été planté.

Ce n'est pas un arbre bien robuste ni très élancé, mais Gabriel l'aime bien. Un jour qu'il se sent un peu fatigué, il décide de dormir au pied de ce petit arbre. Il se cale lourdement et confortablement contre son tronc et s'endort tranquillement. Mais, soudain, une feuille vient lui chatouiller les narines. Il la repousse d'un bras lourd, puis il entend une voix fluette lui dire :

• • •

« Cher Gabriel, regarde-toi et regarde-moi ; tu es gros et moi, petit arbre, je suis mince et sec. Tu t'appuies trop lourdement sur moi.

– Excuse-moi, cher arbre, mais que puis-je faire pour toi ?

– Tu ne le sais pas, mais je me sens bien seul au milieu de ces champs. Si tu veux bien me tenir compagnie chaque jour, je pense pouvoir grandir et me fortifier grâce à ton aide, car un bon compagnon et un bon ami aident chacun de nous à être plus fort et plus solide. »

Gabriel regarde alors cet arbre d'une toute autre façon et se dit que ce petit être fragile peut, lui aussi, l'aider à être plus fort et plus grand, lui qui n'a ni ami ni famille.

Depuis, chaque jour Gabriel et son arbre discutent ensemble et se racontent leur journée. Parfois, on peut même les entendre rire. •

JUIN
JUIN
17

Zaza ne veut pas dormir

« Dormir, quelle perte de temps ! Ça ne sert à rien. On peut toujours s'amuser, batifoler, même en hiver. » Tel était l'avis de Zaza, la marmotte qui ne voulait plus dormir l'hiver comme ses sœurs. Ce que voulait Zaza, c'était rire et s'amuser avec les copains de la montagne. Faire la course avec Rafinou, le lièvre, jouer à cache-cache avec Grognon, l'ours, faire une partie de cartes avec Jojo, la taupe, siffler avec Perline, la perdrix des neiges, ou sauter de rocher en rocher avec Cornu, le mouflon. Toutes ses sœurs marmottes la suppliaient de rentrer dans le terrier pour passer un bon hiver bien au chaud à dormir.

« Non et non ! disait-elle. Laissez-moi, laissez-moi vivre ma vie de marmotte comme je l'entends. J'ai ici des amis prêts à passer de très bonnes vacances d'hiver avec moi. »

Hélas !

ses amis, même s'ils étaient sincères, avaient besoin de dormir pour passer l'hiver. On vit tour à tour Grognon, Jojo, Rafinou, Perline et Cornu s'isoler ou se réfugier dans leurs abris. L'ambiance était bien moins sympathique. Les jours raccourcissaient, le froid devenait plus intense et la neige bien plus épaisse. Un soir de pleine Lune, Zaza entendit un hurlement dans la forêt qui lui fit se hérisser le poil. Il y avait danger. Déjà elle voyait s'approcher deux grands yeux, rouges comme des braises, et discernait le crissement de longues pattes dans la neige. C'était le loup qui s'approchait, qui s'approchait…

« Je n'ai pas envie de me faire croquer par le loup, se dit Zaza. J'ai tout à coup une folle envie de dormir. Je vais vite rejoindre mes sœurs et me réveiller au printemps prochain. »

Elle fut accueillie chaleureusement par les autres marmottes, mais elle avait compris la leçon, car il y a un temps pour s'amuser et un temps pour dormir. •

Le dragon est enrhumé

Ah, si vous aviez connu Alphonso quand il était jeune ! C'était un fier dragon qui n'hésitait pas à enlever une belle princesse ou à vous dévorer un preux chevalier, son écuyer, et le cheval avec. C'est qu'Alphonso était un dragon qui vous crachait un feu d'enfer. Il n'y en avait pas deux comme lui pour vous transformer, sur un coup de colère, un village en plat de merguez ou une forêt en cendrier ! Eh oui, mais Alphonso a vieilli. Il traîne maintenant en chaussons près de sa grotte, cultivant quelques maigres plants d'orties et élevant deux lézards maigrichons dans son jardin. Parfois, il descend au village pour acheter des journaux qui racontent la vie des riches princesses et des beaux princes, mais c'est moins drôle qu'avant. Et, comme Alphonso est vieux, il s'enrhume facilement :
« Atchoum ! Atchoum ! »
Et hop ! le magasin de journaux part en fumée.
« Atchoum ! » Et pan !

l'épicerie est transformée en barbecue. Les villageois sont désespérés, mais c'est Rufus, le petit rat, qui est vraiment de mauvaise humeur. Rufus est le seul pompier du village. Et, évidemment, à chaque catastrophe provoquée par le dragon, de jour comme de nuit, Rufus doit aller éteindre les incendies. Un soir, Rufus gravit la colline jusqu'à la grotte d'Alphonso, bien décidé à s'expliquer avec lui.
« Entre, lui dit le dragon, veux-tu boire du jus de grenouille ?
– Non merci, lui dit Rufus je viens te voir car la situation est devenue trop difficile pour le village.
– Je sais, lui dit Alphonso, mais tu connais mon âge et ma situation.
– Oui, et c'est pourquoi je viens pour savoir si les dragons crachent aussi de l'eau.
– Bien sûr, mais on ne leur demande jamais.
– Je pense pouvoir te proposer un travail », lui dit Rufus.
Depuis, il y a deux pompiers dans le village : Rufus et... Alphonso. •

Le vélo moqueur et la brouette

Sur le bord d'une route, un vélo et une brouette étaient en grande conversation.
« Mais brouette, lui disait le vélo, regarde-toi, tu es vraiment mal bâtie, ma pauvre avec ton unique roue et tes deux longs bras.
– Oui, mais je suis utile, lui répondit la brouette. Grâce à moi on peut faire son jardin et porter des choses lourdes.
– Bien sûr, mais il faut

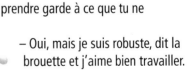

qu'on te pousse comme un âne pour pouvoir te faire avancer, et bien prendre garde à ce que tu ne renverses rien.

– Oui, mais je suis robuste, dit la brouette et j'aime bien travailler.
– Et quand on a plus besoin de toi, on te remise, toute sale et toute crottée, au bord d'une grange. Non décidément brouette, ton sort n'est pas enviable,

répliqua le vélo. Alors que moi, avec mes deux roues, on me monte comme un cheval pour parcourir à vive allure les plaines et les vallées. Mon maître prend toujours soin de moi, il me nettoie, me bichonne. Regarde-moi, je suis toujours bien propre et étincelant, et la nuit je dors dans un garage, bien au chaud. »

Mais, tout à son discours, le vélo ne vit pas la grosse voiture qui arrivait.

« Pousse-toi de là, maigrichon ! » lui dit-elle.

Et, avant que le vélo ait pu réagir, la voiture lui écrasa la roue arrière. Le vélo gémit et se plaignit auprès de la brouette qui le soutint du mieux qu'elle put. Arriva alors le propriétaire de la brouette qui, à la vue du vélo, lui dit : « Tu as l'air mal en point, je vais te réparer. »

Il le chargea alors sur la brouette et se dirigea chez lui. La brouette s'amusait grandement de cette situation.

« Pauvre vélo, lui dit-elle d'un air moqueur. Ça va comme tu veux ? Suis-je assez confortable ? Je ne te secoue pas trop ? »

Trop honteux, le vélo ne lui répondit pas, mais il se promit de ne plus jamais se moquer de personne. •

Le dernier voyage de Petit-Train

« Tchou, Tchou, Tchou, Tchou ! »
Petit-Train est bien triste. Aujourd'hui, c'est son dernier voyage dans la vallée des Narcisses. La vallée est toute petite, mais il l'aimait bien, cette vallée. En passant, il saluait les vaches, les lapins et les ours par un joyeux « Tchou ! Tchou ! » Mais maintenant il n'y a plus assez d'habitants dans la vallée pour que le petit train puisse encore fonctionner. Pour son dernier voyage, Petit-Train doit aller chercher Georges, le chef de gare de la vallée.

Lui aussi doit quitter la vallée, car s'il n'y a plus de trains, la gare ne sert plus à rien.

« Moi aussi je suis bien triste, lui dit Georges, car je dois aller travailler dans une grande gare sombre et froide. »

Quand il vit que tous les animaux de la vallée étaient là pour accompagner son dernier voyage, Petit-Train reprit courage. Tous lui faisaient une haie d'honneur et lui lançaient des fleurs.

« Ma retraite sera moins pénible », pensa-t-il.

Mais ses amis les animaux avaient d'autres projets pour lui. Ils se dirent qu'il fallait attirer du monde dans la vallée pour que Petit-Train puisse encore rouler. Ils décidèrent alors d'organiser un grand spectacle pour faire connaître aux touristes la vallée des Narcisses. Les vaches préparèrent un grand ballet avec de beaux costumes en fougères. Les ours choisirent d'être jongleurs, et le cerf magicien. Quant aux marmottes, elles excellèrent dans leur numéro de claquettes. Ce fut un succès considérable, et la vallée fut après ça très fréquentée par les touristes. On réveilla alors Petit-Train et on fit revenir Georges. Quelle surprise pour les deux amis !

C'est tout fier et ému que Petit-Train reprit le chemin de la vallée des Narcisses en saluant tous ses amis d'un joyeux :
« Tchou, Tchou, Tchou ! » •

Le géant et le petit bonhomme

Il y avait une fois un géant tellement grand que sa tête touchait les nuages.

Il y avait une fois un bonhomme si petit que son ventre touchait ses chaussures. Chacun des deux se plaignait de son sort. Le géant disait :

« Comme je voudrais être petit ! »

Et le petit bonhomme soupirait :

« Comme je voudrais être grand ! »

Un jour qu'il était fatigué, le géant essaya de trouver un lit à sa mesure. Hélas ! pas une seule vallée n'était assez longue pour qu'il puisse étendre ses jambes. Il y avait toujours une colline ou une montagne en travers, quand ce n'était pas une rivière.

« Comme je voudrais être petit ! gémissait-il. Au moins, je pourrais m'étendre de tout mon long pour faire la sieste ! »

À ce moment-là, une voix, quelque part en dessous, lui répondit :

« On échange, si tu veux. Moi, je suis tout petit. Je connais une magicienne qui peut faire ça si on est tous les deux d'accord.

– Entendu, répondit le géant sans réfléchir. Mais qu'elle fasse vite, je suis fatigué. »

Aussitôt, il sentit que les montagnes devenaient immenses, puis les arbres, puis les brins d'herbe. Il s'étendit et s'endormit sans tarder. À son réveil, il faisait très chaud et il se dit qu'il allait prendre un bain de nuages. C'était très rafraîchissant d'habitude. Il tendit la main pour en attraper et, en même temps, il ouvrit les yeux. Là, posé à ras de son nez, un énorme pied. Et là-haut, loin, très loin au-dessus de lui, une voix toute fluette :

« Au secours ! C'est trop haut ! J'ai le vertige. Je veux redevenir petit ! » •

La nuit des vœux

Bien installées sur leur couverture, Pauline et mamie sont allongées au milieu de la prairie. En effet, chaque année au mois d'août, mamie reste dehors jusqu'au matin pendant la nuit des étoiles Filantes. Elle écoute la radio pour connaître la date exacte. Pauline a six ans cette année, elle peut enfin passer sa première nuit la tête dans les étoiles. Il fait sombre depuis une heure déjà. Attention ! ça va bientôt commencer.

« Mamie, mamie, j'en ai vu une !

– Fais vite un vœu ma chérie. »

Le ciel est magnifique, les étoiles filantes se succèdent, Pauline a bien du mal à trouver un vœu à chaque fois.

Pourtant, cet après-midi, elle a préparé une grande liste. C'est tellement beau, toutes ces étoiles ; Pauline regarde le ciel et oublie ses vœux.

« Ça va ma Pauline ? »

Pauline ne répond pas, elle s'est endormie. Tout doucement, mamie la couvre avec une couette ; il peut faire frais au petit matin. Puis, elle se rallonge et se remet au travail. C'est qu'elle en a des vœux à faire ! Un pour chacun de ses amis et pour chaque membre de sa famille.

« Bon, les amis c'est fait, mes six filles et leurs maris aussi, passons aux petits-enfants. »

• • •

Et mamie commence à faire ses vœux, mais elle finit, elle aussi, par s'endormir. Tout là-haut dans le ciel, deux étoiles veillent sur elle et ses petits-enfants. Ce sont leurs bonnes étoiles, pas question qu'il leur arrive quoi que ce soit. Maintenant, les étoiles vont voir ce qu'elles peuvent faire pour tous ces vœux ! •

Le bain de petit ours

Au bain maintenant !

– Oh non maman, je n'ai pas fini de jouer, répondit Teddy, le petit ours.

– Je ne veux pas le savoir, ton bain est chaud.

– Encore cinq minutes, maman, juste cinq minutes. » Chaque soir, la même discussion se déroulait entre Teddy et sa maman. Car Teddy détestait par-dessus tout prendre son bain. Chaque soir, sa maman le forçait à se laver. Parfois, le papa ours était même obligé de faire la grosse voix ou de l'attraper par une patte avant de le plonger dans la baignoire comme un paquet de linge sale. Et, chaque soir, la maison résonnait de grognements, de disputes, de supplications, de promesses et... de bruits d'eau. Mais un jour, avant même que sa Maman ne lui demande de se préparer pour le bain, Teddy apparut à la porte de la salle de bains en pyjama, une serviette autour du cou.

« Je suis prêt à prendre un bain bien chaud », dit-il à sa maman. Celle-ci fronça les sourcils, mais elle ne dit rien et referma la porte derrière elle. Du salon, la maman et le papa de Teddy entendirent des bruits d'eau, d'éclaboussures et de baignade.

« Enfin ! se réjouit le papa, il veut bien prendre son bain maintenant.

– Ne parle pas trop vite... Allons plutôt voir ce qu'il fait », répondit la maman.

Sans faire de bruit, ils se rendirent alors dans la salle de bains... Assis par terre au milieu de ses petites voitures, Teddy était en train de jouer à côté de la baignoire. Le sacripant avait mis dans l'eau une rame qu'il agitait de temps en temps pour faire croire qu'il se lavait. Au lieu de le gronder, ses parents comprirent que Teddy n'était pas un ourson sale, mais un ourson qui s'ennuyait dans son bain. Alors, la maman ourse décida d'offrir à Teddy de beaux bateaux et de beaux sous-marins en plastique pour jouer dans la baignoire. Depuis, Teddy passe des heures dans la salle de bains. Et, pour le sortir du bain, c'est tous les jours la même histoire :

« Ça suffit Teddy, maintenant sors de ton bain !

– Oh, maman, encore cinq minutes, juste cinq minutes. » •

Le petit chat timide

Kitty est un petit chat bien timide. Si timide qu'il est toujours derrière les jupes de sa maman, ne parle à aucun chat du voisinage et n'ose même pas chasser les souris. Un soir, alors qu'il allait discrètement rejoindre sa maman pour le dîner, il entendit de gros sanglots. Tout doucement il s'approcha d'une botte de foin et vit Petiot, le petit chiot, qui pleurait à chaudes larmes.

« Mais qu'est-ce qui t'arrive, Petiot ? osa lui demander Kitty.

– C'est... c'est Aldo le corbeau qui n'arrête pas de m'embêter. Je ne peux pas traverser la cour de la ferme sans qu'il pique droit sur moi et me pince les oreilles avec son grand bec. Et tous les jours c'est pareil.

– Mais pourquoi ? lui demanda Kitty. Pourquoi s'en prend-il à toi ?

– Parce que mon père n'aime pas les corbeaux, alors Aldo ne m'aime pas, lui répondit Petiot.

– Ce n'est pas normal, dit Kitty, il faut faire quelque chose ! »

Le lendemain, Kitty, malgré sa timidité, osa monter sur le toit de la grange pour rencontrer Aldo le corbeau. Kitty lui expliqua que cela ne servait à rien de s'en prendre à Petiot et qu'il fallait s'entendre avec le père de Petiot. Les chiens et les corbeaux ne devaient plus se faire la guerre.

« Plus facile à dire qu'à faire, lui répliqua Aldo. Les chiens ont toujours été méchants avec nous. »

Le père de Petiot répondit à peu près la même chose à Kitty : « Les corbeaux ont toujours été nos ennemis. »

Pourtant, à force de discuter, Kitty réussit à réconcilier les chiens et les corbeaux de la ferme. En les écoutant et en leur parlant, il était parvenu à les rapprocher. Depuis, dès qu'il y a le moindre problème à la ferme, chacun vient voir Kitty, le petit chat devenu moins timide, pour lui demander conseil. •

Culbuto, l'Esquimau et le morse

Culbuto était un tout petit, petit Esquimau qui vivait seul dans un tout petit, petit igloo placé au beau milieu de la banquise. Culbuto allait pêcher tous les jours, mais jamais il ne voyait un homme ou une bête, hormis les quelques poissons frigorifiés qu'il arrivait à attraper. Pourtant, Culbuto aimait son existence solitaire et ne se plaignait jamais. Un matin, comme tous les matins, Culbuto prit son harpon, enfila ses bottes et se mit en chemin vers un coin de pêche. Au bout de quelques heures, il avait déjà pris une bonne douzaine de poissons et il se préparait à rentrer quand un énorme morse apparut dans le trou de pêche.

Effrayé, Culbuto recula de quelques petits pas sous le regard furieux du morse.

« Que viens-tu faire ici, nabot ? Tu ne sais donc pas que tu es sur mon territoire, gronda le morse, et que nul n'est autorisé à y pêcher ?

– Mais la banquise est à tout le monde, protesta Culbuto de sa toute petite, petite voix.

– Eh bien, tu te trompes, riposta le morse qui avait déjà fait main basse sur les poissons de Culbuto et les avalait goulûment. Allez, file maintenant, et que je ne te retrouve plus ici à pêcher, vermisseau ! »

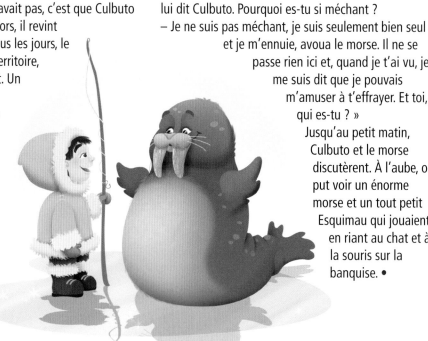

Mais ce que le morse ne savait pas, c'est que Culbuto était très, très, très têtu. Alors, il revint pêcher tous les jours et, tous les jours, le morse le chassait de son territoire, en hurlant et en vociférant. Un jour, n'y tenant plus, il poursuivit Culbuto jusqu'à son igloo, bien décidé à n'en faire qu'une bouchée. Mais il coinça sa grosse tête dans l'entrée ; il ne pouvait plus bouger, car ses énormes dents étaient coincées dans la glace. « Te voilà bien avancé maintenant, lui dit Culbuto. Pourquoi es-tu si méchant ?

– Je ne suis pas méchant, je suis seulement bien seul et je m'ennuie, avoua le morse. Il ne se passe rien ici et, quand je t'ai vu, je me suis dit que je pouvais m'amuser à t'effrayer. Et toi, qui es-tu ? »

Jusqu'au petit matin, Culbuto et le morse discutèrent. À l'aube, on put voir un énorme morse et un tout petit Esquimau qui jouaient en riant au chat et à la souris sur la banquise. •

Le chant des poules

Par un beau jour d'été enSoleillé, Cacotte et toutes les poules du poulailler avaient décidé de partir se promener. Une promenade entre poules, sans coq pour les surveiller, quelle liberté ! Elles avaient même décidé qu'elles se rendraient à la rivière pour faire trempette. C'est donc tout heureuses qu'elles se baladaient à travers bois. Elles caquetaient entre elles tranquillement, parlant de tout et de n'importe quoi, lorsque, de derrière un arbre, surgit Filou, le renard. Cacotte s'arrêta net, terrifiée. Toutes les poules restaient immobiles. Incapables de s'enfuir, elles tremblaient de toutes leurs plumes devant le jeune renard qui se léchait déjà les babines.

« Mes petites poulettes, votre compte est bon ! J'ai une faim de loup ! » dit le renard en s'avançant. Épouvantées, les poules reculèrent d'un pas. Soudain, Cacotte prit la parole : « Monsieur le renard, puisque vous allez nous dévorer, pouvez-vous nous accorder une dernière faveur ?

– Dis toujours, lui répondit Filou.

– Eh bien, voilà : nous aimerions faire une dernière prière, un chant d'adieu au monde.

– Accordé ! dit le renard. Mais faites vite, j'ai faim ! »

Et Cacotte fit un discret clin d'œil aux autres poules qui comprirent tout de suite. Elles se mirent alors à chanter à tue-tête. Elles y mettaient tout leur cœur. Ce que ne savait pas le renard, c'est que ce chant était un code destiné à alerter les animaux de la ferme. En quelques instants, ils furent tous là : le cochon, l'âne, le taureau. Tous foncèrent sur le renard, l'air menaçant.

Celui-ci comprit aussitôt qu'il valait mieux déguerpir. Ce qu'il fit sans demander son reste ! •

Julie n'aime plus le chocolat

Hier, le facteur a apporté un colis. Julie s'est précipitée :

« Ouais ! c'est tatie ! Elle nous envoie des cadeaux pour le Nouvel An ! Vite, on l'ouvre ! »

Le papa de Julie s'y est opposé :

« Julie, ce paquet n'est pas pour toi. Tu vois le nom : il est destiné à ta maman.

– Mais p'pa, a protesté Julie, c'est tatie qui l'envoie ; je peux bien l'ouvrir ! Je suis sûre que c'est des chocolats ! Elle en envoie toujours pour le 1er janvier. »

Le papa de Julie est resté ferme.

« Tu attendras que maman rentre. »

Inutile de dire que Julie était très impatiente. Aussi, dès que sa maman a ouvert le paquet, elle s'est précipitée sur les chocolats. Elle en a pris un, puis un autre, puis un autre.

« Julie, ça suffit, tu vas être malade, a prévenu son papa.

– Encore un, s'il te plaît, juste un. »

Ce que le papa de Julie ne savait pas, c'est qu'elle en avait déjà englouti quelques-uns en cachette. Évidemment, à l'heure du repas, notre amie n'avait pas très faim. Elle a quand même avalé un peu de soupe, juste pour avoir le droit de manger un dernier chocolat avant d'aller se laver les dents.

Oui mais voilà, pendant la nuit, les choses se sont gâtées ! Julie s'est réveillée en sueur, avec une de ces envies de vomir !

« Maman, j'ai mal au cœur ! »

La maman de Julie avait déjà compris. La boîte de chocolats ! Julie a passé toute la nuit à courir aux toilettes. Et ce matin, elle a beaucoup de mal à ouvrir les yeux. Son papa est impitoyable :

« Alors, Julie, un petit chocolat, ce matin ? Il en reste un dans la boîte. »

Oh non ! berk ! Qu'on ne lui parle plus jamais de chocolat ! Julie n'aime plus le chocolat. Jusqu'à la prochaine fois. •

Loulou a six ans

Pour ses six ans, Loulou a eu un nouveau vélo. Un vélo bleu, brillant, avec un guidon chromé, comme il en rêvait depuis longtemps, mais un vélo sans roulettes de secours. Loulou a bien essayé de dire qu'il ne se sentait pas tout à fait prêt, son papa n'a rien voulu savoir :

« Écoute Loulou, on ne va pas équiper ce beau vélo de grand garçon comme un tricycle de bébé, tout de même ! Je suis sûr que tu y arriveras très bien.

– Mais j'ai peur de l'abîmer !

– Mais non ! Il n'y a pas de raisons ; d'ailleurs, je vais te tenir ; allez, on y va ? »

Pas rassuré du tout, notre cycliste ! Même avec la grande main de papa qui tient fermement la selle du vélo. On dirait qu'il ne sait plus, qu'il n'a jamais su pédaler. Il zigzague, il perd l'équilibre, il met le pied par terre, tout en poussant des petits cris de frayeur :

•••

« Me lâche pas, hein papa ! Je vais tomber si tu me lâches !

– Ne crains rien ; regarde, tu y arrives très bien ! Allez, accélère un peu, c'est pour ça que tu perds l'équilibre. Vas-y, fonce, Loulou ! Fonce ! »

Loulou s'enhardit. C'est vrai qu'il se sent plus à l'aise maintenant. Et même... Ah comme il va vite, ce nouveau vélo ! Comme c'est devenu facile !

« Papa, tu me tiens toujours ?

J'ai fait des progrès, hein ? »

La voix essoufflée de son papa répond loin derrière lui :

« Oui, beaucoup de progrès, parce qu'il y a longtemps que je t'ai lâché ! Tu vois, tu n'avais plus besoin de roulettes.

Mais arrête-toi, s'il te plaît, je n'en peux plus, moi, de courir derrière toi ! »

Stupéfait, Loulou se retourne.

En effet, son papa est à au moins dix mètres de lui.

Alors, c'est vrai ?

Il sait faire du vélo tout seul ?

Youpi ! •

Les deux petits pompiers

Deux frères jumeaux, Pin et Pon, travaillaient dans une caserne de pompiers. Mais comme ils étaient de jeunes élèves, ils ne pouvaient pas participer à toutes les missions. On les autorisait seulement à aider les pompiers à sauver un petit chat dans un arbre ou à nettoyer les rues après une inondation. Mais jamais ils ne participaient aux missions dangereuses : éteindre des feux ou aller sauver des gens après une catastrophe. Ils restaient donc à la caserne des journées entières à ranger les lances, nettoyer les bottes ou balayer les dortoirs. Comme ils étaient courageux, ils ne se plaignaient pas trop, mais ils s'ennuyaient énormément.

Un jour, tous les pompiers de la caserne furent appelés dans une ville voisine pour éteindre un énorme incendie. Pin et Pon se retrouvèrent alors tout seuls. Certes, ils étaient fiers d'être de garde, mais pas trop rassurés, craignant de ne pas savoir quoi faire si l'on avait besoin d'eux. Tout à coup, une énorme voiture, qui roulait trop vite, arriva droit sur la caserne, défonça le portail et prit feu. Le conducteur, qui n'avait rien, s'enfuit à toutes jambes en criant :

« Au feu ! Au feu ! »

Il fallait rapidement faire quelque chose, car le feu se propageait dans la caserne. Sans hésiter, Pin et Pon prirent la plus grande lance à incendie qu'ils purent trouver, et en quelques minutes le feu fut éteint sous les applaudissements des voisins. Quand, le soir, on rapporta l'exploit de Pin et Pon au capitaine des pompiers, celui-ci vint les féliciter pour leur courage et il leur promit qu'ils pourraient dorénavant participer à toutes les missions. •

L'ours en peluche jaloux

Delphine possède tout un tas de poupées et de peluches. Elle est si heureuse de pouvoir jouer avec eux pendant des heures. Il y a Clara, la ballerine ; Fanny, la poupée qui parle ; toute une famille de souris en peluche ; et bien d'autres encore. Delphine s'invente des histoires, c'est si bien d'avoir des amis imaginaires ! Mais il y en a un qui ne trouve pas ça bien du tout : c'est Fred, le petit ours en peluche. Eh oui, Fred a un problème qui lui ronge le cœur et l'empêche d'être heureux : il est jaloux, affreusement jaloux. Il ne supporte pas que Delphine s'amuse avec d'autres que lui. C'est lui, sa toute première peluche, et elle l'oublie complètement. Ah, comme il le regrette le temps où il était l'unique, le chouchou, le doudou. Les sourires de Delphine ne s'adressaient alors qu'à lui.

Mais, bien vite, il a eu des rivaux. À chaque Noël, à chaque anniversaire, il y avait toujours

quelqu'un pour offrir une poupée, ou pire, une autre peluche à Delphine. À chaque fois, le cœur de Fred se serrait... Pourtant, Delphine adorait son ourson, mais Fred était si aveuglé par sa jalousie qu'il ne s'en rendait pas compte.

Mais, un jour que Fred avait glissé sous le lit, Delphine crut l'avoir perdu. Elle fouilla sa chambre de fond en comble : rien ! Elle se mit alors à pleurer :
« Maman, maman, j'ai perdu Fred ! C'était mon ours préféré ! »
Puis, elle vit sa petite patte qui dépassait de sous le lit. Delphine se précipita et le prit dans ses bras.
« Mon ourson, mon ourson que j'aime plus que tout ! » s'écria-t-elle en le serrant dans ses bras.
Fred comprit alors qu'il avait été bête et accepta de partager son existence avec d'autres, sans plus jamais douter de l'amour de Delphine.

•

127

Juillet

Le gardien du trésor

Malgré son immense fortune, le khalife était désespéré : il n'arrivait pas à trouver quelqu'un de suffisamment honnête pour lui confier la garde de son trésor. Tous ceux à qui il avait confié cette tâche avaient fini un jour ou l'autre par se laisser tenter et par dérober une partie des immenses richesses du khalife.

« N'y a-t-il pas un seul homme honnête dans ce royaume ? » songeait-il lorsque sa femme Samira vint le rejoindre.

« Qu'avez-vous, mon ami ? lui demanda-t-elle. Vous semblez soucieux. »
Le khalife se confia alors à elle. Après un silence, Samira lui dit :
« Je crois savoir comment trouver votre homme. Passez dès aujourd'hui une annonce dans tout le pays, je m'occupe du reste.
– Que Dieu vous entende ! »

Quinze jours plus tard, le khalife avait réuni dans son palais tous ceux qui avaient répondu à l'annonce.
« Maintenant, dit Samira, recevez-les un par un et faites-les patienter un moment dans le salon. »

Rusée, Samira avait fait placer dans le salon des vases remplis de pièces d'or. Un par un, les hommes patientaient dans la pièce, puis ils étaient reçus par le khalife. Quand il les eut tous vus, celui-ci les rassembla dans le salon. Samira lui chuchota alors à l'oreille :
« Demandez-leur de vous montrer leurs mains.
– Leurs mains ? répéta le Khalife étonné.
– Oui, répondit Samira. J'ai fait asperger les pièces d'or d'un produit qui rend les mains bleues lorsqu'on le touche. »

Le khalife fit alors ce qu'avait demandé Samira. Sur cent hommes, un seul n'avait pas les mains bleues.
« Misérables ! hurla le khalife. Déguerpissez ! Et soyez heureux que je ne vous mette pas en prison ! Quant à toi, dit-il au jeune homme qui n'avait pas les mains bleues, tu sembles mériter toute ma confiance, je te confie mon trésor. »
Et jamais le jeune homme ne déçut le khalife •

En roulotte

L'été dernier, les parents de Cédric et de Mina ont eu une idée géniale. Ils ont loué une roulotte, tirée par Fénia, une belle jument baie, et ils sont partis sur les petites routes. Papa avait tout bien préparé. Sous la roulotte, une caisse à claire-voie avec deux poules pour les œufs. À côté, un grand tiroir pour l'avoine du cheval. Bien à l'ombre, du jus de pomme et de l'eau

pétillante. Sur le toit, un réservoir d'eau qui se chauffait au Soleil, un grand matelas pour admirer le ciel le soir et dormir lorsqu'il faisait trop chaud. À l'intérieur, tout était installé : ils avaient chacun une petite couchette qui, dans la journée, servait de banquette, et leur parents un grand lit posé sur des tiroirs où ils pouvaient mettre toutes leurs affaires. Dans la journée, ils avançaient lentement en prenant leur temps.

•••

Les enfants pouvaient marcher à côté de la roulotte, ou courir devant pour repérer un bon endroit où faire une halte. Le soir, dès qu'ils s'arrêtaient, les enfants détachaient Fénia et ils ouvraient la cage des poules. Il ne fallait pas oublier de les faire rentrer avant la nuit ! Alors, ils allumaient un feu de camp, ils faisaient griller des saucisses, mettaient des pommes de terre sous la cendre et ils se régalaient. À la lumière d'une lampe à pétrole, ils étudiaient la carte et discutaient de l'itinéraire du lendemain. Parfois, leur maman se mettait à chanter. Le plus souvent, leur papa leur racontait une histoire. Et ils s'endormaient en regardant danser les flammes.

Ah, les belles vacances qu'ils ont passées ! •

JUILLET
3

La petite fille et la fée

Sandrine était une petite fille rêveuse. Elle s'inventait un monde qui n'appartenait qu'à elle. Dès qu'elle avait un moment, son esprit vagabondait. Elle songeait alors à toutes sortes de choses : elle rêvait à des mondes merveilleux, à des histoires de princes, de princesses, de dragons, d'elfes et de lutins. Et elle pouvait imaginer ce qu'elle voulait. Si elle se disait : « Aujourd'hui, je vais rêver d'un magicien capable de transformer les citrouilles en carrosses, » aussitôt, ce magicien apparaissait dans son esprit. Mais un jour, alors qu'elle rêvait, une petite fée apparut dans ses songes. Une petite fée qu'elle n'avait pas du tout imaginée. Elle la chassa aussitôt de son esprit. Mais, le lendemain et les jours suivants, cela recommença. Sandrine avait beau se concentrer, impossible de faire déguerpir la petite créature.

« Mais va-t-en ! dit un jour Sandrine. Je n'ai pas voulu t'imaginer. Que fais-tu dans mon monde ?
– Enfin, tu t'intéresses à moi, répondit la petite fée.
– Que veux-tu ? Tu viens sans cesse m'embêter. Le jour où je voudrai rêver aux fées, je t'appellerai !
– Écoute, lui dit la fée. Tu es une petite fille qui a énormément d'imagination, toi seule peux m'aider.
– Mais comment ?
– Eh bien, tu ne le sais peut-être pas, mais les fées n'existent que par l'imagination des enfants. Or, en ce moment, plus personne ne pense à nous. Nous risquons de mourir. Il suffit que tu aies une pensée par jour pour nous et nous survivrons, en échange je réaliserai ton plus grand souhait. »
La petite fille accepta, et elle éprouva même un grand plaisir à avoir chaque jour une pensée pour son amie la fée. Quant au souhait de Sandrine, je le garderai secret : cela n'appartient qu'à elle ! •

JUILLET
4

Lise et les lapins angoras

Quand elle est en vacances chez sa tante Lucie, Lise ne s'ennuie jamais. Hier, elles sont allées faire la récolte de miel dans les ruches et, aujourd'hui, il est question de peigner les lapins angoras. Julie est très étonnée : « Tu vas les coiffer pour qu'ils soient plus jolis ?

Moi je les trouve très bien comme ça ! »
C'est vrai qu'ils sont mignons comme tout avec leurs longs poils blancs et tout propres, comme la neige quand elle vient de tomber. « Non, ce n'est pas pour qu'ils soient plus beaux, c'est pour qu'ils soient bien.

Si je ne leur enlève pas leur fourrure, ils vont étouffer. C'est comme ça, la vie des lapins angoras ! Plusieurs fois par an, leurs poils tombent et une nouvelle toison pousse à la place.

– Tu veux dire que tu leur enlèves tous leurs poils ? Mais alors, ils sont tout nus après ! Et puis, ça doit leur faire mal !

– Pas du tout, répond tante Lucie. Tu me connais, je n'aime pas faire de mal aux animaux, alors, si c'était douloureux pour eux... ah non, alors ! Et puis, ne t'inquiète pas, ça repousse très vite. »

Tante Lucie sort le premier lapin de sa cage et le prend sur ses genoux. Doucement, elle tire sur les touffes de poils qui se détachent tout seuls du dos de l'animal. Au fur et à mesure, elle dépose la laine dans un panier. Lise plonge sa main, comme c'est doux !

« Et qu'est-ce que tu en fais, de tous ces poils ? Tu les jettes ?

– Les jeter ? oh non, alors ! c'est trop précieux. Ils servent à faire des pull-overs très chauds. »

Voilà, c'est fini. Le pauvre lapin a l'air tout bizarre avec sa peau rose comme un petit cochon !

« Ce n'est pas grave, dit tante Lucie, dans une semaine, il sera de nouveau joli. Au suivant ! » •

5 JUILLET — Le lion qui voulait faire de la télé

Armaggédon, le lion, voulait devenir présentateur du journal télévisé. Armaggédon connaissait bien la télévision car de sa cage il pouvait la regarder chez le gardien. Ce qu'il aimait par-dessus tout c'était le journal télévisé avec le monsieur toujours bien habillé qui portait chaque jour une cravate différente. Bien sûr, il ne comprenait pas toujours ce qui s'y disait, mais Armaggédon pensait que, lui aussi, pourrait faire un bon présentateur si on voulait bien lui prêter un beau costume. Une nuit, il s'enfuit de sa cage. Il parcourut discrètement la ville en tous sens à la recherche des bureaux de la télévision. Le matin, il arriva enfin devant un haut immeuble sur lequel était inscrit : Télé 1. Quel bonheur pour Armaggédon, il allait enfin pouvoir faire de la télévision ! Quand Armaggédon apparut dans le hall de l'immeuble ce fut la panique générale : les gardiens s'évanouirent et les hôtesses grimpèrent sur leurs bureaux en poussant de grands cris. Il fallut qu'il leur fasse les yeux doux pour savoir à quel étage se situait le plateau du journal télévisé. En gravissant les étages, Armaggédon fit peur à 82 techniciens, 54 journalistes, 28 stagiaires, 3 directeurs et 1 chien, Kiki, qui appartenait à la présentatrice vedette de la chaîne. Enfin il arriva sur le plateau du journal télévisé. Il se fit tout petit et très discret pour ne pas interrompre le journal. Comme chaque jour le présentateur parlait de catastrophes, de guerres ou de grandes découvertes, avec son beau costume et sa voix grave. À la fin de l'émission, le présentateur s'aperçut de la présence du lion.

« Mais je te reconnais, tu es le lion du zoo. »

Armaggédon était flatté qu'on le reconnaisse. Était-il déjà une vedette ? Il expliqua alors ce qu'il désirait. Ce qui étonna et fit rire le présentateur. Mais, même à la télévision, il y a parfois des miracles, car Armaggédon est maintenant présentateur de l'émission qui parle des animaux sauvages. •

130

Noémie est capitaine !

Noémie avait fini de nettoyer le bateau de pêche avec son père. Ils avaient passé toute la matinée à brosser le pont, ranger les filets et astiquer les cuivres. Ils étaient fatigués, mais heureux d'avoir fait du bon travail. Son père se tourna alors vers Noémie et lui dit :

« Noémie, ma petite, je suis trop vieux pour naviguer maintenant. La pêche est un métier dur et difficile, et j'ai passé l'âge de tirer sur les filets. Noémie, il va falloir vendre le bateau.

– Mais Papa, tu ne peux pas vendre ton bateau ! répondit Noémie. Il a toujours été avec toi et il t'a toujours ramené à bon port, tu ne peux pas te séparer de lui !

– Il le faut bien, je n'ai pas d'argent. En le vendant, je pourrai prendre ma retraite, et surtout continuer à payer tes études.

– Je me moque de mes études ; je veux devenir capitaine et naviguer sur ton bateau ! »

Malgré les protestations de son père, Noémie arrêta ses études et se prépara pour passer le brevet de capitaine. Devant son père, les vieux loups de mer se moquaient et ricanaient en disant qu'elle était bien trop jeune et pas assez robuste, que ce n'était pas un métier pour une fille et que, de mémoire de marin, on n'avait jamais vu une fille devenir capitaine.

Mais Noémie était courageuse ! Avec son père, elle apprit les rudiments de la pêche et, le soir, elle étudiait ses livres de navigation. Enfin vint le jour de l'examen ; tout le village était sur le port. Le père de Noémie était encore plus ému qu'elle lorsqu'elle monta sur le bateau pour passer l'épreuve de navigation. Le bateau sortit du port et s'éloigna. Ce fut une explosion de joie lorsque le bateau rentra au port avec Noémie qui brandissait fièrement son diplôme.

Noémie sauta au cou de son père en lui disant :

« Petit papa, ton bateau n'est plus à vendre. »

Tout le village fêta cette victoire, même les vieux loups de mer qui s'étaient moqué d'elle. •

Poulpo la pieuvre s'ennuie

Poulpo, la petite pieuvre, s'ennuyait. Elle s'ennuyait, car elle ne savait vraiment pas quoi faire. Poulpo avait déjà fait tout son travail et rangé sa petite grotte. Elle se dit qu'une petite visite chez ses amis la distrairait. Mais, arrivée chez eux, elle constata que Silène, la baleine, faisait la sieste, que Saturnin, le requin, était parti à la chasse et que Bakafrite, le bernard-l'ermite, était à la recherche d'un logement. Bref, tout le monde était occupé, sauf Poulpo. Elle revint tristement chez elle :

« Que faire, mais que faire ? » se demandait-elle en grignotant une crevette au fond de sa grotte.

Elle allait entamer une deuxième crevette quand elle sentit une grande agitation autour d'elle. C'était Silène, Saturnin et Bakafrite qui l'appelaient.

« Poulpo, Poulpo ! Il vient d'y avoir une marée noire ; regarde-nous ! Nous sommes tous tachés par le pétrole et nous ne sommes pas les seuls ! Il faudrait qu'on se nettoie, sinon nous allons mourir. Mais comment faire ? »

Les pauvres étaient effectivement tachés par le mazout. Poulpo devait rapidement trouver une solution.

« J'ai trouvé, dit-elle, apportez-moi toutes les éponges que vous pourrez trouver et appelez tous les

•••

animaux des environs. » Silène, Saturnin et Bakafrite revinrent avec les nageoires chargées de grosses et belles éponges. Poulpo enfila alors les éponges au bout de ses bras et commença à nettoyer ses meilleurs amis.

Puis, ce fut le tour de tous les habitants de la mer qui avaient été tachés par le pétrole. Et pendant le temps du nettoyage, Poulpo discuta avec eux. Maintenant, Poulpo n'a vraiment plus le temps de s'ennuyer. •

JUILLET
JUILLET
8

À vos souhaits !

« Pourquoi, quand quelqu'un éternue, on lui dit : « À vos souhaits ! » demande Henri à son papa. Est-ce que c'est un mot magique ?
– Je ne sais pas », répond celui-ci.
Sa maman ne sait pas non plus. Mamie est venue passer la journée à la maison. Bien installée sur ses genoux, Henri lui pose la question :
« Mamie, tu sais pourquoi on dit à vos souhaits quand quelqu'un éternue ?
– C'est à cause du génie.
– Quel génie ? demande Henri.
– Celui de la lampe à huile. Tu veux que je te raconte ? Il était une

fois, dans un pays lointain, un homme qui s'appelait Aladin. Cet homme avait trouvé une lampe à huile...
– C'est quoi, une lampe à huile ? demande Henri.
– Autrefois, il n'y avait pas l'électricité, alors on mettait de l'huile dans une soucoupe ou un bol avec une mèche et on allumait. Ça faisait de la lumière, un peu comme une bougie, tu vois ?

– De l'huile pour faire la sauce de salade ?
– Par exemple. Mais si tu m'interromps tout le temps... Atchoum !
– À tes souhaits », répond Henri du tac au tac.
Ils éclatent de rire tous les deux et mamie continue :
« Donc Aladin avait trouvé une lampe à huile, mais elle était bouchée et...
– Mais tu ne m'as pas dit que c'était fermé, proteste Henri qui aime bien que les choses soient logiques.
– Eh bien, poursuit mamie, oui, elle était fermée et quand Aladin... Atchoum !
– À tes souhaits, mamie !
– Merci. Donc... donc... donc... tu ne veux pas qu'on en reparle une autre fois ? J'ai très mal à la tête ; je crois que je me suis enr... Atchoum !
– À tes souhaits ! » répète Henri.
Ce n'est pas encore aujourd'hui qu'Henri saura pourquoi... a... at... atchoum ! À vos souhaits ! •

Mikado ne veut pas manger

« Mange ton riz, Mikado !

– Non maman, je n'aime pas ça.

– Mange ton riz mon petit, ça t'aidera à grandir ! »

C'était tous les soirs la même scène : Mikado refusait de manger son riz, et tous les soirs sa mère le menaçait d'appeler le dragon pour le punir.

« Une dernière fois Mikado, mange ton riz ou j'appelle le dragon.

– Maman, répondit-il, je préfère que tu le fasses plutôt que de manger ton riz. »

Alors sa mère, levant les bras au ciel, fit une prière pour que le dragon apparaisse. Elle fut exaucée, car un dragon furieux et menaçant apparut soudain dans un nuage de fumée.

« Alors, dit-il, on me dérange pour une simple histoire de riz ? C'est pour toi, petit, que je dois quitter la voûte céleste, pour te faire manger ton riz ? Je ne suis pas content du tout !

– Moi non plus, répondit Mikado sans se démonter.

– Ah bon ? s'étonna le dragon surpris.

– Moi non plus je ne suis pas content du tout d'être obligé de manger ça. Goûte-moi donc ce riz, cher Dragon. »

Dès la première bouchée, le dragon recracha le riz en faisant des flammes.

« Mais c'est affreusement mauvais ! hurla le dragon en se tournant, cette fois, vers la maman de Mikado. Comment pouvez-vous faire un riz aussi mauvais ? Si je ne me retenais pas, je vous croquerais sur-le-champ ! »

La mère fondit en larmes. Entre deux sanglots, elle expliqua au dragon qu'elle ne savait pas faire la cuisine et c'est pour cela que son riz était si mauvais. Attendri, le dragon s'approcha d'elle et lui souffla à l'oreille une délicieuse recette de riz. Depuis, dans la maison, tout va pour le mieux et Mikado mange tout le riz de sa maman. Tous les dimanches, le dragon est invité à dîner. •

La leçon de natation

« Maman, je veux apprendre à nager !

– À nager, ma Zora ? Mais tu n'y penses pas, lui rétorqua sa mère, nous, les chauves-souris, nous sommes faites pour voler, pas pour nager.

– Maman, je veux apprendre à nager ! s'entêta Zora.

– Écoute, ma Zora, tu as voulu faire du roller, de la photographie, du chant, et que sais-je encore, et cela n'a jamais réussi. Alors, tu es gentille, ma Zora, tu me laisses tranquille cette fois. »

Vexée, Zora sortit de sa grotte. Tout en voletant, elle se disait que sa mère n'avait peut-être pas tout à fait tort, mais elle sentait que

c'était différent cette fois-ci : elle pouvait nager, elle en était sûre. Elle se dirigea alors vers la mer et rencontra deux poissons volants.

« Hé, vous autres ! fit Zora. Comment puis-je faire pour apprendre à nager ?

– Ah ça, gamine, il te faut un professeur, dit l'un des poissons volants.

– Et un bon, renchérit l'autre. Il y a bien Saturnin, le requin, mais il est un peu... gourmand, Silène, la baleine, est trop

grosse, elle ne te verrait même pas. Quant à Buzz, le dauphin, il est trop rapide : c'est le professeur des champions.

– Et Manta, la raie ? proposa soudain le premier. Elle serait parfaite pour notre petite chauve-souris, elle nage comme un oiseau. »

Et, en effet, Manta était un excellent professeur. Zora et elle passèrent une formidable journée et, d'heure en heure, la petite chauve-souris faisait de grands progrès. Zora ne se lassait pas d'admirer les paysages sous-marins.

Le soir venu, quand Zora rentra à la grotte, sa mère la questionna sur sa journée.

« Alors, ma Zora, cette idée de nager t'est sortie de la tête ? »

Alors Zora sortit de sous son aile quelques crevettes.

« Maman, as-tu déjà mangé des crevettes ? C'est délicieux.

– En effet, c'est très bon, lui dit sa mère après les avoir goûtées. Mais ça vient d'où ?

– De sous la mer, répondit fièrement Zora. Et demain je t'en apporte d'autres, car j'ai appris à nager ! » •

On a volé la galette

Cacotte, la poule, était en pleurs, car on lui avait volé sa galette. Une belle galette qu'elle avait préparée avec soin en incorporant dans sa recette son plus bel œuf. Madame Cacotte l'avait sortie du four et l'avait placée sur le bord de la fenêtre du poulailler pour la laisser refroidir.

Elle avait ensuite pris le temps de faire quelques courses avant de découvrir, avec stupéfaction, la disparition de sa galette. Cacotte alla se plaindre à Béloc, le beau coq de la basse-cour. Béloc la rassura : il allait mener son enquête et découvrir rapidement le voleur. Ce n'était qu'une question d'heures. Il s'approcha de la fenêtre sur laquelle était posée la galette et découvrit, avec surprise, une plume de canard.

« Les canards n'ont rien à faire près du poulailler », se dit-il.

Puis, il se pencha et aperçut sur le sol d'étranges traces de pattes. Il décida de suivre cette piste.

De loin en loin, il trouva des poils de chien.

« Très étranges, ces poils, car ces traces ne sont pas des traces de pattes de chien… on dirait plutôt celles d'une taupe, se dit Béloc. Continuons. »

La piste s'arrêta juste devant un petit buisson. En penchant l'oreille, Béloc entendit des bruits : des « Miam » et des « Slurp ». On se régalait là-dedans… Béloc n'eut alors aucun mal à identifier les voleurs. Il s'agissait du fils de Couinc, le canard, de la fille de Jojo, la taupe, et du fils de Pacha, le chien.

« Je vous tiens, mes gaillards ! Petits voleurs, vous serez jugés par le grand conseil de la basse-cour. »

Le conseil les jugea coupables, en réparation, les trois petits sacripants durent préparer une autre galette pour madame Cacotte. Ce qu'ils firent fort bien, et leur talent de pâtissiers dépassa le cadre de la ferme. De toute la région, on vint goûter les galettes des trois petits chenapans. •

Bon pied, bon œil !

Depuis quelque temps, on était inquiets au pays des lutins : Fargo, le magicien, semblait avoir perdu ses dons. Or, les lutins tirent une grande partie de leurs pouvoirs des potions et des formules magiques de Fargo. La situation était devenue catastrophique. Lorsque Fargo ouvrait son vieux grimoire et lisait une formule, celle qui rend invisible par exemple, ça ne marchait presque jamais.

« Abricadabri, grâce à la magie, te voici devenu aussi transparent que l'air !
– Ça ne marche pas, Fargo, je suis toujours bien visible », lui disait Sylvain.

Alors, le vieux magicien recommençait, recommençait... en vain. Le pauvre Fargo perdait courage :

« Je n'y arrive plus, mon cher Sylvain. Je dois être trop vieux. Je vais abandonner. Un magicien sans pouvoir, cela ne sert à rien !
– Ne désespérez pas, Fargo, il y a sûrement une raison à cela. Peut-être êtes-vous tout simplement fatigué ?

Si vous vous reposiez un peu, je suis sûr que ça vous ferait le plus grand bien.
– Tu as peut-être raison. Passe-moi mon grimoire, veux-tu ? Je vais me confectionner une potion fortifiante. Enfin... en espérant qu'elle fonctionne ! S'il te plaît, va me chercher les ingrédients. »

Alors Fargo prit son grimoire, l'ouvrit et lut :
« 3 kilos de braises, des feuilles de chêne, des...
– Mais, que dites-vous ? l'interrompit Sylvain. Ce n'est pas du tout ce qui est écrit ! »

Penché par-dessus l'épaule du magicien, Sylvain pouvait lire :
« 3 kilos de fraises, des feuilles de frêne... »

Sylvain venait de comprendre pourquoi le magicien ratait toutes ses formules :
« Vous avez tout simplement besoin de lunettes ! »

Il courut aussitôt en chercher et il revint bientôt les porter au magicien. Celui-ci les chaussa et, ô miracle, il put enfin lire comme avant. Tous ses pouvoirs étaient revenus ! •

Le combat des deux sorciers

Il était une fois un pays où vivaient deux sorciers qui s'appelaient Bigre et Bougre. Ces deux sorciers avaient de grands pouvoirs. Mais, surtout, ils se détestaient. Depuis des années et des années, ils se faisaient la guerre, chacun tentant de chasser l'autre du pays. Mais cette fois-ci, ils avaient décidé d'en finir. Ils avaient organisé un combat à mort. Dans une clairière, face à face, les deux sorciers se regardaient d'un air terrible.

« À nous deux ! dit Bigre. Tu vas voir ce que tu vas voir ! »

Aussitôt, Bigre se transforma en une grosse araignée velue, à la piqûre mortelle, et se précipita sur Bougre. Celui-ci ricana :

« Tu ne me fais pas peur. Prépare-toi à mourir ! »

Bougre se transforma alors en grenouille et se mit à poursuivre l'araignée afin de la dévorer. Il tenta d'avaler Bigre, mais celui-ci était devenu un renard aux dents acérées.

•••

●●●

Devant lui, la grenouille venait de se transformer en ours affamé : c'était Bougre.

« Alors, tu trembles, ? Fais tes prières ! »

À peine Bougre avait-il fini sa phrase qu'une flamme brûlante le frôla. Il leva la tête et que vit-il ? Un gigantesque dragon cracheur de feu : c'était Bigre !

« Que disais-tu ?

– Je disais que tu es perdu, répondit Bougre. Avec mes pouvoirs, je vais t'anéantir ! »

Et le voilà qui redevint un sorcier.

« J'ai les mêmes pouvoirs que toi ! répliqua Bigre.

Prends garde ! »

Aussitôt, il reprit lui aussi son apparence de sorcier. De nouveau, les deux sorciers se regardaient d'un air terrible.

« Tu ne trouves pas que nous sommes ridicules ? demanda soudain Bigre.

– Un peu, admit Bougre.

– Et si nous faisions la paix ? Il y a sûrement la place pour deux sorciers dans ce pays. »

Et les deux sorciers s'en allèrent, bras dessus, bras dessous, bien décidés à ne plus jamais faire la guerre. •

Un blaireau trop curieux

Aujourd'hui, dans la forêt, tous les animaux se sont réunis. Cette réunion est importante, car il y a un gros problème : on soupçonne Touffu le blaireau, le nouveau facteur, de lire le courrier des autres animaux avant de leur distribuer.

« C'est impossible, dit Grognon, l'ours. C'est mon ami. Je ne le crois pas malhonnête.

– Il n'est peut-être pas malhonnête, dit Rafinou, le lièvre. Il est peut-être juste un peu curieux.

– Quoi qu'il en soit, il faut en avoir le cœur net, dit Picpoil le hérisson. J'ai un plan, écoutez tous. »

Le lendemain, Touffu faisait sa distribution comme d'habitude lorsqu'il vit une lettre qui l'intrigua plus que les autres. Il y avait écrit dessus :

« Pour Jojo la taupe. Très confidentiel. Surtout, ne pas ouvrir. »

Alors Touffu regarda à droite, regarda à gauche et, certain qu'il n'y avait personne, il ouvrit la lettre et la lut :

« Ma Chère Jojo,

Voici le plan du trésor dont je t'avais parlé. Surtout, n'en parle à personne. Merci pour ton aide. Amicalement, Picpoil. »

Touffu lut et relut la lettre. C'était plus fort que lui, il ne pouvait s'empêcher d'être curieux, et ce trésor, il fallait à tout prix qu'il aille le voir !

« Je donnerai la lettre à Jojo demain, elle n'en saura rien », se dit-il.

Ainsi, le jeune blaireau suivit les indications du plan, et, de galerie en galerie, il finit par arriver dans une immense salle... où l'attendaient tous les animaux de la forêt ! Pauvre Touffu, il était bien attrapé ! Alors, il s'expliqua : oui, il avait eu tort, oui il savait que ce n'était pas bien, mais il était curieux de nature, que pouvait-il faire ? Il fut bien vite pardonné et promit de ne plus jamais lire le courrier. •

L'oisillon qui n'osait pas voler

Non, décidément, c'était impossible. Il n'y arriverait jamais. Jamais, il n'aurait le courage de s'élancer dans le vide. C'était si haut ! Il avait bien trop peur. Le petit oisillon tremblait de toutes ses plumes dès qu'il s'imaginait voler. Comment faisaient les autres ? Déjà, ses frères avaient tous réussi à prendre leur envol. Il ne restait plus que lui. On va finir par me prendre pour un froussard, songeait-il.

« Allez, mon petit, lance-toi ! Vas-y, n'aie pas peur, tu vas y arriver ! » l'encourageait sa maman. Mais, malgré ses encouragements, notre oisillon restait blotti au fond de son nid.

« Je veux rester dans mon nid douillet, disait-il de sa petite voix. Je veux que tu continues à me donner la becquée. Je ne veux pas partir. Ici, je suis tranquille, dehors, c'est dangereux, paraît-il. Et puis de toute façon, je ne sais pas voler, alors... »

Un matin, lorsqu'il vit ses frères qui s'envolaient dans les airs, il les envia un peu. Ils ont l'air heureux, songea-t-il. Et puis... ils sont libres. Ah, si je n'avais pas si peur ! Je ne sais plus quoi penser à la fin. Mais un bruit vint le surprendre dans ses rêveries : c'était le vent. Un vent terrible qui s'engouffrait dans les branches de l'arbre. Il se mit à souffler de plus en plus fort : une véritable tempête ! L'arbre était secoué en tous sens, et la branche sur laquelle se trouvait le nid de l'oisillon remuait tant qu'au bout d'un moment le nid se décrocha. L'oisillon se sentit tomber, tomber... Alors, doucement, et comme malgré lui, ses petites ailes se mirent à battre. Et, en un instant, il vola ! Quelle merveilleuse sensation ! Plus tard, notre petit oisillon devenu grand n'oublia jamais ce premier vol et le plaisir qu'il avait ressenti. •

Le chevalier vantard

Il était une fois un royaume où deux chevaliers se disputaient l'amour d'une princesse. La belle princesse était amoureuse de l'un d'eux, mais elle n'avait pas le choix : c'était à son père de décider qui deviendrait son époux.

« Écoute, ma fille, tu n'épouseras que le plus courageux des deux, c'est ainsi !

– Mais, papa, j'aime...

– Il n'y a pas de mais ! l'interrompit le roi. Je vais convoquer ces deux chevaliers et je leur demanderai de raconter leurs plus beaux exploits ; nous verrons bien alors lequel est le plus brave.

– Comme vous voudrez, père », répondit la princesse résignée.

Elle ressentit une profonde tristesse ; elle connaissait bien les deux chevaliers : celui qu'elle n'aimait pas était un incorrigible vantard.

« Il va se mettre en avant et va gagner les faveurs de mon père, se lamenta-t-elle. Quelle misère ! Je ne veux pas d'un tel mari. »

Le lendemain, les deux chevaliers se présentèrent devant le roi et la princesse.

•••

•••

« Messieurs, je vous écoute. Racontez-moi vos exploits, dit le roi en se tournant vers celui que la princesse aimait.

– Eh bien, sire... » commença-t-il. Mais l'autre chevalier l'interrompit aussitôt : « Laisse-moi parler ! Moi, qui n'ai peur de rien, j'ai vaincu deux dragons juste avant de venir. Et pourtant, j'étais fatigué, car j'ai passé la nuit à repousser une armée de 1 500 hommes qui voulaient envahir notre royaume. Armée de ma seule épée, j'ai...

– Excusez-moi, intervint alors le premier chevalier.

– Quoi ? Tu oses m'interrompre ?

– Je voulais juste vous dire que vous aviez une souris coincée dans votre armure.

– Une... une souris ! »

Et le chevalier qui s'était tant vanté s'évanouit aussitôt.

Le roi reconnut tout de suite le chevalier le plus courageux et, au grand bonheur de la princesse, il choisit le premier chevalier pour gendre. •

Le privilège

« Allez Chloé ! dors un peu ! C'est l'heure de la sieste ! »

Chloé s'installe dans le lit à côté de grand-mère. C'est l'été, les volets sont tirés, dehors on entend les bruits assourdis. Krokette miaule un peu derrière la porte. Mais grand-mère dit qu'il fait trop chaud pour avoir un chat sur les pieds.

« Dis grand-mère, pourquoi on fait la sieste, nous ?

– Parce qu'on en a besoin toutes les deux.

– Pourquoi papa et maman ils ne font jamais la sieste, eux ?

– Parce qu'ils n'ont pas le temps.

– Tu crois qu'ils aimeraient ?

– Bien sûr, ils sont jaloux. Car, tu sais, la sieste est un privilège !

– Dis ! grand-mère ! Tu ne l'échangerais pas contre un autre privilège, toi, la sieste ?

– La sieste, ça ne s'échange pas. On y a droit, on en profite !

– Retourner en enfance, c'est faire la sieste comme les petits ?

– C'est ça, c'est exactement ça Chloé !

– Moi, je n'ai pas besoin d'y retourner, en enfance, puisque j'y suis !

– Eh bien, c'est comme la sieste, restes-y le plus longtemps possible !

– C'est obligé d'être long, la sieste ? Et si on dit qu'on la fait et que ce n'est pas vrai. C'est grave ?

– C'est grave oui, car c'est un mensonge, et de plus, le privilège de la sieste, ça se respecte ! Au fait, tu connais le plus grand des privilèges ? Non ? Eh bien, c'est de pouvoir dormir sans que quelqu'un vous parle tout le temps ! »

Chloé se tait quelques minutes et réfléchit.

« Tu y as droit, toi, à ce grand privilège ?

– Oui, mais toujours en dehors des vacances scolaires...

– Mince alors ! Je pourrai pas être là ! » •

138

La plume magique

Maman avait donné à Camille le petit coffre auquel elle tenait tant. Dans ce coffre, il y avait la plume du petit oiseau qu'elle avait sauvé lorsqu'elle était petite. Camille tenait énormément à ce cadeau. C'était devenu son objet le plus précieux. Le soir, avant de s'endormir, elle prenait sa petite clé, ouvrait le coffre et regardait la plume noire. Alors elle essayait d'imaginer sa maman quand elle avait son âge ; ça lui faisait bizarre. Maman mangeait-elle des bonbons ? Faisait-elle des bêtises ? Se faisait-elle gronder par sa maman à elle ? C'était drôle d'imaginer sa maman petite. Pour Camille, la petite plume noire était comme un objet magique.

Un soir où, comme d'habitude, elle avait ouvert son coffre, elle entendit un petit bruit étrange, comme si on toquait à la fenêtre. Elle crut d'abord que c'était la pluie, mais non : on toquait réellement à la fenêtre.

Camille avait un peu peur, mais elle alla voir tout de même. Et lorsqu'elle tira le rideau, elle vit un oiseau noir qui cognait au carreau avec son petit bec. Camille était étonnée. Elle ouvrit la fenêtre et, à sa grande stupeur, l'oiseau se mit à parler : « Je ne suis pas un oiseau comme les autres. Je suis le petit oiseau que ta maman a sauvé il y a très, très longtemps. Je suis parti bien vite lorsqu'elle m'a guéri, et je n'ai pas pu la remercier. Ne lui dis pas que tu m'as vu, les adultes ne comprennent pas ces choses-là. Je voulais juste que tu saches que la plume que j'ai laissée est une plume magique. Tant que vous la garderez près de vous, il ne vous arrivera que des choses heureuses. Maintenant, adieu ! »

Et l'oiseau s'envola, laissant Camille seule avec la petite plume qu'elle décida de garder toute sa vie comme un précieux trésor. •

Que vienne la pluie !

Dans le petit village africain où habite Sambo, chaque été il fait chaud, très très chaud. Mais cette année, c'est une catastrophe : pas une goutte de pluie depuis six mois ! C'est la sécheresse. Le Soleil est brûlant, les plantations meurent sur pied et, plus grave encore, l'eau vient même à manquer ! Tout le village est inquiet.

Que faire ?

Chaque jour, Sambo part à la recherche d'eau potable. Cette eau, il faut aller la chercher toujours plus loin, et Sambo parcourt de nombreux kilomètres. Ce matin, Sambo est si désespéré de ne pas trouver d'eau sur son chemin qu'il se met à pleurer. Il entend alors un petit coassement près de lui : c'est la grenouille

qu'il a sauvée un jour des marécages où elle était prisonnière.

« Bonjour, lui dit-elle. Que se passe-t-il ? Pourquoi pleures-tu ?

– C'est à cause de l'eau, dit Sambo. Nous n'avons plus rien à boire !

– Mais, Sambo, ne sais-tu pas que les grenouilles connaissent tous les secrets de l'eau ? Nous savons même comment faire tomber la pluie !

– C'est vrai ? dit Sambo dont le visage s'illumine.

•••

– Bien sûr. Rentre chez toi et fais-moi confiance. Je te dois bien ça. »

Alors, Sambo retourne chez lui le cœur léger. Sans rien dire aux autres, il attend le soir en croisant les doigts. Enfin, la nuit tombe sur le village. Alors les premiers coassements se font entendre, d'abord légers, puis de plus

en plus forts. Ce sont les grenouilles : elles chantent le chant de la pluie ! Toute la nuit, elles chantent. Et, au petit matin, la pluie se met à tomber. D'énormes gouttes de pluie. Tout le monde sort hors des maisons et se rue dehors. C'est une véritable explosion de joie dans tout le village. •

La guerre des poux n'aura pas lieu

« Mais qu'est-ce que vous faites là ? demanda Toto, le chef des poux de la partie droite de la tête d'Émilie.

– Et vous ? Vous n'avez rien à faire ici ! répondit Cracra, le chef des poux de la partie gauche de la tête d'Émilie.

– On va se gêner ! lui rétorqua Toto. C'est chez nous ici ! Allez, déguerpissez ! »

Chacun campait sur ses positions : il n'était pas question, ni pour Toto ni pour Cracra, de reculer d'un cheveu devant leur adversaire.

L'affaire remontait à très longtemps : quelques jours, en fait, mais, à l'échelle des poux, c'était déjà de la préhistoire. Quand les poux apparurent sur la tête d'Émilie, il y eut rapidement deux clans : ceux qui étaient partisans de Toto et ceux qui étaient partisans de Cracra. Il y eut des bagarres qui firent quelques blessés, dont une puce qui passait par là. Mais comme les poux sont quand même des êtres sages, ils se partagèrent

la tête d'Émilie en deux vastes territoires : Toto à droite et Cracra à gauche.

Mais, aujourd'hui, rien n'allait plus. Apparemment, Toto et Cracra s'étaient embrouillés dans leurs territoires, mais aucun d'eux ne voulait le reconnaître. La tension montait dans les armées. Chacun faisait claquer ses mandibules et affûtait ses pinces.

« Pour la dernière fois, recule Toto !

– Pour la dernière fois, recule Cracra ! »

La guerre promettait d'être terrible.

Chacun se préparait au grand choc du combat quand, de l'arrière des troupes, on entendit des cris de détresse :

« Au secours, le grand nuage revient ! Le grand nuage qui tue ! »

Au même moment, la maman d'Émilie disait :

« Je pense que ça devrait aller maintenant. Avec ce nouveau produit contre les poux, il n'en restera plus un seul demain. »

Ce qui était vrai. Plus un seul ! Et c'est ainsi que la guerre des poux n'a pas eu lieu. •

Sibille, apprentie menteuse

Sibille était ravie de retrouver Hugues, son cousin, pour les vacances. Cela faisait si longtemps qu'elle ne l'avait pas vu ! Quand il apparut avec ses parents au fond du jardin, elle courut à sa rencontre.

« Hugues, comme je suis contente de te revoir !

– Ah oui, lui répondit-il, tu en es bien sûre ?

– Certaine, je suis très heureuse !

– Ce que tu peux être bête, ma pauvre Sibille, lui dit Hugues en posant son sac. Il faut toujours mentir, c'est plus drôle. Je vais t'apprendre à mentir, tu verras, on se sent vraiment très fort. Au fait, peux-tu prendre mon sac ? J'ai du mal à le porter, j'ai si mal au bras. »

Sibille prit immédiatement le sac et le porta dans la maison, jusqu'à la chambre de son cousin. Là, Hugues partit d'un grand éclat de rire.

« Et voilà ta première leçon, dit-il. Je n'ai jamais eu mal au bras, je t'ai menti pour que tu portes mon sac. En mentant, on a tout ce qu'on veut. En venant ici, j'ai dit à mes parents que j'étais triste de quitter mon chat et ils m'ont offert un jeu vidéo pour me consoler. Tu vois, c'est pratique ! »

Toute la journée Hugues essaya de convaincre Sibille des bienfaits du mensonge. Il la faisait tourner en bourrique, lui disant noir quand il pensait blanc, et il n'hésitait pas à éloigner les amis de Sibille en leur racontant d'énormes mensonges sur sa cousine. Comme Hugues a changé ! pensa-t-elle le soir en se couchant.

Le lendemain, Sibille dit à Hugues :

« Vois-tu, cher cousin, je ne t'aime pas. À l'avenir, ne me parle plus jamais.

– Comment ? répondit ce dernier très surpris. Ce n'est pas possible, tu es ma cousine préférée, je t'adore. Tu ne peux pas me faire ça. »

Et Hugues fondit en larmes. Il était secoué de gros sanglots et manifestement très triste. Alors Sibille le prit dans ses bras et lui dit :

« Hugues, je viens de te mentir et ça t'a rendu triste. Tu vois que le mensonge peut faire mal. Je t'aime, tu sais, mais je n'aime pas les mensonges. »

Hugues comprit la leçon et cessa de mentir. •

Benjamin est malade

Demain, il va y avoir un contrôle à l'école. Comment échapper à cette corvée ? Benjamin pourrait faire le malade, mais cela ne marche pas toujours ! Il a déjà fait le coup et sa maman s'en est aperçue. En plus, elle va lui prendre sa température, et ensuite il faudra rester au lit toute la journée et ne manger que du bouillon de légumes. Berk ! Contrôle ? Thermomètre ? Contrôle ? Thermomètre ? Benjamin finit par s'endormir. Quand le réveil sonne le lendemain, sa décision est prise : il choisit le thermomètre et le bouillon de légumes.

« Benjamin ? demande sa maman en passant la tête par la porte de sa chambre. Tu n'as pas entendu le réveil ?

– Si m'man, mais je crois que je suis malade. »

Sa maman entre et s'assied sur son lit. Elle tâte son front.

« Tu es un peu chaud, en effet. On va prendre ta température. »

Cet hypocrite de Benjamin prend un air soucieux :

« Mais maman, dit-il, je dois aller à l'école. J'ai un contrôle ce matin.

– Je le savais, dit sa maman, aussi je me suis demandé si tu ne me racontais pas des histoires. Je comprends

•••

141

que cela t'ennuie de manquer l'école aujourd'hui. Je vais aller voir ta maîtresse. Elle me donnera le sujet du contrôle et nous le ferons à la maison. Comme ça, tu n'auras rien perdu. Bien sûr, je vais devoir téléphoner aux parents de ton amie Julienne. Il vaut mieux que tu n'ailles pas à son anniversaire demain ; on ne sait

jamais : tu pourrais être contagieux. Il paraît qu'il y a une épidémie de varicelle. »

Zut, l'anniversaire ! Benjamin l'avait complètement oublié ! Le voilà bien puni de son mensonge : il va avoir droit au thermomètre, au bouillon de légumes, au contrôle, et en plus il sera privé d'anniversaire ! •

Pile ou face

À pile ou face ou à la courte paille, ce pauvre Loulou ne gagne jamais. Tiens, hier, il était question, avec son copain Gilles de savoir lequel des deux allait demander à la maîtresse de leur rendre le ballon qu'elle leur avait confisqué. Ils ont tiré à pile ou face. Eh bien, que crois-tu qu'il arrivât ? Loulou avait dit :
« Face ! »
Gilles a lancé une pièce d'un euro en l'air et, quand la pièce a touché le sol, c'est le côté qui porte le numéro un qui était au-dessus.
Moralité : c'est Loulou qui devra affronter madame Duroy. Et ça ne va pas être facile, parce que madame Duroy, c'est la maîtresse la plus sévère qu'il ait jamais connue.
Loulou se dit qu'il faut attendre le bon

moment. D'abord, ne pas faire la moindre bêtise ; par exemple, éviter de se retourner pour parler à Julie, ou laisser tomber son crayon par terre, parce que ça, madame Duroy, elle ne supporte pas. Comme elle déteste qu'on suce son pouce en classe, ou qu'on mâche du chewing-gum. Ensuite, il va devoir faire un peu attention à ce qu'elle raconte, au lieu de rêver, comme d'habitude.

Bon, nous y sommes. C'est la récréation.
Loulou a fait tant d'efforts pour se comporter comme un bon écolier qu'il est absolument épuisé ; mais ça valait la peine pour récupérer ce fichu ballon. Au moment de sortir de la classe, il s'avance vers la maîtresse :
« S'il vous plaît Madame, dit-il, pas très rassuré quand même, est-ce que vous pourriez nous rendre le ballon ? On vous promet qu'on ne le lancera plus sur les filles.
– Ah, c'était donc ça ? répond la maîtresse. Je me demandais si tu étais malade pour être aussi sage depuis ce matin. Continue à bien travailler pendant une semaine, et nous verrons. » •

Les taxis trop pressés

Léon était un chauffeur de taxi qui aimait bien son métier et surtout sa ville. Il aimait bien découvrir les petites ruelles et les endroits secrets et inconnus. Quand ses clients avaient un peu de temps, il empruntait des itinéraires bien à lui, il traversait un vieux pont peu fréquenté, passait plutôt par une petite place où trônait une belle fontaine ornée de dauphins, ou longeait un parc frais et ombragé. Et ses clients étaient ravis d'avoir l'occasion de contempler de magnifiques endroits. Léon était heureux que ses clients soient contents. Mais tout le monde dans la ville n'était pas aussi content que les clients de Léon. En effet, les collègues de Léon voyaient d'un mauvais œil sa popularité. Il faut dire qu'ils n'étaient pas très curieux et préféraient rouler d'un bout à l'autre de la ville sans se soucier de la beauté de ses quartiers.

Un soir, au café *Les deux vinettes*, les chauffeurs complotèrent :

« Ça ne peut plus durer, dit un grand. Il faut donner une leçon à Léon pour qu'il ne nous vole plus nos clients. Retrouvons-nous tous demain à la Grand-Place. »

Trois grands et gros chauffeurs de taxi vinrent défier Léon. Ils lui proposèrent de traverser la ville en un temps record. Pourquoi pas ? Léon accepta avec enthousiasme. Le départ donné par un grand coup de klaxon, les taxis partirent dans de grands bruits de moteur. Qui gagna à ton avis ? Léon, évidemment ! Il avait gagné, car lui seul connaissait les raccourcis et les endroits sans voiture ! Les autres qui avaient voulu aller plus vite eurent une amende, se perdirent ou restèrent bloqués dans des embouteillages. Léon, lui, roula toujours tranquillement. Il y a tant de choses à découvrir dans une ville ! •

Le cochon poète

« Grouïk, Groin, Gron ! faisait Crouton le cochon. Grock, Groin, Groin ! »
Ce matin-là, tous les habitants de la cour et de la basse-cour de la ferme étaient rassemblés autour de Crouton. Il était couvert d'un grand chapeau et d'une écharpe autour du cou. Le torse bombé, ses grosses pattes bien plantées sur le sol et le groin pointé vers le ciel, Crouton déclamait ses poèmes. Car depuis ce matin, Crouton avait décidé d'être poète. Il avait décidé qu'il avait des choses importantes et belles à dire au monde entier. Seulement voilà, personne ne comprenait la beauté de ses poèmes qui parlaient de jambon, de cornichons et de saucissons. Les chiens, les chats, les chevaux et les poules le regardaient avec des yeux ronds. Crouton était-il devenu fou ?

« Bande d'ignares ! leur dit-il. Je vais à la ferme d'à côté où on me comprendra mieux ! »
Mais, dans la ferme voisine, ce fut la même réaction. Que voulait dire Crouton avec son poème sur les gros pâtés, les petits salés et les pieds panés ?

•••

143

•••

Crouton subit un nouvel échec. Personne ne comprenait sa poésie. Furieux, il se dirigea vers une troisième ferme. Sur le chemin, il rencontra le loup, tout heureux de tomber sur un cochon bien gras. Crouton s'avança fièrement vers lui et déclama un nouveau poème fait de côtelettes, de rillettes et d'andouillettes. Le loup fut surpris, mais aussi très inquiet, car il détestait la poésie, surtout venant d'un cochon !

Ce n'était pas normal. Pour le loup, c'était clair, ce cochon devait être fou. Et tous les loups savent très bien que la viande des cochons fous a très mauvais goût. Alors le loup préféra se passer de son repas et s'enfuit au plus profond du bois. Agitant son chapeau dans sa direction, Crouton lui composa un poème moqueur qui parlait de loup peureux, de loup galeux et de loup furieux. •

Julie se fait un ami

Julie trouve le temps long. Sa copine Maria ne vient pas à l'école depuis déjà une semaine ; elle a la varicelle. D'habitude, elles sont toujours ensemble. Julie et Maria adorent faire les chipies. Elles passent à côté d'un groupe et se disent des choses à l'oreille. Les autres se demandent alors de qui elles peuvent bien parler. Ils imaginent des choses terribles, ils se sentent tout ridicules. Aussi, elles sont toujours toutes les deux ; personne n'ose les approcher. Maintenant, Julie est toute seule. Elle se demande comment faire comprendre aux autres que c'était pour rire, qu'elles ont juste fait ça pour se rendre intéressantes. En tout cas, ça n'était pas très malin. Julie est bien embêtée, il faut qu'elle trouve le courage d'aller vers quelqu'un. Il y a bien Abbou ;

il a l'air très gentil, et il les a toujours regardées bien en face. Oh, non, jamais elle ne pourra ; elle a trop fait la fière. Zut, elle l'a regardé trop longtemps, le voilà qui tourne la tête vers elle. Abbou rencontre le regard de Julie. Il le trouve si triste que tout de suite il lui sourit et s'avance vers elle.

« Julie, pourquoi es-tu triste ? »

Alors, tout intimidée, Julie lui raconte qu'elle ne veut plus jouer à la chipie, qu'elle voudrait aller rejoindre les autres.

« Alors, tu n'as qu'à venir. Tu sais, au début, ça ne sera peut-être pas très facile, il y en a qui vont se venger. Mais ne t'inquiète pas, je serai là près de toi, et je te défendrai. »

Et Abbou prend la petite main de Julie dans la sienne et l'entraîne vers les autres. •

144

Le petit dinosaure

Dino était un petit, tout petit dinosaure. À l'âge où tous ses camarades commençaient à devenir grands et forts, il restait petit et frêle. Parfois, les autres dinosaures se moquaient de lui :

« Tu es un gringalet », disaient-ils.

Dino ne comprenait pas ce qu'il y avait de mal à être petit. Il se trouvait très bien comme il était. Sa maman le rassurait :

« Ne les écoute pas, Dino. Ils disent des bêtises. Petit ou grand, moi, je t'aime. »

Oui, mais Dino voulait montrer aux autres à quel point ils avaient tort. Un jour, ils verront ce qu'ils verront ! pensait-il.

Et ce jour arriva. Le territoire des dinosaures se trouvait au pied d'un immense volcan qu'ils croyaient éteint. En fait, ce volcan était encore en activité, et un matin les dinosaures entendirent un bruit terrible. Le volcan se réveillait ! C'était d'abord de grandes fumées noires qui s'échappaient du volcan, puis de la lave. Les dinosaures étaient terrorisés ! Et ceux qui, la veille encore, se moquaient de Dino tremblaient maintenant de peur.

« Il faut fuir ! criaient-ils. Nous allons tous être brûlés vifs ! »

Alors Dino s'adressa à eux :

« C'est bien la peine d'être grands et forts si ça ne vous sert à rien. Vous qui êtes si costauds, allez plutôt prendre ces grosses pierres, là-bas. Construisez un rempart qui arrêtera la lave et protégera notre territoire. »

Tout le monde se mit au travail. Il fallait faire vite, car la lave avançait dangereusement. Mais les dinosaures, sur les encouragements de Dino, mirent tant d'énergie que bientôt se dressait un mur de pierres qui les sauva tous. On ne trouva plus jamais personne, après ça, pour se moquer de la petite taille de Dino ! •

La petite fleur des champs

Il était une fois une petite fleur des champs qui avait poussé aux pieds de grandes et magnifiques fleurs aux couleurs chatoyantes. À côté, elle paraissait toute petite et toute pâlotte. Seule dans son coin, elle soupirait.

« Ah ! Se disait-elle. Si seulement je pouvais être une fleur majestueuse. Un de ces lys ou une de ces roses que tout le monde admire. On vient de loin pour les contempler, pour sentir leur parfum exquis. Tandis qu'on nous néglige, nous autres, les fleurs des champs. C'est à peine si les gens ne nous écrasent pas lorsqu'ils passent près de nous. La vie est injuste, vraiment. »

Et tandis qu'elle se lamentait, elle vit le jardinier s'approcher du massif de fleurs. Il était accompagné d'une dame très élégante. La dame dit au jardinier :

•••

« Ces fleurs sont vraiment merveilleuses. Regardez-moi ces couleurs ! Et quel parfum ! C'est tout simplement magique ! »

« Ça recommence, se dit la fleur des champs. C'est toujours la même histoire. Il n'y en a que pour elles... »

Soudain le jardinier prit la parole :

« Alors, Madame, avez-vous fait votre choix ? Lesquelles voulez-vous ? »

La dame hésita un long moment, puis elle désigna les roses :

« Je les voudrais toutes... Mais, aujourd'hui, ce sera les roses rouges. »

Le jardinier sortit un sécateur et,

d'un seul geste, coupa net les tiges des roses. Il en fit aussitôt un bouquet qu'il tendit à la dame élégante.

La petite fleur eut un frisson d'horreur.

« C'est atroce de se faire ainsi couper en deux. Les pauvres roses ! La vie est injuste, vraiment. Pour rien au monde je ne voudrais être autre chose qu'une fleur des champs. »

Depuis lors, plus jamais notre petite fleur ne se plaignit de son sort. •

Le poisson rouge voulait voir la mer

Ploc, le petit poisson rouge, s'ennuie ferme dans son bocal :

« J'en ai assez de tourner en rond et de voir toujours le même paysage autour de moi. C'en est trop ! Finie la routine. Je veux des grands espaces, l'aventure, une vie palpitante.

Je veux aller en pleine mer, contempler les barrières de corail, rencontrer les autres poissons et me faire des amis du monde entier. C'est décidé, je m'en vais. »

Par chance, une rivière coulait au pied de la maison et le bocal de Ploc était juste devant la fenêtre. Un jour que celle-ci était ouverte, Ploc prit son élan et hop ! il plongea dans l'eau.

Cette rivière se jetait dans un fleuve qui se jetait lui-même dans la mer ! Enfin, il y était. Quelle liberté ! Ploc n'en croyait pas ses yeux, le paysage s'étendait à l'infini, c'était peuplé de milliers de créatures mystérieuses : crabes, oursins, calamars, poulpes. C'en devenait même inquiétant.

Et Ploc commença à se sentir un peu bizarre : qu'avaient-ils, tous ces gros poissons, à le regarder avec des yeux qui faisaient peur ? Une petite sardine passa alors près de Ploc et lui dit :

« Mais fuis donc, tu vas te faire dévorer !

– Me faire dévorer ? Mais...

– Tu es nouveau, toi, ça se voit. Tu ne sais donc pas que ça se passe comme ça ici ? Les gros poissons mangent les petits, c'est la vie ! Il faut être sur ses gardes tous les jours. Il y a des milliers et des milliers d'ennemis. Et si tu échappes aux autres poissons, tu as de grandes chances de te retrouver dans les filets des pêcheurs.

– Mais, c'est un véritable cauchemar ! »

Et Ploc rassembla toutes ses forces pour faire le chemin inverse. On le retrouva, affolé et à bout de souffle, au bord de la rivière et on le remit bien vite dans son bocal.

« Ouf ! se dit-il. Finalement, on n'est pas si mal, ici. » •

La rose en or

Le jour où il fut nommé sultan, Kalim 1er reçut les présents de tous les gouverneurs de la région. Ces cadeaux signifiaient qu'ils lui devaient obéissance. À la fin de la journée, le dernier gouverneur s'en allait lorsque l'on annonça un dernier visiteur. Kalim 1er s'en étonna :

« Je croyais pourtant avoir vu tout le monde », dit-il. On fit entrer le visiteur qui se prosterna devant Kalim : « Ô ! Grand sultan ! Je viens ici en tant que représentant des bons génies. La coutume veut que nous t'offrions aussi un présent. Accepte donc ceci. »

Le génie lui tendit alors une rose en or. « Cette rose te donne d'immenses pouvoirs. Chaque pétale vaut à lui seul une fortune. Mais ne t'en sépare jamais, il peut t'en coûter la vie. » Aussitôt, le génie disparut et le règne de Kalim 1er commença. Mais Kalim avait un gros défaut : il adorait jouer de l'argent et il perdait souvent. Il était immensément riche, mais il joua tant que sa fortune diminua de

jour en jour. Tant et si bien qu'il finit par être définitivement ruiné ! Il avait dilapidé toutes les richesses de son pays. Mais sa passion du jeu était plus forte que tout. Il se souvint alors de la rose en or. « Chaque pétale vaut à lui seule une petite fortune », lui avait dit le génie.

« Je vais me séparer d'un pétale, ce n'est pas bien grave, je le rachèterai lorsque j'aurai regagné ma fortune », pensa Kalim. Mais il perdit encore. Alors il se sépara d'un deuxième pétale. Puis il reperdit, et ainsi de suite, jusqu'à ce qu'il ne reste plus qu'un pétale à la rose. C'était sa dernière chance.

« Mais ne t'en sépare jamais, il peut t'en coûter la vie », lui avait dit le génie. En se séparant du dernier pétale, Kalim se séparait de la rose tout entière. Mais il se moquait bien des avertissements du génie ! Au moment où il ôta le dernier pétale, il fut aussitôt transformé en statue de pierre. Plus jamais un sultan ne se sépara du présent d'un génie après ça. •

Vilaines citrouilles

Ce soir c'est Halloween. Lucas est tout excité, il adore cette fête. Ses amis vont venir chez lui cet après-midi et ils vont tous se déguiser. Lucas a hâte d'y être. La première chose à faire pour préparer comme il se doit cette soirée, c'est bien évidemment de sculpter des citrouilles. Ça tombe bien, maman en a rapporté deux énormes du marché ce matin. Lucas les pose sur la table, s'assied et commence à les tailler. Ce qu'il faut, c'est qu'elles aient l'air bien diabolique, l'air vraiment méchant. Lucas s'applique, et c'est plutôt réussi : elles sont terribles, ces citrouilles. Avec des bougies dedans, c'est encore plus impressionnant. Mais, tout d'un coup, quelque chose d'étrange se passe : Lucas voit les yeux des citrouilles bouger. Ce n'est pas possible, se dit-il. Ce doit être la flamme de la bougie qui donne cette impression. Mais non ! Voilà que ça recommence. Les deux citrouilles le regardent de leurs yeux cruels, elles tordent leur

bouche et lui font une affreuse grimace. Lucas tremble de peur. Il a envie de crier, mais aucun son ne sort de sa bouche. Les deux citrouilles se mettent alors à voler et à danser autour de lui. « Ah, ah ! petit innocent. Tu te croyais le maître des citrouilles ? Petit naïf, tu vas comprendre qui commande ici ! »

Et les citrouilles se mettent à rire, d'un rire à vous faire dresser les cheveux sur la tête. Terrifié, Lucas recule de quelques pas...

« Lucas, Lucas, réveille-toi, mon chéri. Tes amis vont bientôt arriver. »

Lucas reconnaît aussitôt cette voix douce, c'est celle de sa maman. Tout cela n'était donc qu'un horrible cauchemar ! Rassuré, Lucas se blottit dans ses bras : « Maman, tu veux bien faire une soupe à la citrouille, s'il te plaît ? » •

Août

Docteur Toctoc

Depuis quelque temps, il se passe des choses bizarres dans le grand chêne. On entend des bruits assez inquiétants... Crrrr... crrrr... crrrr.

On a consulté monsieur Siffflll, le serpent qui a toujours de bonnes idées.

Il a promis d'aider les habitants du grand chêne à résoudre cette énigme. Et il a tenu parole.

Aujourd'hui est arrivé Docteur Toctoc, le pivert. Docteur Toctoc a exigé un silence total pour pouvoir écouter les bruits suspects. On a eu un peu de mal à faire cesser le travail des fourmis qui habitent dans le cœur de l'arbre. Ces gens-là travaillent jour et nuit. Pour empêcher les souriceaux du rez-de-chaussée de pouffer de rire, leur père a dû les menacer de les priver de fromage. Enfin, on a dû attendre que le vent arrête de faire frissonner les feuilles. Ça a pris un moment, tout ça. Mais Docteur Toctoc a pu faire son diagnostic :

« Je vois ce que c'est, a-t-il dit d'un air important. Il y a des vers dans le bois. Je vais m'en occuper. Je vous préviens : ça va faire du bruit. »

Toctoctoctoctoc... Docteur Toctoc s'est mis à frapper à toute allure sur le tronc du chêne avec son bec.

Les vers sont sortis de l'écorce en se tortillant.

« Au secours ! Ça fait mal aux oreilles ! D'accord, d'accord, on s'en va ! »

Monsieur Siffflll le serpent leur a expliqué que le grand chêne est une habitation, pas un garde-manger. Il leur a proposé de les reloger dans un vieux tronc d'arbre couché par terre qui va leur servir à la fois de maison et de placard à provisions. Enfin, les habitants du grand chêne vont dormir tranquilles. •

Les cabanes en bois

Jeannot habitait une maison sur pilotis, c'est-à-dire une maison bâtie sur des poteaux de bois au-dessus de l'eau. C'était un homme pacifique qui vivait de la cueillette des fruits et légumes. Amoureux de la nature, il n'était pas riche, mais vivait heureux. Un jour, en rentrant chez lui, il aperçut quelque chose d'étrange : les poteaux qui soutenaient sa maison étaient entaillés, comme si on avait voulu les scier. Ce doit être l'usure, se dit-il, il va falloir surveiller cela de plus près. Le lendemain, il alla inspecter les poteaux : l'entaille avait encore grandi. C'était évident : quelqu'un avait entaillé ses pilotis. Qui était-ce ? Jeannot ne se connaissait pourtant aucun ennemi.

Aussi décida-t-il d'en avoir le cœur net. Le lendemain, il se cacha derrière les fourrés et il attendit. Au bout d'un moment, il eut la surprise de voir un petit castor

s'approcher des poteaux et commencer tranquillement à les grignoter. Jeannot sortit alors de sa cachette et attrapa le castor.

« C'était donc toi ! Pourquoi fais-tu cela ? Je ne t'ai rien fait de mal.

– Si, répondit le castor tout tremblant. Tu es un homme...

– Et alors ?

– Alors les hommes sont les ennemis des animaux : ils passent leur temps à les chasser.

– Je n'ai jamais fait de mal à un animal, lui répondit Jeannot, au contraire je les aime, ce sont mes amis, et c'est pour ça que je vis ici. »

Le castor comprit que Jeannot était sincère et l'aida à reconstruire sa maison. Jeannot et lui devinrent bientôt inséparables, ensemble ils décidèrent de fabriquer d'autres maisons sur pilotis afin d'y accueillir les animaux blessés. •

Le bateau qui
ne savait pas nager

Nautile était un tout petit bateau. Il allait sans doute devenir un paquebot comme son papa. Mais, pour l'instant, il lui fallait apprendre. Et la première chose que l'on doit apprendre lorsque l'on est un bateau, c'est à nager. Sans cela, on coule !

Or, ce pauvre petit Nautile ne savait pas nager.

« Maman, je n'y arrive pas. Je vais me noyer !

– Un petit effort, mon petit.

Que vas-tu faire dans la vie si tu ne sais pas nager ?

– Je m'en fiche, je ne veux pas apprendre, c'est tout ! »

Le plus embêtant, c'est que Nautile détestait vraiment l'eau. Ses parents étaient très soucieux pour son avenir. Son papa, le paquebot, et sa maman, la goélette, s'inquiétaient souvent de l'avenir de leur

fils, un avenir qui paraissait bien sombre.

Un jour, Vol'o, l'oncle de Nautile, vint rendre visite à la famille. L'oncle était un bel avion. Nautile l'adorait et l'admirait beaucoup. Les parents de Nautile avaient confié à Vol'o leurs inquiétudes au sujet de leur fils.

« Laissez-moi lui parler », dit Vol'o.

Et il partit faire une promenade avec Nautile. Lorsqu'il revint, l'oncle de Nautile arborait un grand sourire.

« Je crois ce petit-là n'est pas fait pour être un bateau. J'ai l'impression, en revanche, qu'il fera un très bon avion ! » On confia alors Nautile à son oncle qui lui acheta une magnifique paire d'ailes et lui donna des cours de vol. Nautile était un élève enthousiaste et il apprit vite. Il devint rapidement l'avion le plus heureux du monde, transportant des passagers d'un bout à l'autre de la Terre. •

Le héros de la ferme

« Ah, ah, ah ! À moi Hollywood ! Je suis si méchant que je pourrai faire une grande carrière au cinéma ! Et je suis si laid que je pourrai faire peur aux enfants ! » s'enflammait Zigzag, le serpent.

Un beau matin, il prit son maigre balluchon et se mit en route. Il avait déjà dépassé la colline, quand il tomba nez à nez avec Zaza, la marmotte.

« Eh bien, où vas-tu comme ça ? lui demanda-t-elle.

– À Hollywood !

– Si tu veux, mais avant, j'aimerais bien que tu me rendes mon presse-purée, lui répondit-elle.

– Oh, mais je te le rendrai à mon retour », lui dit Zigzag vexé.

Il lui parlait d'Hollywood et elle lui parlait de son presse-purée !

« Ah non, là-bas, tu peux te faire couper en rondelles par Tarzan. Rends-le moi tout de suite. »

Zigzag dut s'exécuter. Il revint chez lui pour rendre le presse-purée à Zaza. Après ça, rien ne l'arrêterait sur le chemin de la gloire !

Hélas ! au moment où il passait sous le grand chêne, on lui barra soudain le passage.

C'était Grognon, l'ours :

« On essaie de m'éviter... ?

•••

– Écoute, je vais bientôt devenir une star et je pourrai te rembourser l'argent que je te dois, lui dit Zigzag.

– C'est ça, et moi je suis Blanche-Neige, allez, ouste ! rends-moi mon argent ! » exigea Grognon.

Une nouvelle fois, Zigzag dut rebrousser chemin. Qu'est-ce qu'ils avaient tous aujourd'hui à le persécuter ? Mais Zigzag était un serpent têtu et ce n'étaient pas une jeune marmotte et un vieil ours mal léché qui allaient mettre un frein à sa carrière.

Il n'avait pas fait trois mètres que le roi des rats sortit d'un trou et lui réclama son livre sur les insectes. Plus tard, ce fut Jojo, la taupe, qui voulut récupérer son tire-bouchon. Puis ce fut Azaé, l'araignée, qui avait besoin de sa boîte à couture, puis Frison, le mouton, son fer à friser.

Zigzag n'était pas prêt d'arriver à Hollywood ! Pour quoi faire d'ailleurs ? Avec tous ces énergumènes qui l'environnaient, il vivait un drôle de film tous les jours. •

Papa, allume la lumière !

Bien installé dans son petit lit, Lucien lisait son livre avec Pouf, son nounours, quand son papa entra dans sa chambre.

« Allons, Lucien, il est temps pour toi de dormir.

– Oh non, papa, encore un peu, je n'ai pas fini ma page.

– Bon, d'accord, mais cinq minutes, pas plus. »

Puis ce fut au tour de la maman de Lucien de lui demander d'éteindre la lumière.

« S'il te plaît, maman, laisse-moi lire encore un peu.

– Non, Lucien, intervint son père en rentrant dans la chambre.

– Dors bien mon poussin », lui dit sa maman en éteignant la lumière.

La chambre fut alors plongée dans le noir le plus absolu. Lucien serra bien fort son petit ours contre lui et, les yeux grands ouverts, il écouta les bruits de la maison. Il entendit au-dessus de sa tête des grattements, ou plutôt des pas.

Mais qui pouvait bien marcher dans le grenier à cette heure-ci ? C'était peut-être une affreuse sorcière !

« Papa, papa ! cria Lucien.

– Allons, allons, lui dit son papa en allumant la lumière. Tout va bien, rendors-toi. »

Il éteignit la lumière et il sortit. Apeuré, Lucien serrait très fort son nounours quand il entendit un petit sifflement près de son oreille.

C'était son ami Sylvain, le petit lutin, qui venait lui donner un conseil.

« Écoute, Lucien, tu es grand maintenant et tu ne peux pas dormir avec la lumière allumée. Il faut que tu fermes les yeux et que tu cherches la lumière en toi. Eh oui, en toi, car quand tu rêves, tu peux imaginer tous les Soleils que tu veux. Tu peux voler vers le ciel, changer les couleurs d'un arc-en-ciel et te laisser bercer par des histoires extraordinaires. Qu'en penses-tu, Lucien ? » Mais Lucien ne l'écoutait plus : il dormait à poings fermés et voyageait déjà loin, très loin dans le monde des rêves. •

Pauvre Toccata

« Do, ré, mi, fa, sol, la, si, couinc ! »
Toccata, la grande chanteuse d'opéra, était surprise, mais elle se reprit bien vite, car elle devait finir sa répétition avant ce soir. Elle se tourna alors vers son pianiste et lui fit signe de reprendre.

« Je ne sais pas ce qui s'est passé. Hum ! Do, ré, mi, fa, sol, la, si, couinc ! Hum, sol, la, si, couinc ! Ah, ce n'est pas vrai, ça ! Qu'est-ce qui m'arrive ?

Couinc ! Couinc ! Couinc ! Couinc ! Oh, mon Dieu ! C'est épouvantable, j'ai perdu ma voix ! »

Quand la nouvelle fut connue à Chantefort, ce fut comme si le ciel tombait sur la tête d'un Gaulois : c'était une véritable catastrophe ! Car, chaque année, la petite ville de Chantefort organisait un petit festival autour de la grande cantatrice Toccata. Des centaines de mélomanes se pressaient aux portes du théâtre pour venir l'écouter.

Toccata pleurait sur l'épaule du maire qui sanglotait lui-même comme un petit enfant, convaincu qu'il allait perdre les prochaines élections.

Mais que faire ?
Il fallait qu'il trouve une solution, mais laquelle ?

On fit appel aux meilleurs médecins du pays, mais aucun ne trouva de remède. Toccata avait perdu sa voix et l'heure du spectacle approchait ! On essaya tout : magnétiseurs, hypnotiseurs, rien n'y fit. Finalement, on fit venir de la ville voisine Zip, le ver de terre, très heureux de pouvoir rendre service à la grande Toccata. Zip était si agile qu'il pouvait se glisser partout.

« Doucement, laissez-moi descendre doucement, disait Zip qui, muni d'un casque et d'une torche, était attaché à un filin. Laissez-moi descendre dans la gorge de Toccata.

Ah, je commence à voir quelque chose ; descendez-moi encore. » Quelques minutes plus tard, on remonta Zip. Il tenait dans ses bras un tout petit, petit chat.

« Chère Toccata, vous aviez un chat dans la gorge, prenez-en soin pour qu'il ne revienne plus vous ennuyer. »

Ainsi fut fait et Toccata put retrouver sa belle voix et participer au grand festival de Chantefort. •

La chouette qui dormait la nuit

« Réveille-toi, Lulu, il est presque minuit, toutes tes sœurs sont déjà parties.

– Hum ? Mais qu'est-ce qui se passe, on ne peut pas me laisser dormir ? répondit Lulu.

– Voyons Lulu, lui dit sa mère, nous, les chouettes, nous sommes faites pour chasser la nuit et dormir le jour. Tu te reposeras dans la journée. Allez, lève-toi, il est l'heure ! »

Lulu se retrouva grelottante sur une des branches du grand chêne. Il ne faisait pas un temps à mettre une chouette dehors, tout juste une chauve-souris. C'est à cet instant qu'apparut Zora, la petite chauve-souris grande amie de Lulu.

« Hé, Zora, il ne fait pas bien chaud, tu ne trouves pas ?

– Fais comme moi : vole, ça te réchauffera », lui répondit Zora. Mais Lulu n'avait qu'une seule envie, celle de rester bien au chaud

dans son nid en grignotant une petite sauterelle. Elle vit Picpoil le hérisson qui passait sous son arbre.
« Hello, Picpoil, quel froid, tu ne trouves pas ?
– Fais comme moi : chasse, ça te réchauffera », lui répondit Picpoil. Lulu eut ainsi l'occasion de rencontrer beaucoup d'animaux de la nuit. Tout ce petit monde s'agitait, savait que le temps était compté avant les grands froids. Il fallait faire des provisions avant l'hiver qui approchait. La maman de Lulu avait peut être raison finalement : il y a un temps pour chasser et un temps pour se reposer. Alors, Lulu battit des ailes et s'envola dans la nuit en appelant ses copains et ses copines :
« Hé, attendez-moi ! Je viens avec vous ! »
Au petit matin Lulu rentra fourbue, mais heureuse de pouvoir rejoindre son petit nid pour faire un bon gros dodo. •

Pacha a perdu son os

Pacha était très ennuyé, car il avait perdu son os. Quelle catastrophe pour un chien ! Il était sûr de l'avoir enterré près du pommier et, ce matin, en creusant la terre pour le récupérer, il n'avait rien trouvé. Il avait beau chercher, renifler dans le trou, rien. Il demanda à un ver de terre qui prenait des photos s'il n'avait pas vu son os. Le ver de terre répondit qu'il ne pouvait l'aider, car il venait d'arriver et ne connaissait vraiment pas le coin. Déçu, Pacha s'éloigna ; cette histoire d'os le tracassait vraiment. Seul son ami Titus, le chat, pourrait l'aider à retrouver son os.
« Titus, réveille-toi, c'est moi, Pacha, dit-il en secouant son ami avec sa truffe.
– Qu'est-ce qui se passe encore ? répondit Titus en s'étirant au Soleil.
– Hum... je... j'ai perdu mon os, balbutia Pacha. Je l'avais enterré au pied du pommier et...
– Mais tu le fais exprès ou quoi ? s'exclama Titus. C'est la troisième fois cette semaine ! Débrouille-toi tout seul cette fois et laisse-moi dormir ! »

Vexé, Pacha ne prit même pas la peine de lui répondre et se dirigea vers la forêt. Il y croisa Grognon qui lui dit qu'il n'avait pas vu son os, mais qu'il pourrait partager un peu de miel avec lui. Pacha le remercia et continua son chemin. Il croisa ensuite Jojo la taupe, Crouton le cochon, et bien d'autres animaux, mais personne n'avait vu son os. Pacha n'avait plus d'espoir et il commençait à se faire tard. Il valait mieux rentrer.
Alors, tristement, il se coucha dans son panier dans un coin de la cuisine. Sa maîtresse finissait de préparer une tarte aux pommes pour le dîner. Lui, il préférait la tarte aux poires. Poires... poires ? Mais, bien sûr ! Qu'il était bête ! Là-dessus, il courut dans le jardin, au pied du grand poirier. Son os l'attendait là.
« La prochaine fois, confia-t-il à Titus, je l'enterrerai sous un arbre à saucisses pour être sûr de me le rappeler ! » •

Une fourmi est en vacances

Cricri, la petite fourmi, en avait plus qu'assez de travailler. Jamais, depuis sa naissance, elle n'avait pris le moindre jour de repos. Il fallait toujours travailler dans cette fourmilière : de l'aube jusqu'au soir. C'était décidé, elle partirait demain matin pour passer quelques jours chez sa tante, à la montagne. Elle passa toute la journée à marcher sous un beau Soleil et, le soir venu, elle arriva enfin chez sa tante qui l'accueillit à bras ouverts. Elles dînèrent, parlèrent de tout et de rien, et elles allèrent se coucher.

« Debout là-dedans ! Une bonne journée nous attend ! » fit la tante qui venait d'entrer dans la chambre. Le jour était à peine levé et Cricri avait l'impression de n'avoir dormi que quelques minutes.

« Dépêche-toi de prendre ton petit déjeuner ; je t'attends dehors, car nous avons un gros épi de blé à rentrer », lui dit sa tante en refermant la porte. Cricri avala en toute hâte une goutte de miel et alla rejoindre sa tante qui s'activait déjà.

« Après ça, nous devons nous occuper des pucerons ma petite, et quand nous aurons terminé, il faudra aller puiser de l'eau », lui expliqua sa tante tout en tirant sur l'épi de blé. Cricri l'aida toute la journée. Les tâches se succédaient sans arrêt, il n'y avait pas un seul instant de répit. Le soir venu, Cricri put enfin souffler. Elle était si fatiguée qu'elle crut qu'elle allait s'endormir devant son assiette de jus de framboise.

« Tu n'es pas dans une fourmilière moderne, ici, lui dit sa tante. Il y a toujours du travail à faire, tous les jours, du lundi au dimanche. Mais le travail, c'est la santé ! »

Peut-être... mais Cricri était en vacances. Dès le lendemain matin, elle prit congé de sa tante prétextant une affaire urgente à régler et fila rejoindre un de ses vieux copains, Simon le hanneton, qui habitait non loin d'ici. Cricri et Simon passèrent de merveilleux moments à ne rien faire du tout et à regarder le temps passer. Ça, c'étaient de vraies vacances ! •

Le crocodile a mal aux dents

« Aïe ! Ouille ! J'ai si mal ! » se lamentait Karl, le crocodile qui avait peur des dentistes.

Il avait peur qu'ils lui fassent mal. Mais la dent malade de Karl ne voulait pas se faire oublier aussi facilement :

« Aïïïe ! » gémit-il encore tandis qu'une nouvelle douleur lui crispait toute la mâchoire.

Cette fois, Karl n'avait pas le choix : il devait se rendre chez le dentiste. D'un pas lourd et maladroit, il se dirigea vers le cabinet du Docteur Pic, le castor. Il n'était pas seul dans la salle d'attente : il y avait là Pantoufle l'éléphant qui s'était cassé une défense, Zora, la chauve-souris, qui venait se faire soigner une canine et Pacha, le chien, qui était là pour son appareil dentaire. Personne ne faisait le fier dans cette salle d'attente, chacun regardait le bout de ses pattes ou le plafond. Quand ce fut son tour, Karl tremblait de la tête à la queue. Le docteur Pic, le castor, ne semblait pas très aimable : d'un geste bref, il désigna à Karl le siège pour

• • •

l'opération. Une fois installé, la mâchoire grande ouverte, Karl n'en menait pas large...
« Oh, oh, cette dent-là est bien abîmée, lui dit le docteur Pic. Je vais devoir vous faire une piqûre pour l'arracher. » Karl avait si peur qu'une larme coula sur son museau.
« Séchez ces larmes, vous êtes grand pourtant » fit le docteur Pic en commençant à se mettre au travail. La dent était coriace et le dentiste avait du mal à en venir à bout.

Cela durait depuis un bon moment et, peu à peu, Karl eut une grande envie de dormir, de dormir. Quand Karl se réveilla, il était tout seul dans la salle d'opération. Il se redressa sur son siège, regarda autour de lui : personne.
Il n'avait plus mal à la dent, mais il sentait une légère lourdeur à l'estomac.
« Zut, dit-il, je crois que j'ai mangé le dentiste. » Karl partit discrètement en souhaitant de ne plus jamais avoir mal aux dents. •

Drôle de cirque

Ce soir, c'est la fête, Cédric et Mina vont au cirque ! Déjà, ils aperçoivent le chapiteau tout blanc qui brille dans la nuit. Mina fronce son petit nez en experte. Cédric, lui, scrute aux alentours.
« Papa, où est la ménagerie ? demande Mina.
– Il n'y en a pas ; chut, nous arrivons ; le spectacle va commencer. » Cédric est très déçu, il adore les animaux. Il se met à bouder et Mina prend son air de princesse indignée.
Un peu à l'écart de la piste, des musiciens jouent une musique étrange et des chanteurs poussent des cris stridents. « Pouah ! » pensent Cédric et Mina. Tout à coup, le batteur effectue trois sauts périlleux pour entrer en piste, il s'élance sur une balançoire bizarre et monte de plus en plus haut, puis il se jette dans le vide, bras écartés. Deux des chanteuses le guettent en bas

avec un énorme matelas ; elles se déplacent doucement vers lui. Boum ! il est tombé juste au milieu.
« Oh ! » s'écrient Cédric et Mina émerveillés. Toute l'équipe réunie se met à faire des pitreries. À la queue leu leu, avec de drôles de dandinements, ils avancent vers trois grands mâts, très hauts, et grimpent tranquillement, les pieds et les mains à l'horizontale, comme si de rien n'était. Puis, tour à tour, ils s'élancent, enroulés sur le mât, tête première à toute vitesse, et stoppent à trois centimètres du sol. Ouf, il était temps ! Tous les spectateurs reprennent leur souffle. Les numéros s'enchaînent ; beaucoup de rire et de suspens, mais déjà on arrive à la fin. Cédric et Mina se tournent vers leur père, ravis. Ça alors, ils ne sont pas près de l'oublier, ce cirque sans ménagerie ! •

Des élections dans le potager

« Votez pour moi et vous aurez du Soleil toute l'année ! » était-il inscrit sur la pancarte que portait Joséfa qui soutenait la candidature de Zip, le ver de terre. « Votez pour moi et vous aurez toujours une pluie rafraîchissante ! » était-il inscrit sur la pancarte que portait Ochoko, l'escargot. C'étaient les grandes élections du potager, et Zip et Ochoko défilaient dans les allées du jardin en vantant leur programme politique à qui voulait bien les écouter. Pour Zip, ce n'était que visions d'un avenir radieux : il expliquait ainsi à quelques scarabées qu'il était sur le point de mettre en place un vaste projet pour que, l'hiver, aucun légume n'ait froid. De son côté, Ochoko faisait de grandes promesses, affirmant qu'avec lui, les fraises ne craindraient plus la gourmandise des oiseaux. Pour le moment, personne ne s'était prononcé en faveur de l'un ou de l'autre candidat. La coccinelle tenait des comptes très précis sur les votes :

« Si vous votez pour Zip, les carottes n'auront plus peur des lapins ! » clamaient les partisans du ver de terre.

« Si vous votez pour Ochoko, les oignons ne feront plus pleurer personne ! » criaient les partisans de l'escargot.

Au cours de la journée la tension montait, et les scores des deux candidats étaient très serrés. Par malchance, Ochoko et Zip se croisèrent au détour d'une allée.

Ils se querellèrent aussitôt. L'un et l'autre n'acceptant pas que son rival vienne marcher sur ses plates-bandes, il y eut des injures et des menaces : « Vermicelle ! », « Tu finiras dans une assiette ! » Pour finir, ils s'assommèrent à coups de pancarte. Quand ils reprirent leurs esprits ils virent que tous les habitants du potager les regardaient avec un drôle d'air. La coccinelle leur conseilla de déguerpir, car leur attitude montrait bien qu'ils étaient, l'un comme l'autre, incapables de gouverner. Alors, Ochoko et Zip se regardèrent, éclatèrent de rire et devinrent les deux meilleurs amis du monde. •

Le moineau rapace

« Des vers de terre ! Pff ! C'est une nourriture pour les bébés ! »
Brindille, le petit moineau, ne cessait d'ennuyer ses camarades. « Vous êtes vraiment des petits moineaux de rien du tout !
– Mais nous sommes très heureux d'être ce que nous sommes, nous.
– C'est parce que vous manquez d'ambition ! »
Un jour, Brindille alla voir sa maman et lui dit :
« Moi, plus tard, je deviendrai un aigle royal !
– Mais, mon chéri, lui répondit sa maman, plus tard tu deviendras ce que tu es déjà : un petit moineau.
– Non, je serai un puissant rapace ! Vous allez voir ce que vous allez voir ! D'ailleurs, dès aujourd'hui, je commence. Ce soir, au dîner, je mangerai un mouton que je vais capturer moi-même ! »
Et Brindille s'en alla en bombant le torse. Il survola le champ voisin et se mit à planer au-dessus d'un troupeau de moutons. Il en repéra un bien dodu, fondit sur lui et accrocha ses petites pattes à sa toison.
« Qui me chatouille comme ça ? dit le mouton.
– C'est moi ! déclara Brindille de sa petite voix.

••••

Ah, ah ! Tu es pris au piège ! Je t'ai capturé !
– Qui es-tu ? demanda le mouton amusé en tournant la tête. Je n'arrive même pas à te voir.
– Je suis un aigle royal ! » répondit Brindille.
Mais, soudain, il glissa et tomba entre les pattes du mouton. Celui-ci se pencha vers lui :
« Oh, oh ! Voyez-vous ça, un aigle royal ! »

Et il prit le petit moineau tout tremblant entre ses dents ; il le ramena à sa maman en disant : « Je vous ramène votre terrible rapace. »
Et il déposa un Brindille tout penaud devant sa maman. Elle lui fit les gros yeux. Ce fut la première et dernière expérience de Brindille, l'aigle royal. ●

14 août — Dragon des airs, dragon des mers

Par un bel après-midi, deux petits dragons discutaient sur une plage.
« Allons, allons, cousin, tu me racontes des blagues, disait le dragon des airs à son cousin le dragon des mers.
– Mais je t'assure, lui répondait celui-ci, les baleines sont des animaux bien plus gros que nous et qui peuvent être rapides comme l'éclair.
– Comme l'éclair ? Ah là, tu m'étonnes ! Je doute que tes baleines soient plus rapides que les avions que je croise tous les jours.
– Si, cher cousin, et je ne te parle même pas des autres poissons ! »
Le dragon des airs et le dragon des mers auraient pu se chamailler ainsi des journées entières, mais le grand dragon, qui avait des pouvoirs magiques, en eut soudain assez de leurs bavardages incessants et décida de les changer

le temps d'une journée : le dragon des airs deviendrait le dragon des mers et le dragon des mers deviendrait le dragon des airs. Cela les calmerait sûrement.
« Brrr, ce que j'ai froid tout à coup ! lança le dragon des airs qui barbotait maintenant dans les vagues. Mais qu'est-ce que je fais dans l'eau, moi ?
– Et moi donc ? répondit le dragon des mers qui volait maintenant dans les airs. J'ai l'impression d'être tout nu ! Il doit y avoir du grand dragon là-dessous... Profitons-en et allons visiter chacun notre nouveau domaine. À ce soir, cher cousin. »
Ainsi, les deux petits dragons découvrirent chacun un monde merveilleux et inconnu. Quand arriva le soir, chacun alla s'excuser auprès du grand dragon et chacun promit, à l'avenir, d'être plus curieux du monde de l'autre, car ces deux mondes étaient si fabuleux qu'ils méritaient autre chose que des chamailleries de petits dragons entêtés. ●

Le crabe qui n'aimait pas l'été

Pincemi était un beau crabe qui était né et qui habitait depuis toujours sur la petite plage de Kervarrech. Pincemi adorait sa petite plage, et il y avait beaucoup d'amis. Bref, il était heureux. Si ce n'est que Pincemi détestait l'été. Pourquoi ? te demandes-tu. Eh bien, parce que l'été, dès les premiers chauds rayons du Soleil, les touristes envahissaient la plage, sa plage, et Pincemi redoutait que lui ou l'un de ses amis ne se fassent écraser ou capturer.

« Ça ne peut plus durer, il y a de plus en plus de monde, disait-il à Bakafrite, le bernard-l'ermite, et à Starline, l'étoile de mer. Bientôt, ils vont tout envahir.

Souvenez-vous, l'été dernier, de ces garnements qui sont venus jusque dans nos mares, avec leurs seaux et leurs épuisettes. Ils gratouillaient sous les algues et les rochers à notre recherche.

– Oui, approuva Starline, j'ai même failli rester accrochée à une serviette de bain. Heureusement que mon petit Bakafrite m'a sauvée, dit-elle en passant une de ses branches autour

de la coquille du bernard-l'ermite qui rougissait.

– Il faut faire quelque chose, déclara Pincemi. Vous avez une idée ? » Comme ses compagnons faisaient la moue, le petit crabe comprit qu'ils ne lui seraient pas d'une grande aide. Il fit appel à Pistache, le mérou géant, car, malgré son aspect un peu repoussant, Pistache était le poisson le plus gentil du monde. Il fut très heureux de pouvoir rendre service à Pincemi. Ils mirent au point une très bonne blague qui pourrait, pour un moment au moins, les débarrasser des touristes.

Un après-midi, tout près de la plage, Pistache bondit hors de l'eau comme un diable :

« Blaaaaouououblll ! » hurla-t-il.

Comme il était vraiment gros et laid, les touristes s'enfuirent en croyant voir un monstre. Dans le même temps, Pincemi, à la tête d'une armée de crabes, pinçait les mollets des enfants et de leurs parents. Après cela, la plage fut déclarée dangereuse et personne n'osa plus s'en approcher, pour le plus grand bonheur de ceux qui y vivaient. •

Le mouton qui voulait un pull

« Beeeh ! beeeh ! J'ai froid ! »

Tous les jours, c'était la même histoire. Mérinos, le petit mouton, se plaignait auprès de sa maman :

« Beeeh ! Je veux un pull, j'ai froid !

– Mais comment peux-tu avoir froid ? Si encore tu étais tondu, je comprendrais, mais là ! Avec toute cette bonne laine que tu as sur le dos, c'est un comble ! On n'a jamais vu un mouton avoir froid !

– Oui, mais moi je suis différent, je suis très frileux.

– Je crois surtout que tu es très capricieux.

– Beeeh ! Maman, je voudrais un pull-over ! Je ne vois pas pourquoi seuls les hommes auraient le droit

d'en porter ! Nous les moutons, nous fournissons la laine et ce sont eux, les hommes, qui en profitent. Ce n'est pas juste !

– Les hommes portent des pull-overs, parce qu'ils n'ont ni fourrure, ni plumes, ni laine. Ils n'ont pas la chance d'avoir comme nous une protection naturelle contre le froid.

– Peut-être, mais leurs habits ont de jolies couleurs, et ils ont le choix.

Moi, je suis toujours vêtu de la même manière !
– Ce que tu peux être entêté ! »
La maman de Mérinos était bien embêtée. Elle voulait tout de même faire plaisir à son fils. Elle alla trouver Têtu, l'âne de la ferme, pour lui demander conseil. Têtu alla fouiller dans la ferme, puis il revint avec un seau de peinture qu'il tenait entre les dents.

Il s'approcha du petit mouton et lui dit :
« Ne bouge plus. Ferme tes yeux et ne les ouvre que lorsque je te le dirai. »
Têtu trempa alors sa queue dans le pot de peinture et se mit à peindre de jolis motifs colorés sur la toison du petit mouton. Lorsque celui-ci rouvrit les yeux, il fut émerveillé… et n'eut plus jamais froid ! •

Les deux amis

Quentin et Benoît étaient inséparables. Ils étaient dans la même classe, et on ne les voyait jamais l'un sans l'autre. Toujours fourrés ensemble, partageant tous leurs secrets, leur amitié semblait indestructible. Cela n'était pas sans provoquer de la jalousie. Ainsi y avait-il dans leur classe un petit garçon qui s'appelait Maxence. Ce Maxence n'avait aucun ami et voyait d'un très mauvais œil l'affection que se portaient Quentin et Benoît. Quentin avait aussi une amoureuse, Mathilde, à qui il n'avait jamais osé déclarer ses sentiments. Il en parlait souvent à Benoît :
« Crois-tu qu'elle m'aime aussi ? Comment le savoir ? En tout cas, promets-moi de ne jamais lui en parler !
– Je te le jure », répondait Benoît.
Mais un jour, à la récréation, Quentin vit Mathilde qui venait vers lui. Elle semblait toute troublée.
« Il faut que je te parle », lui dit-elle.
Quentin rougit jusqu'aux oreilles.

« Pourquoi tu ne me l'as pas dit toi-même ?
– Quoi ? demanda Quentin.
– Que tu m'aimais bien. Pourquoi est-ce Benoît qui me l'a écrit ?
– Mais… »
Quentin fut interrompu par la cloche qui sonnait la fin de la récréation. Il était furieux. Le soir, il n'adressa pas la parole à Benoît, ni le lendemain. Benoît ne comprenait pas. N'y tenant plus, il demanda :
« Mais enfin, qu'est-ce que j'ai fait ?
– Pourquoi as-tu été écrire à Mathilde que je l'aimais ? Tu m'as trahi !
– Je n'ai jamais fait ça ! »
Soudain, Mathilde arriva en courant :
« Ne vous disputez pas, dit-elle. Maxence vient de tout m'avouer ; c'est lui qui a écrit le mot en signant Benoît. Je crois qu'il est très malheureux et qu'il s'en veut beaucoup. »
Quentin et Benoît pardonnèrent à Maxence qui devint un de leurs meilleurs amis.
Quant à Mathilde, elle avoua à Quentin qu'elle l'aimait aussi ! •

L'escargot et la limace

Un jour, dans un jardin potager, Speedy l'escargot s'approchait tranquillement d'une salade. Mmm ! Comme elle avait l'air bonne cette laitue avec ses feuilles vertes et craquantes encore toutes ruisselantes de rosée. Speedy songeait déjà au délicieux festin qu'il allait faire. Mais il déchanta bien vite lorsqu'il vit que Tignasse, la limace, avait commencé à dévorer sa salade. Elle semblait se régaler. Speedy était furieux. De toute façon, il détestait les limaces.

« Eh, toi ! Va-t-en ! J'ai faim, laisse-moi ta place.

– Vous êtes mal élevé, Monsieur l'Escargot. Vous pourriez au moins me dire bonjour !

– Jour, grommela Speedy. Laisse-moi manger maintenant.

– Bonjour Monsieur l'Escargot grognon. Il me semble qu'il y a assez de salade pour nous deux, non ?

– Je n'ai pas à discuter avec une limace !

– Et pourquoi ça, s'il vous plaît ?

– Parce que vous êtes des animaux ridicules. Vous vous promenez toujours tout nus. Vous n'avez même pas l'intelligence d'avoir votre maison sur le dos. Jamais un escargot digne de ce nom n'oserait se montrer dans une tenue aussi indécente ! »

La limace allait répliquer lorsqu'elle entendit le jardinier et un ami qui s'approchaient.

« Moi, j'adore les escargots ! » disait le jardinier. L'escargot lança alors un regard triomphant à Tignasse.

« Ah, tu vois ! On nous aime, nous ! Qui aimerait une limace ? »

Et le jardinier ajouta :

« Oui, j'adore les escargots. C'est délicieux ! Il suffit de les faire cuire avec du beurre et de l'ail avant de les déguster, un vrai régal ! »

Et Speedy, tout penaud, s'enfuit le plus rapidement qu'il put sous les rires moqueurs de Tignasse qui retourna à sa salade. ●

On ne sait jamais comment faire

« Maman ! Abel n'a vraiment pas de chance, il va avoir un petit frère ! dit un jour Chloé en rentrant de l'école.

– Au contraire Chloé, il en a de la chance, il aura quelqu'un avec qui jouer !

– Oui d'accord ! Mais ses parents l'aimeront moins, car il faudra qu'ils aiment aussi le nouvel enfant !

– Viens ici que je t'explique. L'amour est une des rares choses qui peut se partager sans diminuer, l'amour ne s'épuise pas. Par exemple, moi je t'aime, j'aime ton papa, j'aime ta grand-mère et ton grand-père, j'aime tonton et aussi mon amie Marie, j'aime bien aussi Krokette le chat. Tu vois, on peut en aimer du monde à la fois ! Et puis, tu sais, plus tu aimes de gens, plus ils te le rendent !

– Ça sert à rien alors, s'ils te le rendent !

– Non, ça ne veut pas dire ça. Plus tu aimes les gens et plus ils t'aiment aussi. Plus on donne de l'amour et plus on en reçoit. Tu vois ce n'est pas comme les bonbons par exemple, si on en donne à tout le monde, au bout d'un moment il n'y en a plus ! »

Chloé se dit que ça, c'était une sacrée nouvelle et elle s'en alla en sautillant :

« Vivement demain que je le dise à Abel ! Il va être drôlement content ! »

Le lendemain, Chloé partit à l'école, pressée de délivrer sa grande nouvelle.

« Chloé ! N'oublie pas de prendre des madeleines !

– Oui maman ! À tout à l'heure ! »

Chloé arriva à l'école alors que la cloche sonnait. Tant pis, elle verrait Abel tout à l'heure. Lorsque l'heure de la récréation arriva, Chloé sortit dans la cour en savourant les madeleines faites par sa grand-mère.

Hum ! Elles avaient un délicieux goût de beurre. Abel sortit de sa classe et arriva en courant.

« Bonjour Chloé ! Oh ! tu me donnes une madeleine ?

– Abel ! Il faut que je t'explique quelque chose ! Les madeleines, c'est comme les bonbons, quand on les donne, après il n'y en a plus ! Par contre, l'amour, c'est inépuisable, plus on en donne et plus il y en a ! »

Abel ronchonna et s'en alla en traînant des pieds.

« Alors voilà ! se dit Chloé, je lui annonce une bonne nouvelle et monsieur fait la tête. On ne sait jamais comment faire avec les garçons ! » •

AOÛT
AOÛT
20

Lise va aux champignons

Enfin, il pleut ! Lise attendait cela depuis son arrivée chez tante Lucie au début des vacances. S'il y a une chose que Lise adore faire quand elle est là, c'est bien d'aller ramasser des champignons. Au bout d'une semaine humide, tante Lucie annonce un matin que, peut-être, il se pourrait que... on va aller voir si... Bref, c'est le moment de partir à la chasse à la chanterelle. Tante Lucie prend son livre de champignons, son panier, et deux sacs en plastique. Elle recommande à Lise d'en faire autant.

« Pourquoi ? » s'étonne Lise qui a déjà oublié les recommandations de sa tante.

Celle-ci lui rappelle les règles :

« Il ne faut jamais mélanger les champignons bons à manger avec ceux qu'on ne connaît pas très bien. Il suffit d'un tout petit morceau pour empoisonner toute une famille !

– Mais puisque tu as ton livre, on peut regarder s'ils sont bons ou pas !

– Je peux me tromper. Récapitulons, s'il te plaît ; je veux que tu te rappelles bien. Donc, dans le panier, on met ?

– Les champignons qu'on connaît très bien et dont on est sûr qu'ils sont bons à manger.

– Bien. Dans un des sacs en plastique ?

– Les champignons qu'on ne connaît pas très bien, pour demander au pharmacien si on peut les manger sans risque.

– Dans l'autre sac en plastique ?

– Ceux qu'on ne connaît pas du tout, pour demander au pharmacien ce que c'est. Bon, on y va maintenant ? »

Lise et tante Lucie ont eu de la chance ; elles ont trouvé trois gros cèpes ventrus, bien cachés sous les feuilles de chêne, vingt girolles si jaunes qu'elles semblaient clignoter sur la mousse pour leur faire signe, quelques russules et une oronge.

Elles vont se régaler !

•

Le vol des statues

Le directeur du musée est bien ennuyé : c'est la deuxième fois, en deux jours, que l'on dérobe une sculpture. Le voleur a réussi son coup malgré la présence des gardiens. En plus, il n'a laissé aucun indice !
Le directeur du musée décide alors de faire appel au meilleur détective de la ville : Nick Kent. Celui-ci se rend sur les lieux du vol pour enquêter. Mais il ne trouve aucune piste.
« J'ai une idée pour coincer notre voleur », confie-t-il au directeur.
Le soir même, le voleur s'introduit dans le musée et endort les gardiens. Dans la grande salle, il tombe en admiration devant une statue qui semble plus vraie que nature.
« Une de plus pour ma collection ! »
Il l'emporte en s'enfuyant par un passage souterrain ignoré de tous. Une fois chez lui, le voleur pose la sculpture et la contemple :
« Magnifique ! Impressionnant ! On croirait qu'elle va bouger !

– Tu ne crois pas si bien dire ! » répond la statue. Et, devant le regard incrédule du voleur, la statue commence à se craqueler et à se mouvoir. Nick Kent, le détective, apparaît : sous un moulage en plâtre, il était caché dans la sculpture !
« Je crois que tu es démasqué, mon ami ! » dit le détective.
Le voleur fond en larmes.
« Pardon, dit-il entre deux sanglots. J'aime tellement les sculptures. C'est une passion plus forte que moi. Mais je n'ai pas les moyens d'en acheter. Je n'ai pas de travail.
– Écoute, si tu promets d'arrêter de voler, je vais te donner l'occasion de travailler et de voir des sculptures tous les jours. Mais il va falloir être sérieux, hein ? Sinon, tu iras en prison.
– Je vous le promets ! »
Nick Kent propose alors au voleur de devenir gardien de musée. Celui-ci accepte avec joie. Il adore son nouveau métier. Et, grâce à sa vigilance, il n'y a plus aucun vol. •

Le vieux lion

Au fin fond de l'Afrique, le vieux lion est fatigué. Le roi des animaux n'est plus le jeune lion fringant et fort qui impressionnait tous les animaux de la savane. Ah ! Quelle énergie il avait alors ! Maintenant, c'est fini, il n'a plus goût à rien.
« Je suis un vieillard, songe-t-il. Je ne suis même plus digne d'être roi. Je n'ai plus la force de gouverner. »
Lors de la réunion du conseil des animaux, il annonce sa décision de rendre sa couronne.
« Mais tu ne peux pas, tu es notre roi ! proteste l'éléphant.

– Qui nous gouvernerait ? renchérit le singe.
– Vous n'avez qu'à choisir parmi les jeunes lions, il y en a bien un qui fera l'affaire, répond le vieux lion.
– Mais ils n'ont ni ta sagesse ni ta force ! objecte la hyène.
– Écoutez, je suis votre roi depuis fort longtemps, mais à quoi sert d'avoir un roi qui est incapable de vous défendre ? Inutile de continuer cette discussion : je laisse ma place. Le conseil est levé ! »
Les animaux voient le roi s'éloigner tristement.

•••

Quelques jours plus tard, une immense agitation se fait sentir dans toute la savane : ils sont là ! Les chasseurs ! Armés de fusils, ils traquent les animaux, tentant de rapporter les plus beaux trophées. Les animaux terrorisés appellent le vieux lion. Au mot chasseurs, son sang ne fait qu'un tour. Sans attendre, il se précipite au devant d'eux, ignorant la peur, ignorant les fusils,

il se rue sur les hommes en poussant un rugissement si féroce qu'ils déguerpissent aussitôt.

« Hourra ! » crient tous les animaux de la savane. Le vieux lion marche fièrement sous les acclamations. Il a retrouvé toute sa noblesse.

« Vive notre roi ! » crient ses sujets. Et le vieux lion gouverna encore longtemps après ça. •

Les marionnettes

AOÛT 23

De l'autre côté du mur de la cour de récréation, il y avait une petite maison. On disait qu'elle était habitée par un très vieux monsieur. On ne le voyait jamais. Il était mystérieux, ne parlait à personne, et on ne savait pas bien ce qu'il faisait. Les élèves en avaient même un peu peur.

Un jour, les enfants jouaient au ballon dans la cour, et le ballon passa par-dessus le mur. Personne n'osa aller le récupérer : il était tombé dans le jardin du vieux monsieur qui fait peur. C'est donc la maîtresse qui se dévoua. Elle sonna à la porte ; le vieux monsieur l'accueillit avec un air bourru.

« C'est pour quoi ? »

La maîtresse lui expliqua ce qui s'était passé.

« Suivez-moi », marmonna-t-il alors.

Pour accéder au jardin, il fallait traverser toute la maison. C'était

une drôle de maison, remplie d'objets étonnants. Ça sentait le bois et la peinture. Une fois dans le salon, le vieux monsieur demanda à la maîtresse d'attendre. Elle regarda autour d'elle et vit que le salon était plein de marionnettes, des marionnettes en bois magnifiquement sculptées. Le monsieur revint, le ballon à la main.

« Elle sont très belles vos marionnettes, où les avez-vous achetées ?

– Je ne les ai pas achetées.

– Vous voulez dire que...

– Oui, c'est moi qui les fabrique. Je fais aussi des spectacles parfois.

– Mais, il faut à tout prix que vous veniez montrer cela aux enfants de l'école ! »

On organisa donc un spectacle de marionnettes. Les enfants furent fascinés. Depuis, chaque semaine, le vieux monsieur vient donner des leçons de sculpture et apprend aux enfants à confectionner de superbes marionnettes. •

L'agent secret

À chaque fois qu'on lui demandait quel métier il voulait faire plus tard, le petit Valentin répondait : « Espion ! »

Il était fasciné par l'espionnage. Il se prenait déjà pour un espion professionnel ! Il ne cessait de fouiner partout dans la maison. Il regardait sous les lits, dans les tiroirs, dans les placards. Au début, ses parents trouvaient cela amusant, mais ils commençaient maintenant à s'inquiéter, car Valentin allait un peu trop loin. Il ne cessait d'écouter derrière la porte les conversations des adultes. Il avait même lu le journal intime de sa petite sœur !

« Écoute, Valentin, lui avait dit sa maman. Les gens ont le droit d'avoir leurs petits secrets. Il faut que tu respectes cela.

– Personne n'a de secret pour moi, je suis l'agent 008 ! »

Comment lui faire comprendre qu'on ne lit pas le courrier des autres, qu'on n'observe pas ses voisins avec une paire de jumelles ?

« Mais papa, répondait simplement Valentin, je suis sûr que nos voisins sont

des extraterrestres venus pour envahir la Terre.

– Et si tu allais plutôt te coucher, Monsieur l'agent secret ? »

Un jour, ses parents découvrirent dans leur chambre le petit magnétophone de Valentin. Il était en train d'enregistrer leur conversation ! Alors, son papa s'approcha de l'appareil et dit :

« Tu ne trouves pas que Valentin est insupportable en ce moment ? Je crois que nous allons l'envoyer vivre à la campagne, dans une ferme, loin de nous pendant des années. »

Lorsque Valentin récupéra l'appareil et écouta, il fut effrayé. Il courut alors dans la chambre de ses parents :

« Papa ! Maman ! Je ne veux pas aller à la ferme, je veux rester avec vous !

– Qui t'a parlé de ferme, dit papa d'un air faussement étonné.

– Heu...

– Alors, 008, tel est pris qui croyait prendre ! »

Et Valentin comprit qu'on lui avait fait une farce. Il arrêta alors d'espionner son entourage. •

Ça y est ! Ils sont nés !

C'est l'effervescence dans le grand chêne. Ce matin, les bébés de monsieur et madame Rouge-Gorge sont nés. Quatre petites choses sans plume qui ont cassé leurs coquilles au lever du jour. La première prévenue a été madame Hou, la chouette, qui rentrait se coucher après une longue nuit de veille au sommet de l'arbre.

« Tiens, a-t-elle dit en passant près du nid des rouges-gorges. Eh bien, je ne suis pas près de dormir tranquille !

Ça va piailler toute la journée, ça ! Déjà, avec la marmaille du rez-de-chaussée, c'était intenable ! Alors maintenant... »

Madame Hou a mauvais caractère, tout le monde le sait, et elle trouve toujours que les enfants font trop de bruit, mais quand même, elle aurait pu dire quelque chose de gentil !

Par contre, monsieur Vifff, l'écureuil, est très ému par ces naissances. Il a entrepris de faire le tour des amis du voisinage pour leur annoncer la nouvelle. Arrivé chez Siffflll, le serpent, il n'a plus de salive tant il a parlé. « Monsieur Siffflll, a-t-il dit tout essoufflé, ils sont nés ! Ils sont nés !

– Bon, bon, a bougonné le serpent, c'est bien. Félicitez les parents pour moi. »

Tout le monde a été très gentil. La famille Souris a offert quelques noisettes, les fourmis ont apporté des graines, et Crrrâââ le geai s'est proposé d'aller avertir les animaux de la forêt d'à côté. Monsieur et madame Rouge-Gorge ont dit merci, merci, mais ils ne savent plus où donner de la tête. Les quatre petits sont leurs premiers bébés. Et ils ont faim, les minuscules ! Certes, ils n'ont pas encore de plumes, mais, par contre, ils savent

réclamer en ouvrant grand le bec. Quelle vie que la vie de parents ! •

26 Le mille-pattes a mal aux pattes

Depuis le début de l'hiver, dans la forêt, on entendait tous les jours des petits cris : « Ouille, ouille, ouille ! » Pas une seule fois, mais dix fois, cent fois, mille fois ! Qui pouvait souffrir autant ? On demanda à Simon le hanneton de survoler la forêt afin de repérer d'où provenaient les cris. Simon se mit en route. Au bout de quelques heures de vol, il trouva enfin ce qu'il cherchait :

« Ouille, ouille, ouille ! »

Pas de doute, les cris venaient bien de l'étrange petite créature qui rampait juste en dessous de Simon. Celui-ci s'approcha du petit insecte : c'était un jeune mille-pattes.

« Bonjour petit mille-pattes.

– Bonjour... ouille ! Monsieur le... aïe ! Hanneton, répondit le petit mille-pattes.

– Eh bien, que t'arrive-t-il ? lui demanda Simon.

– J'ai... aïe ! affreusement mal... ouille ! aux pattes ! »

Le petit mille-pattes avait si mal qu'il en

avait les larmes aux yeux ! « Ce doit être extrêmement douloureux, lui dit Simon. Je vais aller chercher un médecin. Ne bouge surtout pas, je reviens dans un moment. »

Et Simon s'envola aussitôt. Lorsqu'il revint, il était accompagné du scarabée, le docteur le plus compétent du coin. Celui-ci examina le mille-pattes.

« Depuis quand avez-vous mal ?

– Depuis le début de l'hiver, docteur.

– C'est bien ce que je pensais : vous avez les pattes gelées. Ce n'est rien, on va arranger ça. Simon, allez me chercher Azaë.

– Tout de suite, docteur. »

Quand Azaé, l'araignée, arriva, le scarabée lui expliqua ce qu'il fallait qu'elle fasse. Le lendemain, elle avait terminé : toute la nuit, elle avait tissé mille petites chaussettes en toile ! Une à une, le jeune mille-pattes les enfila. Ses petites pattes se réchauffèrent aussitôt et il n'eut plus jamais froid. •

Le petit garçon qui aimait coudre

Thomas avait une passion : la couture. Les garçons de son âge ne comprenaient pas qu'un garçon puisse aimer coudre. « Mais c'est un truc de fille ! » disaient-ils.

Thomas se souvenait encore du jour où le maître avait demandé quelles activités les élèves voulaient pratiquer. Tous les garçons avaient répondu : le foot, le vélo, la natation, mais lui avait dit : « La couture. » Tout le monde alors avait éclaté de rire, et Thomas était devenu tout rouge. Pourtant, il adorait ça et il était très doué. C'est lui qui fabriquait les vêtements pour la poupée de sa sœur. Le maître était intrigué : c'était si rare les garçons qui aimaient la couture.

Il demanda à voir les dessins de Thomas. Celui-ci hésita, mais il finit par lui faire voir son carnet où il avait dessiné de magnifiques robes et de très beaux costumes.

Le maître fut très impressionné :
« Tu as beaucoup de talent, Thomas, tu sais. D'ailleurs, cela me donne une idée. »

Avec l'aide de Thomas, le maître décida d'organiser un défilé de couture pour la fin de l'année. Tous les modèles seraient dessinés et réalisés par le garçon. Les petites filles de la classe serviraient de modèles. Enfin, le grand jour arriva. Les parents et les élèves étaient réunis. Les petites filles étaient heureuses de jouer les mannequins et de porter les superbes robes qu'avait fabriquées Thomas. Le défilé fut un véritable triomphe ! Parents, professeurs, élèves, tout le monde applaudit Thomas. Il était heureux et bien décidé à faire de sa passion son métier.
Plus tard, Thomas devint effectivement un grand couturier. •

Tonton Paul rentre de voyage

Loulou est tout content. C'est aujourd'hui que son tonton Paul revient. Il est parti il y a plus d'un an. Loulou se demande si son oncle va le reconnaître. Il était presque un bébé quand celui-ci a pris l'avion. Loulou a beaucoup de questions à poser à tonton Paul. Il paraît qu'il est allé partout : au Canada, dans les montagnes Rocheuses, sur la côte de l'océan Pacifique et aussi dans la Pampa, en Amérique du Sud, et dans les grandes forêts d'Amazonie et...

« Loulou, calme-toi, dit son papa. Tu ne vas pas assommer ton oncle avec tes questions dès son arrivée ! Laisse-le respirer un peu. »

Mais Loulou veut tout savoir et à peine tonton Paul a-t-il posé son sac qu'il est

•••

déjà sur ses genoux :
« Dis-moi, il y a
tout le temps de
la neige au
Canada ? Tu as
fait du ski alors ?
Raconte s'il te plaît.
– Oui, et je me suis
promené sur les lacs gelés.
– Et dans les grandes montagnes,
tu as vu des ours ?
– Mais dis-moi, tu m'as l'air bien renseigné ?
C'est à l'école que tu as appris tout ça ? »
Tout fier, Loulou lui explique qu'il a gardé toutes ses
cartes postales et qu'il a cherché dans les livres.
« Et après, tu es allé où ?
– Au Mexique, en Bolivie, en Amazonie...

– Et tu as vu des
animaux là-bas ?
Des lions ?
– Ah non, pas
de lions, il n'y
en a pas sur
ce continent-là.
Mais j'ai vu des
alligators, des anacondas
longs comme la maison,
des singes, toutes sortes
d'oiseaux. »
Après, tonton Paul a dû s'en aller, mais Loulou a
encore beaucoup de choses à lui demander avant de
décider de partir en voyage, lui aussi, par
exemple : est-ce qu'il y a des chats en Amérique, parce
que sinon, il n'ira jamais ! •

AOÛT
AOÛT
29

Tout s'explique !

Il y a longtemps, dans une époque lointaine, les
serpents avaient des pattes. Six petites pattes avec
lesquelles ils pouvaient se déplacer rapidement, courir
et sauter. Les serpents auraient été tout à fait heureux
s'il n'y avait pas eu les lézards. Depuis toujours, les
lézards et les serpents se détestaient. À cette époque-
là, c'étaient les lézards qui n'avaient pas de pattes :
ils rampaient tout comme les serpents d'aujourd'hui.
Un jour, le roi des serpents convoqua son peuple :
« Mes chers serpents, cette fois-ci, ils faut en finir
avec ces maudits lézards. Nous allons leur livrer
bataille et nous allons les exterminer. Je vous
demande à tous de vous engager dans cette guerre
qui nous délivrera à jamais de nos ennemis. »
Au même moment, le roi des lézards tenait le même
discours à son peuple. La grande guerre était
inévitable.

Elle fut terrible, une guerre sans merci ! Les serpents
semblaient avoir le dessus, mais les lézards réussirent
à capturer le roi des serpents. On le traîna devant
le roi des lézards qui lui dit :
« Serpent, te voilà prisonnier. Maintenant, tu as le
choix : ou nous te tuons sur-le-champ, et tes armées
ne te survivront pas, ou tu décides de faire la paix.
Si tu choisis la seconde solution,
nous te libérerons et nous
signerons un traité de paix, mais,
en échange, tu devras nous
donner quelque chose. Alors que
choisis-tu ?
– Que dois-je donner en échange de
la paix ? demanda le roi serpent.
– Tes pattes, ainsi que celles de tous
les serpents !
– J'accepte », dit le roi
serpent qui voulait
sauver son peuple.
Depuis, les
serpents rampent,
et ce sont les
lézards qui ont des
pattes. •

Les meilleures ennemies

Léa et Coline se détestaient. Personne ne savait pourquoi, mais les deux petites filles ne pouvaient pas se supporter. Elles étaient dans la même classe, mais jamais elles ne s'adressaient la parole. Lorsque l'on demandait à Léa pourquoi elle détestait Coline, elle répondait :

« Parce que c'est comme ça. Je la déteste, un point c'est tout ! »

Et lorsque l'on demandait à Coline pourquoi elle détestait Léa, elle répondait :

« Parce que c'est comme ça. Je la déteste, un point c'est tout ! »

Tout le monde trouvait ça idiot, mais les deux petites filles ne voulaient pas changer d'avis :

« C'est ma pire ennemie », disait Léa.

« C'est mon ennemie jurée », disait Coline.

Pour la fête de fin d'année de l'école, on avait organisé un grand bal déguisé. Léa avait réfléchi longuement à son déguisement, car elle voulait être originale.

« Toutes les filles vont être habillées en fées ou en sorcières. Moi, je vais être déguisée en fantôme ! » Et, avec son grand drap et son petit boulet, elle faisait un parfait petit fantôme. Mais quelle ne fut sa surprise lorsqu'elle vit que quelqu'un avait eu la même idée qu'elle ! Qui cela pouvait-il être ? Curieuse, Léa s'avança vers son double et les deux petits fantômes commencèrent à discuter. Ils se trouvèrent tout un tas de points communs, ils se découvrirent les mêmes goûts et rigolèrent bien ensemble. Lorsqu'ils vinrent à parler de ce qu'ils n'aimaient pas, Léa dit :

« Moi, je déteste une fille. Elle s'appelle Coline.

– Et moi je déteste une fille qui s'appelle Léa ! » répondit l'autre en ôtant son drap.

Léa n'en revenait pas ! C'était Coline ! Elle ôta elle aussi son drap et les deux petites filles éclatèrent de rire. Léa et Coline devinrent les deux meilleures amies du monde. •

Le roi qui ne parlait pas aux autres

Le roi était si prétentieux, si certain d'être supérieur aux autres, qu'il ne leur adressait jamais la parole directement. La seule personne à qui il parlait, c'était le serviteur qu'il avait engagé spécialement pour transmettre ses volontés aux autres. Ainsi, lorsqu'à table le roi voulait du sel, il demandait à son serviteur de demander à la reine de lui passer le sel. Or, il advint que le vieux serviteur commença à devenir sourd. Il répétait tout de travers. Du coup, le roi n'obtenait plus jamais ce qu'il désirait. Par exemple, au lieu de demander du sel, le serviteur disait :

« Passez-moi la pelle. » Et la reine tendait au roi une petite pelle. « C'est insensé, je n'ai plus rien de ce que je veux ! Si c'est mon serviteur qui se paye ma tête, je vais faire trancher la sienne, et si c'est le reste du monde qui se moque de moi, je vais faire trancher la tête du reste du monde ! » Un jour, dans un restaurant, le roi fit demander par son serviteur une omelette au jambon. Lorsque le plat arriva sur la table, le roi goûta et recracha tout de suite :

« Pouah ! Mais c'est infect ! Qu'est-ce que c'est que cette horreur ? »

Le garçon du restaurant, qui l'entendait hurler, accourut aussitôt et lui dit :

« Mais c'est une omelette au savon, comme vous la vouliez, Sire ! » Le roi en eut assez. Il s'exprimerait lui-même dorénavant, c'était plus sûr. Dès qu'il essaya, le roi obtint tout de suite ce qu'il désirait. C'était si simple ! Il commença même à prendre plaisir à parler aux autres. Il engagea des conversations, se fit des amis, se fit aimer de ses proches. La vie lui parut soudain plus douce. Depuis, dans tout le pays, on recherche la compagnie de ce roi toujours prêt à vous écouter et à parler avec vous. •

Septembre

SEPTEMBRE
SEPTEMBRE
1er

La ruse de Sylvain

L'hiver approche au village des lutins. Pour ne manquer de rien pendant cette période difficile, les lutins ont fait de grandes provisions de blé. Dans la réserve sont entassés des centaines de sacs de blé, du beau blé doré et croquant. Seulement, ce blé attire la convoitise des rats et de leur chef, le terrible roi des rats ! Aussi, chaque soir, les lutins se relaient pour monter la garde afin d'empêcher les rongeurs de dévorer la récolte.

« Si seulement on pouvait débarrasser une fois pour toutes le pays de ces méchants bandits, » songe Sylvain, le lutin malin. Il se met à réfléchir. Soudain, il a une idée, un plan génial ! Le soir même, Sylvain demande aux gardes de rentrer chez eux et de ne pas surveiller l'entrée de la réserve de blé. Voyant que le passage est enfin libre, le terrible roi des rats crie à sa troupe : « À moi, ma bande ! À l'assaut ! Pillons,

volons et dévorons tout ce bon blé ! » Mais lorsqu'ils pénètrent dans la réserve, ils voient qu'ils ne sont pas seuls : Sylvain est déjà là en train d'ouvrir un sac de blé.

« Que fais-tu là ? lui demande le roi des rats. Va-t'en, laisse-nous voler tranquillement !

– Je suis comme vous, Messeigneurs, un voleur. Et je m'en vais dérober un sac de ce bon blé doré. » Et Sylvain prend une poignée de blé qu'il porte à sa bouche. Mais, à peine a-t-il croqué un grain qu'il se met à crier : « Ce blé est empoisonné ! » Et il s'effondre par terre. Le roi des rats frémit : « Du blé empoisonné ! Quelle horreur ! Allons, ma bande, fuyons ce pays maudit ! » Et les rats déguerpissent aussitôt pour ne plus jamais revenir. Sylvain se relève avec un petit sourire :

« Ces rats sont décidément très bêtes », se réjouit-il. •

SEPTEMBRE
SEPTEMBRE
2

La fille de la boulangère

La meilleure amie d'Élisabeth, c'est Astrid, la fille de la boulangère. Comme Élisabeth l'envie !

« Tu en as de la chance, toi. Tu peux manger autant de gâteaux et de bonbons que tu veux. J'aimerais tellement être à ta place ! Mes parents m'interdisent toujours de manger trop de sucreries. Il paraît que ce n'est pas bon. Alors moi je leur réponds toujours : « Si c'est si mauvais pour la santé, comment ça se fait que c'est aussi délicieux ? »

Ce que les adultes peuvent être barbants ! Toi, tu peux faire ce que tu veux, c'est génial !

– Mais tu sais, lui répond Astrid, je ne mange pas plus de gâteaux que les autres. J'en vois tellement qu'à la fin je n'en ai même plus envie.

– C'est impossible, moi je ne me lasserais jamais, j'en suis sûre ! »

À la fin de l'année, Astrid fait une proposition à son amie :

« Écoute, Élisabeth, tu sais que, pendant

les vacances, j'aide mes parents à la boulangerie. Eh bien, je te propose de me remplacer une semaine. Comme ça, tu verras comment ça se passe.

– C'est vrai, tu ferais ça ? Oh, merci, merci ! À moi les pains au chocolat, les chewing-gums et les caramels !

– Alors, à demain à 8 h ! »

Le lendemain, Élisabeth est aux anges : elle a mis un petit tablier blanc et se tient, toute fière, derrière la caisse.

« Et pour vous, Madame, ce sera ? »

Mais, entre chaque client, Élisabeth mange un chocolat, un bonbon ou bien un gâteau : elle ne peut pas s'arrêter ! Et elle en mange tant et tant qu'elle est malade, horriblement malade. Le soir, Astrid vient la voir chez elle. La pauvre Élisabeth est au lit avec une belle indigestion.

« Alors, tu reviens demain ? lui demande Astrid avec un petit sourire.

– Ah non ! Et qu'on ne me parle plus jamais de sucreries ! Je déteste les gâteaux ! » •

Julie veut une petite sœur

Chaque fois que Julie et sa maman font des courses, elles rencontrent des dames du quartier. Et chaque fois, c'est la même chose : « Oh, qu'elle est mignonne, cette petite fille ! Comment tu t'appelles ? Tu es bien timide, dis-moi ! » Après, elles lui demandent son âge, et si elle travaille bien à l'école et si blablabla... Julie en a assez à la fin, alors elle fait sa timide, elle se tortille en baissant la tête et en se cachant derrière ses cheveux. Lassées de n'avoir pas de réponse, elles lui fichent enfin la paix, mais c'est à sa maman qu'elles posent les questions : « Et quand est-ce que vous lui fabriquez un petit frère ? »
Et voilà ! nous y sommes ! Le petit frère, gnagnagna... Non, elle ne veut pas de frère, Julie, elle veut une sœur.

Les garçons, elle en a assez. Ça vous tire les cheveux, ça vous prend votre cartable et ça le jette partout, ça hurle, ça n'arrête pas de se bagarrer pour faire les malins. Tandis qu'une petite sœur, toute douce, toute fragile, elle pourrait la coiffer, l'habiller, lui chanter des chansons, l'emmener jouer dans le parc. Elles coucheraient dans la même chambre et, le soir, quand tout le monde dormirait, elle lui raconterait des histoires de princesses et aussi des histoires de monstres pour lui faire un peu peur, juste un peu. Elle la veut jolie, avec des cheveux bouclés et de grands yeux, et de toutes petites mains et de tout petits pieds. Et qu'elle ne pleure pas... Mais au fait, si c'était un petit frère, elle pourrait faire tout ça aussi avec lui. Ah oui, c'est vrai. Bon finalement, elle est d'accord pour le petit frère.
À condition qu'il ne touche pas à ses affaires ! •

La bête rousse

C'est madame Hou, la chouette, qui a annoncé la nouvelle. Cette nuit, elle était perchée sur la plus haute branche du grand chêne. Tout était calme. Tout à coup, elle a vu bouger quelque chose dans les buissons. Elle s'est dit :
« Chic, voilà mon repas du soir ! »
Pas du tout, c'était beaucoup trop gros. Madame Hou n'a plus bougé, et elle s'est bien gardée de hululer. La chose est enfin sortie des broussailles et madame Hou a pu la voir dans la clarté de la Lune.

Elle l'a décrite ainsi :
« Une bête longue et rousse, avec une queue plus touffue que vous, monsieur Vifff... »
Monsieur Vifff, l'écureuil s'est vexé. Personne n'a une queue plus belle que la sienne, personne ! Sauf, bien sûr... mais non, c'est impossible !
Madame Hou a ensuite expliqué que la bête en question avait un nez pointu et des

•••

yeux luisants comme des cailloux dans l'eau. Deux petits yeux méchants.
« Comme la fouine ? a demandé monsieur Souris, terrorisé.
– Pire, a répondu madame Hou, pire ! et c'est deux fois plus gros qu'elle. »
Monsieur Vifff a pris la parole :
« Mes amis, je sais de qui il s'agit ; le seul animal au monde qui ait une queue presque aussi belle que la mienne, c'est le renard. Nous allons devoir être prudents.

– Le renard ! se sont exclamés tous les habitants du grand chêne d'une voix tremblante. Qu'allons-nous devenir ? »
Monsieur Siffflll, le serpent, qui n'avait encore rien dit, ajouta :
« De tout temps, il y a eu des renards dans les forêts, et nous sommes encore là. Ne vous inquiétez pas, je vais lui parler. »
On ne sait pas ce que le serpent a dit au renard, mais celui-ci est reparti le soir même. Ouf ! Merci monsieur Siffflll ! •

Du côté des marais

Pendant les vacances d'été, Sophie va souvent chez sa tante Isabelle à Noirmoutier. Elle aime beaucoup aller là-bas, elle se retrouve presque sur une île. Tante Isa fait un métier extraordinaire : elle est paludière ! Elle travaille dans les marais salants. L'été, c'est le moment de la récolte. Au printemps déjà, Sophie y est allée. Elle l'a aidée à préparer le marais. Un marais, c'est un vrai labyrinthe. L'eau est obligée de passer par tout un tas de canaux et, pour finir, gorgée de sel, elle arrive dans l'œillet. Puis, grâce au Soleil et au vent, l'eau s'évapore. Un œillet, c'est la surface en forme de cercle où tante Isa récolte le sel. Tante Isa possède douze œillets ! Ici, tout est calme, il n'y a que des bassins à perte de vue. Des gros malins voulaient racheter toutes ces terres pour faire de nouvelles constructions, mais les paludiers ont refusé.

Maintenant, les marais sont protégés, c'est le paradis des oiseaux et des fleurs.
Le tout premier sel ne forme pas encore une croûte, plutôt une écume. On l'appelle la fleur de sel, c'est le meilleur. Sophie arrive toujours après cette récolte qui a lieu avant les vacances, mais ramasser le gros sel est tout aussi passionnant. Avec sa petite pelle, elle aide tante Isa toute la journée. Elle ne s'ennuie jamais ! Il y a tant de choses à observer !
Et puis, à midi, elles pique-niquent. Tante Isa a toujours un panier bien rempli, et surtout elle lui raconte de merveilleuses histoires. Durant tout l'hiver Sophie peut y repenser. Grâce à ces contes de paludier, les marais sont avec elle toute l'année ! •

Le monstre gentil

Il était une fois, dans une grotte, un monstre. Dans le village d'à côté, certains habitants croyaient à son existence, mais beaucoup riaient de la légende du « Monstre de la grotte ». Personne ne savait où se trouvait la caverne en question.

Ce matin-là, très tôt, David et Jonathan se sont aventurés dans la montagne. En escaladant quelques rochers, ils découvrent un trou. Il y fait sombre et les enfants ne sont pas rassurés. David, l'aîné, dit à son frère :

« Allons-nous-en, il va nous arriver des ennuis. Et puis, on n'y voit rien là-dedans. »

Mais, bien que plus jeune, Jonathan se montre plus courageux :

« Non, je veux explorer cette grotte. Regarde, j'ai une lampe de poche dans mon sac à dos. »

Après quelques pas à l'intérieur, les frères découvrent deux tunnels.

« Séparons-nous, dit Jonathan, je vais à droite et toi à gauche.

– Pas question ! Il ne faut jamais se séparer dans ces cas-là, papa me l'a souvent dit !

– Oh ! Mais c'est qu'il aurait peur, le grand aventurier ! Bon, viens avec moi. »

Le tunnel est interminable et, au bout, seulement une grande salle vide. Les enfants reviennent sur leurs pas et s'engagent dans l'autre galerie.

Et là... un monstre énoooorme ! Effrayés, les deux frères s'enfuient vers la sortie quand une toute petite voix résonne :

« Non, ne partez pas ! Je ne vous ferai pas de mal. » Jonathan se retourne et, un peu hésitant quand même, se rapproche du monstre qui, tout compte fait, n'est pas si effrayant que ça. Celui-ci dit en soupirant : « Je suis seul depuis si longtemps ! J'aimerais tant avoir des amis ! » Voilà comment David et Jonathan se sont fait un nouvel ami. Mais c'est un secret. Il ne faut pas le répéter. D'accord ? •

Queue-Plate construit sa maison

Queue-Plate, le castor, vient de se marier. Maintenant, il doit construire sa maison, parce que madame Queue-Plate va bientôt avoir des bébés et il faudra les mettre à l'abri.

Queue-Plate s'en va dans la forêt pour choisir les poutres de sa maison. Elles doivent être solides, mais pas trop grosses quand même. Avec ses dents, il ronge le tronc en faisant tout le tour. Il en a pour un moment ! Mais à la fin, il y arrive, et l'arbre tombe dans la neige. Ensuite, il faut le transporter jusqu'à la rivière, et même dans la rivière, parce que c'est là que les castors vivent. Queue-Plate a demandé un petit

coup de main à ses amis. Ils sont venus et, à l'aide de leur queue, de leurs pattes et de leurs dents, ils amènent tous les matériaux jusqu'à l'endroit choisi : pas trop profond, parce que le nid doit être au sec, pas trop près du bord, à cause du loup, et pas trop loin de la maison des copains pour pouvoir pêcher ensemble, et s'amuser aussi.

Pour faire les murs et le toit, Queue-Plate transporte des branches plus petites qu'il entrecroise et

...

171

garnit de boue. Quand tout sera sec, ça sera très solide. Le loup pourra toujours essayer ! Enfin, le castor apporte des herbes sèches qu'il dispose en couches épaisses pour faire le lit. Voilà, c'est prêt. Il ne manque rien :

« Récapitulons, dit Queue-Plate en regardant son ouvrage : le toit, ça va ; les murs, c'est bien ; l'eau peut monter, mon nid est assez haut. »

Ben, et la porte ? Il a oublié la porte ! Le loup va pouvoir entrer, alors ! Mais non, pas besoin de porte ! Pour entrer chez Queue-Plate, il faut passer sous l'eau, et le loup n'aime pas nager ! •

Entre guitare et violon

Une guitare et un violon étaient abandonnés depuis longtemps au fond d'une armoire ; personne ne s'intéressait plus à eux. Ils étaient malheureux et seuls dans l'obscurité de ce placard, au milieu des chaussures nauséabondes, jusqu'au jour où...
Un matin, la porte de l'armoire s'ouvrit et les deux amis furent éblouis par la lumière ; ils ne l'avaient pas vue depuis si longtemps ! Un homme les saisit tous deux et les rangea dans leurs étuis pleins de poussière.
« Youpi ! À moi la fortune ! Au musée, mes jolis ! »
La guitare et le violon comprirent que la tranquillité, c'était fini. Ils avaient raison : une heure plus tard, ils étaient enfermés dans une vitrine, sous le regard des visiteurs.
Pendant la première nuit, la guitare entendit appeler :
« Guitare ! Guitare !
– Oui violon, je suis là ! Arrête de pleurer, on va nous entendre !
– Dis-moi, reprit le violon : tu sais toi, pourquoi on nous a amenés ici ?

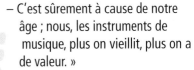

– C'est sûrement à cause de notre âge ; nous, les instruments de musique, plus on vieillit, plus on a de valeur. »
Une petite voix douce dit du fond d'un tiroir :
« Bonjour, je m'appelle flûte et vous, vous êtes...
– La guitare et le violon, dans la vitrine du fond. Alors toi aussi...
– Oui, je suis enfermée là depuis une éternité, et il y a si longtemps que je n'ai pas chanté avec des amis ! Je suis contente de vous rencontrer. On va pouvoir jouer ensemble, la nuit, quand il n'y a personne. »
Depuis, toutes les nuits, les instruments s'en donnent à cœur joie. Mais chut ! C'est un secret ! •

Drame dans la famille Hi-Han

Pompon est amoureux. Hélas ! il n'est pas amoureux d'une ânesse, comme cela semblerait normal pour un âne, mais d'une jeune pouliche appelée Perle. Quand Pompon a annoncé la nouvelle à sa famille, ils ont commencé par rire, surtout quand il a dit qu'il voulait se marier avec elle.

« Qu'est-ce que tu nous racontes là ! a dit son père en secouant ses longues oreilles. Non, mon fils, c'est impossible. Les ânes et les chevaux ne se marient pas ensemble. Tu sais bien que cela ne se fait pas. Que diraient les autres animaux ? Sans parler des chevaux ! Ceux-là, ils se croient supérieurs à tout le monde !

– Mais je l'aime, et elle m'aime aussi », a protesté ce pauvre Pompon qui voyait bien que personne n'était de son côté.

Personne ? Pas si sûr...

Le soir même, alors que Pompon, la tête basse, était tout seul dans le noir, une ombre se glissa près de lui. « Mon jeune ami, dit une voix inconnue, je comprends ce que tu ressens. Moi aussi, j'ai aimé quelqu'un qui n'était pas de mon peuple. À moi aussi on a dit que cela ne se faisait pas et que tout le monde allait se moquer. Mais j'ai tenu bon et j'ai épousé la personne que j'aimais.

– Ah ! dit Pompon, vous avez épousé quelqu'un de la famille des chevaux.

– Non, poursuivit la voix. Je ne suis pas un animal, je suis un homme. Et j'ai épousé une jeune fille qui n'était pas de la même couleur que moi. Chez moi aussi, on m'a dit qu'il fallait rester entre gens semblables. C'est stupide, et méchant. Ne les écoute pas. Si tu aimes Perle, épouse-la. Vous aurez des enfants qui ressembleront à la fois à ta famille et à la sienne. Et tout le monde les trouvera très beaux ! »

•

À cheval ou en voiture

Dans les villes, dans les campagnes, dans les montagnes, dans les îles, et même dans le désert, tous les enfants vont à l'école.

Dans les villes, ils y vont à pied, en trottinette, en skateboard, en bicyclette, en voiture ou, pourquoi pas, en métro.

Dans les campagnes, souvent, l'école est très loin, un taxi, un minibus, ou un car, doit venir les chercher ; en Australie les enfants prennent même un avion-taxi ! Parfois, c'est un peu plus compliqué : il n'y a pas de route à emprunter. Mateo galope dans la pampa sur son cheval, Idriss traverse les oliveraies sur son âne, Malika parcourt le désert sur son chameau et Totuo longe les rizières dans sa charrette tirée par deux buffles. Shirka le petit cornac est bien calé sur le dos de son éléphant.

Dans les îles, au bord des rivières, c'est l'eau qui sert de chemin. Paola garde le cap sur son voilier, Soon se faufile avec sa jonque au milieu des autres bateaux, et Simbad se laisse glisser sur sa pirogue ; gare aux rapides !

Il y a aussi certains pays où la neige est le seul paysage. Tous les matins, Erik farte ses skis, Nanouk attelle ses six chiens au traîneau, Tatiana s'élance sur

•••

•••

sa luge et Gaston grimpe dans un ratrack. Fatoumata habite tout en haut d'une immense montagne. Pas de chemin, pas de rivière. Comment fait-elle tous les matins ? Avec sa montgolfière bien sûr ! Elle est toute rouge avec des étoiles dorées, sa nacelle d'osier est garnie de coussins brodés et, par jour de grand vent, il suffit de fermer le toit ouvrant. Et toi, comment iras-tu à l'école demain ? •

SEPTEMBRE
SEPTEMBRE
11

Drôle de locataire

C'est bientôt l'été. Enfin, on peut vivre les fenêtres ouvertes ! Marjorie est très contente. Elle adore lire, allongée sur son lit en écoutant les oiseaux chanter. Frrrttt... Quel est ce bruit léger comme un tissu qu'on froisse ? À peine si Marjorie a entendu ; elle se replonge dans sa lecture et de nouveau : frrrttt... Intriguée, la petite fille se lève et va regarder par la fenêtre. Au moment où elle se penche frrtttt... au-dessus de sa tête. Cette fois, il se passe quelque chose. Elle se retourne vers sa chambre et commence à inspecter les lieux. C'est une très jolie chambre située tout en haut de la vieille maison de son grand-père. Au plafond, d'énormes poutres de bois ; tiens, là, quelque chose dépasse ; on dirait des brindilles ou du foin. Marjorie monte sur une chaise pour mieux voir. À ce moment-là, quelque chose plonge vers elle, passe à ras de sa tête et disparaît par la fenêtre. Un oiseau !

Marjorie a à peine eu le temps de le voir passer, et maintenant il est perché sur le grand arbre qui pousse devant la maison. Un oiseau tout petit, pas très coloré, qui se tourne dans tous les sens, très agité, en piaillant comme un fou.

Marjorie court raconter cet extraordinaire événement à son grand-père.

« Un oiseau tout petit qui fait beaucoup de bruit ? C'est le troglodyte, dit son grand-père en souriant. Alors comme ça, cette année, il a choisi ta chambre pour faire son nid ? Désolé ma puce, mais tu vas devoir t'installer dans une autre pièce jusqu'à ce que ses petits se soient envolés. Tu comprends, on ne peut plus refermer la fenêtre, sinon il ne pourra pas nourrir ses bébés. Tu veux bien ? » Comment dire non à un oiseau ? •

Henri découvre la mer

Henri a 5 ans et il a encore beaucoup de choses à explorer. Ses parents ont décidé de lui faire découvrir la mer.

« Maman, c'est quoi la mer ?

– Tu te rappelles quand on est allés pique-niquer au bord du lac ? Eh bien, la mer, c'est comme un immense lac avec de l'eau à perte de vue.

– Et on devient aveugle ?

– Mais non, gros bêta ! À perte de vue, ça veut dire que le lac est tellement grand qu'on n'en voit pas le bout. »

Voilà, tout est prêt. ébouriffé comme un épouvantail, à moitié endormi, Henri monte dans la voiture et... se rendort. Il se réveille au moment où la voiture s'arrête sur un parking.

« On est arrivés ? Alors, c'est ça la mer ? demande Henri un peu déçu. Un parking ? »

Son père le rassure :

« Attends donc un peu. On continue à pied. »

Ils s'engagent sur un petit sentier et au bout... un énorme bac à sable, plein de monde, et un immense lac à perdre ses yeux... heu... pardon : à perte de vue. La maman d'Henri installe une serviette avec un parasol et sort le maillot de bain du petit garçon qui s'étonne :

« Pourquoi tu as pris mon maillot, maman ?

– À ton avis ? Pour que tu te baignes !

– Mais je vais me noyer ou me faire emporter par ces rouleaux d'eau !

– Les rouleaux d'eau, comme tu dis, ça s'appelle des vagues. Allez ! Tu ne crains rien ; c'est presque comme dans la piscine de papy. Et puis, je suis là. »

Pas très rassuré, Henri s'avance vers la mer. Quand il rentre dans l'eau, il est tout de suite bousculé dans tous les sens. Il tombe et... berk, berk ! avale une goulée d'eau.

« Mais c'est mauvais ! »

Ses parents sont sur le bord et ils se tordent de rire !

« On avait oublié de te prévenir : la mer, c'est salé ! »

Voilà comment Henri a découvert la mer. Et toi ? •

Au pays des rêves

C'est un pays magique, un pays tout en fumée, en nuages, en bulles. Un pays bleu. Un pays où les choses arrivent quand on y pense, où elles bougent quand on les regarde. Un pays beau. Avec tous les gens qu'on aime, ceux de maintenant, et ceux qui ne sont plus là. On dit : bonjour ! et voilà, ils apparaissent. Un pays où habitent des animaux qui parlent et qui rient. Si on a envie d'un câlin, il y a toujours quelqu'un qui en a envie aussi, quelqu'un de doux et de gentil, quelqu'un qui comprend quand on est malheureux et qui sait rire quand on a envie de s'amuser. Dans ce pays magique, on a un chien si on veut, ou un chat, ou un oiseau, ou même un léopard. Il suffit de vouloir aimer un animal et il est là ; on peut courir avec lui dans les champs, s'endormir contre lui, oui, dans son lit ! Et personne ne l'interdit.

Dans ce pays-là, on ne mange que des bonnes choses, on comprend tout à l'école, on est habillé comme on aime, et les autres aussi. C'est plein d'enfants, ce pays-là, des enfants heureux et tous différents, de toutes les couleurs ; ils ne parlent pas forcément la même langue, mais ils se comprennent tous. Les grandes personnes ne se disputent jamais, et

•••

•••

surtout, elles ne crient pas après les petits, même s'ils ont fait des bêtises, d'ailleurs, ils ne font jamais de bêtises ! Toi aussi, tu peux aller dans ce beau pays merveilleux. Il suffit que tu t'endormes, avec ou sans bisou, avec ou sans câlin, avec ou sans doudou.

Dès que tu seras là-bas, tout sera facile, tu verras. Mais d'abord, comme on n'est pas au pays des rêves, tu vas te laver les dents, mettre ton pyjama, sans rouspéter, sans traîner, et hop ! au lit. D'accord ? •

Petit Gaultier
ira peut-être à l'école

Voici l'histoire vraie de Petit Gaultier, un enfant de ton âge qui habite à Yaïka. Yaïka est un petit village qui existe vraiment dans un pays d'Afrique qui s'appelle le Burkina. Il n'y a plus d'éléphants à Yaïka, ni de lions, ni de gazelles. Le grand-père de Petit Gaultier se rappelle en avoir vu autrefois. Il a dû se passer quelque chose...

Petit Gaultier ne va pas à l'école. Dans ce pays-là, il faut payer pour ça et les gens de Yaïka sont très pauvres. Alors, pour l'instant, Petit Gaultier va chercher l'eau au puits et il aide ses parents à cultiver les champs. Il n'est pas malheureux du tout et il mange à sa faim, contrairement à beaucoup d'autres enfants africains.

Mais s'il ne se passe rien, Petit Gaultier n'ira jamais à l'école. Il n'apprendra pas à lire ; il ne saura pas écrire son nom ; il ne saura pas compter. Alors, toi qui as plus de chance que lui, travaille bien à l'école. Ne rouspète pas pour te lever le matin, apprends bien tes leçons, et quand tu seras grand, tu pourras peut-être faire quelque chose pour aider les enfants d'Afrique ou d'ailleurs.

En attendant, tu peux chercher le village de Yaïka sur une carte du monde. D'abord, tu cherches l'Afrique ; ensuite le Burkina, puis la ville de Ouagadougou. Voilà, tu y es presque. Yaïka n'est pas très loin, dans la brousse, mais comme il n'y a pas de route, ni de train, ni d'avion pour y aller, juste des chemins de terre, tu ne trouveras pas son nom. Pourtant, Petit Gaultier est là. Peut-être un jour pourras-tu aller le voir. Pense à lui amener des livres. •

15 Une drôle de station-service

Autour de cette belle île des mers du Sud, il y a une barrière de corail. C'est comme des rochers sous l'eau, mais des rochers en dentelle rouge ou blanche. C'est magnifique et plein de poissons de toutes les couleurs. On y rencontre aussi des requins, plein de requins, des mérous, des raies géantes. Tous ces monstres des mers attendent sagement à la queue leu leu, sans se battre, et sans manger personne. Et pourquoi, à ton avis ? Parce qu'à cet endroit-là habitent des poissons tout petits, mais très, très utiles. Des sortes de mécaniciens ou de balayeurs...

Regarde ce gros requin-tigre, par exemple. On ne peut pas dire qu'il soit du genre patient, d'habitude. Eh bien, il est là, la gueule grande ouverte, avec l'air un peu stupide qu'on a chez le dentiste ; les minuscules poissons entrent et sortent de sa bouche, passent entre ses terribles dents, et le squale fait très attention à ne pas les avaler ; ils remontent vers ses yeux, pénètrent dans ses ouïes, sans que le monstre ne fasse un geste. Et eux, tranquilles, ils font le ménage, ils enlèvent les parasites, les champignons, toutes ces choses dont le requin-tigre ne sait pas se débarrasser tout seul et qui le gratouillent, le chatouillent, le démangent, et font qu'il a si mauvais caractère. Pendant ce temps, les autres requins attendent patiemment leur tour. Quand les petits poissons ont fini leur travail, les requins s'en vont. Ils reviendront dans quelque temps pour faire examiner leurs dents et leurs oreilles. En attendant, gare à leurs terribles mâchoires ! •

16 La cata

Ce matin, Loulou s'est réveillé tout mouillé. Il faut se rendre à l'évidence : il a fait pipi au lit. Aïe, aïe, aïe ! Catastrophe ! Ça ne lui était plus arrivé depuis des siècles ! Il va se faire disputer, c'est sûr, et même punir. Et si les copains l'apprennent... il les entend déjà :

« Hou le bébé ! »

Loulou a trop honte. Il décide que personne ne doit le savoir, ni ses parents ni les autres. Mais comment faire ? Alors Loulou tire les draps trempés et les couvertures, puis il descend déjeuner. À sa maman qui s'étonne de son air bizarre, il dit :

« J'ai fait mon lit. Comme ça, tu auras moins de travail.

– C'est bien mon chéri ! Tu es un grand garçon ! »
Loulou n'ose pas la regarder en face. Pourvu qu'elle ne s'aperçoive de rien, sinon...
Mais le soir, quand il se glisse dans son lit, pouah !
Il a beau essayer de trouver un endroit sec sur les bords, le voilà bel et bien nageant dans son

•••

177

pipi de la veille ! En plus, il a beaucoup de mal à s'endormir, parce que son lit est glacé. Tant pis pour la punition, il va tout raconter à sa maman.

« Ah ! quand même ! dit-elle d'un air sévère. Pourquoi tu ne me l'as pas dit ce matin ? À la tête que tu faisais au petit déjeuner j'ai compris qu'il y avait quelque chose qui n'allait pas et je suis allée voir. Tu sais, faire pipi au lit, c'est un accident, et ce n'est pas de ta faute, mais mentir, ça, c'est grave. Tu mériterais qu'on te laisse dormir comme ça ! Bon, arrête de pleurer. On va changer les draps ensemble et si tu veux, cette nuit, je te réveillerai pour que tu ailles faire pipi. Par contre, je trouve que c'est une bonne idée que tu as eue de faire ton lit tout seul. Et comme tu y es bien arrivé, tu vas continuer, d'accord ? » •

La souris dentellière

Louisa est une charmante petite souris. Petite, bien sûr, comme toutes les souris dentellières.

Non, elle ne fait pas dans la dentelle, mais plutôt dans le... bricolage.

Tous les soirs, Louisa lit ses mails et prépare son itinéraire. Sophie, 3 rue du Sort ; Rémy, 12 avenue des Lilas ; Matéo, 6 rue des Bois ; Mina, impasse du Vent...

Puis, elle part avec son cabas. Elle entre dans la maison de Sophie, se glisse dans sa chambre, escalade silencieusement son lit et farfouille discrètement sous son oreiller. Ça y est, elle l'a trouvée ; une jolie dent de lait ! Louisa sort alors un euro de son cabas et l'échange contre la dent. Toute la nuit, elle s'affaire.

« Tiens, je connais cette chambre » se dit-elle, assise sur l'épaule de Mina. Elle se souvient alors de Cédric et décide de lui passer le bonjour. Mais, ne nous attardons pas ; quand la petite souris doit passer, nul retard n'est envisagé.

Au matin, Louisa rentre chez elle épuisée. Un petit somme et au boulot, sa tâche n'est pas terminée !

Vers midi, elle ouvre la porte de son cabinet. Son premier patient est un vieux chien efflanqué à qui il ne reste plus une dent. Louisa examine sa récolte de la nuit et choisit 4 canines, 4 molaires et 4 incisives. Elle ouvre alors son pot de colle et fixe les dents sur les gencives du vieux chien.

« Fermez la mâchoire, gardez les dents serrées dix minutes et ce soir vous pourrez manger une entrecôte. »

Tout content, le chien s'en va en la remerciant. Entre un jeune caïman qui s'est cassé une dent.

« Vraiment, pense Louisa, quel beau métier que le métier de dentellière ! » •

18 Le chien qui voulait être un chat

« Graou ! Graou !
– Non, fit Titus, Miaaaou ! Écoute, si tu ne fais pas d'efforts, comment veux-tu devenir un vrai chat ?
– Oui, mais pour toi c'est facile, tu es un chat. »
Cela faisait maintenant quelques heures que Pacha, le chien, avait décidé de devenir un chat et qu'il avait demandé l'aide de son ami Titus, le chat. Oui, Pacha avait décidé de changer de vie. Il en avait assez de ronger des os, de courir après des bâtons, de baver à côté de la table et de remuer sans arrêt la queue. Oui, maintenant il voulait être gracieux et agile ; chasser les souris, grimper aux arbres et regarder ses maîtres d'un air dédaigneux. Être un chat quoi !
Mais pour l'instant ce n'était vraiment pas facile. Il fallait qu'il apprenne à miauler comme un vrai chat, pour exprimer ses sentiments : la colère, la joie, la faim.
« Briaaaou ! Briaaaou !
– Non, Pacha.

Miaaaou ! Miaaaou ! Tu n'es vraiment pas doué ! Passons à un autre exercice. Nous allons travailler sur la pose et le maintien. Regarde-moi et fais comme moi. »
Titus s'assit avec élégance en gardant l'échine bien droite, les pattes avant posées l'une à côté de l'autre, la queue immobile en forme de point d'interrogation, la tête légèrement inclinée et les yeux mi-clos. Pacha s'assit sur une fesse, le dos courbé, les pattes avant très écartées, la queue balayant le sol, la langue pendante et les yeux idiots.
« Je commence à me demander si tu peux vraiment devenir un chat, observa Titus.
– Je ne sais pas, répondit Pacha, mais ce que je sais, dit-il en remuant en tous sens sa truffe humide, c'est que c'est l'heure de manger ! »
La démarche pataude, les oreilles pendantes, Pacha disparut alors dans la cuisine.
« C'est pas gagné ! » se dit Titus en le regardant s'éloigner. •

19 Chic, il y a du brouillard !

Aujourd'hui, le blizzard souffle très fort sur la banquise. La neige vole à ras du sol et il fait un froid ! Mais cela n'empêche pas Niak, Niouk et Niok, les trois petits phoques, de s'amuser. Au contraire ! Ils jouent à se perdre dans le brouillard.
« Hou, hou, vous me voyez, là ? crie Niouk qui s'est éloignée de ses frères.
– Oui, on voit encore ton nez et tes yeux. »
Niouk recule un peu plus.
« Et maintenant ? Hou, hou, maintenant, vous me voyez encore ? »
Pas de réponse.

« Vous-me-trou-ve-rez-pas ! Vous-me-trou-ve-rez-pas ! ô ! vous répondez ? »
Mais il n'y a que le brouillard, le vent qui hurle et la neige qui vole. Cette fois, Niouk se dit qu'elle s'est peut-être vraiment perdue et elle commence à

•••

s'inquiéter. Que va-t-il se passer si elle ne retrouve pas ses frères ? Leur maman leur a bien recommandé de rester toujours ensemble. Ils ont promis et, bien entendu, ils n'en ont fait qu'à leur tête.

« Où vous êtes ? Allez, ça suffit ! »

Rien. Niouk avance dans la direction où étaient ses frères, mais il lui semble qu'il y a longtemps qu'elle devrait les avoir trouvés. Instinctivement, elle a arrêté de les appeler. On ne sait jamais, quelqu'un d'autre pourrait entendre,

l'ours blanc par exemple. Maintenant, Niouk tremble de peur. L'ours blanc ? oh ! non, pas lui ; il est trop méchant ! La pauvre petite Niouk se recroqueville sur la neige et se met à pleurer en silence. À ce moment-là, quelque chose lui tombe sur le dos.

« Je vais te manger ! » C'est Niak et Niok, ses frères. Ils rient comme des fous. Niouk n'apprécie pas du tout la plaisanterie.

« Imbéciles ! J'ai cru que c'était l'ours blanc. » Là, plus personne ne rit. L'ours blanc ! Vite, à la maison ! •

Le chameau à trois bosses

SEPTEMBRE
20

Comme tu le sais, les dromadaires ont une bosse, et les chameaux deux bosses. Mais Momo, le chameau, lui, était très spécial : il avait trois bosses ! C'est étrange, n'est-ce pas ? Du coup, il était la risée des autres chameaux qui se moquaient de lui et l'appelaient « le bossu », ce qui est un comble. Mais Momo n'était pas le seul à être en proie aux railleries ; son jeune propriétaire, Youssouf, était lui aussi victime des quolibets des autres chameliers : « Comment oses-tu te montrer avec un chameau pareil ? Tu es la honte du désert ! Trois bosses, on n'a jamais vu ça !

– Mon chameau a peut être trois bosses, mais c'est un bon chameau, fort, courageux et travailleur. »

Il est vrai que Momo servait son jeune maître sans jamais rechigner, car Youssouf était un bon maître : « Allez, viens Momo, disait-il en caressant les trois bosses du chameau. Ne les écoute pas. »

Un jour, Youssouf et les autres chameliers durent se rendre dans un village

à l'autre bout du pays pour y vendre des épices. Pour cela, il fallait traverser le désert pendant des centaines de kilomètres sous un Soleil brûlant. Des centaines de kilomètres sans le moindre point d'eau. Dès la première semaine, les réserves d'eau vinrent à manquer : il n'y en avait plus une goutte. Les chameaux commencèrent à peiner.

Ils n'avaient plus la force de transporter leurs marchandises. À bout de forces, ils s'arrêtèrent bientôt, incapables de continuer. Seul Momo tint bon.

« Nous ne sommes plus très loin, dit Youssouf. Momo et moi allons chercher de l'eau et nous vous en rapporterons. »

Grâce à Momo, Youssouf atteignit le village en moins d'une journée et put ainsi ramener de l'eau aux autres chameliers qui saluèrent le courage de Momo. Il devint un héros et personne ne se moqua jamais plus de lui. •

21 Un loup pas comme les autres

Benji, le loup, n'était pas comme les autres. Tout petit déjà, il détestait les jeux brutaux auxquels jouaient les louveteaux de son âge. Lui, il préférait observer la nature, se promener ou lire. Il ne tenait pas à devenir chef de meute, comme son père. Quand les autres loups l'appelaient :
« Tu viens jouer ? »
Il répondait :
« Non, merci, je préfère lire. »
Un livre en particulier semblait le passionner.
« Qu'est-ce que tu lis là ? lui demanda son père.
– Un roman, répondit Benji.
– Ça parle de quoi ?
– De tout et de rien. »
Intrigué, le père de Benji voulut en avoir le cœur net. Pendant que son fils était sorti se promener, il fouilla dans ses affaires et découvrit le livre qui le passionnait tant :
« Comment devenir un bon chien de berger ».
Stupéfié, le loup convoqua aussitôt son fils :
« Comment peux-tu vouloir être chien de berger ? C'est une honte !
– Mais papa, c'est un beau métier, protesta Benji, on veille sur les autres tout en se promenant. »
Devant son insistance, son père céda et le laissa choisir sa voie. Au début méfiants, les bergers adoptèrent vite ce loup étonnant qui sut gagner leur confiance et... celle des moutons, ravis d'être protégés par un tel gardien que nul autre loup n'osait défier ! •

22 Le grand voyage de Jojo la taupe

Jojo finissait de boucler son sac à dos en sifflotant. Elle avait bien préparé son grand voyage et avait tout le nécessaire : cartes, boussole, cordes, lampe de poche, et même une trousse à pharmacie.
Elle enfila son sac, ça y est, elle était fin prête pour la grande aventure : Jojo se rendait en ville ! Elle regarda sa boussole, fit un quart de tour à droite et commença à creuser une galerie vers la grande ville.

Jojo creusa toute la journée à un bon rythme, tant et si bien qu'à la fin de journée elle sentit au bout de ses moustaches un frémissement : c'était la ville. Épuisée, elle fit son lit, dégusta une bonne petite soupe de vers de terre, bâilla et s'endormit. Tout d'un coup, elle fut réveillée par un bruit terrible et tout son petit campement fut secoué par de rapides secousses.
« Mais qu'est-ce qu'ils font là-haut ? s'écria-t-elle.

•••

•••

Ce n'est pas possible de faire autant de bruit ! »
Elle creusa et tomba nez à nez avec un marteau
piqueur. Que de bruit pour creuser une simple
galerie ! Les taupes, elles, sont beaucoup plus
discrètes. Jojo voulut continuer son chemin, mais,
après avoir dépassé un gros tuyau, elle faillit tomber
dans un grand précipice. Avec sa corde, Jojo s'attacha
au tuyau et commença à descendre. Un spectacle
extraordinaire s'offrait à elle. C'était comme dans une
taupinière géante. En dessous d'elle, des trains
sortaient d'un tunnel et repartaient. Des milliers
d'humains voyageaient sous terre ! Incroyable ! Pour
en avoir le cœur net, Jojo descendit jusque sur le quai
du métro.

« Que c'est beau ! Que c'est beau ! »
Jojo était émerveillée, mais elle devait éviter les
humains qui couraient dans tous les sens. Soudain,
une grosse paire de chaussures s'arrêta devant elle.
« Billet, s'il vous plaît. »
C'était un contrôleur, myope sans doute, puisqu'il
osait la confondre avec un humain. Jojo s'enfuit
aussitôt.
Finalement, Jojo aimait mieux les grands espaces.
Ravie de son aventure, elle rentra chez elle, à la
campagne, loin de tous ces humains un peu trop...
fous pour elle. •

23 SEPTEMBRE

Appelez-moi Jo'

Romin et Firmin n'étaient pas très heureux
d'apprendre qu'une de leur vieille tante venait passer
quelques jours de vacances avec eux. Oh, ils ne la
connaissaient pas, bien sûr, ils ne l'avaient même
jamais vue, mais leur maman leur avait dit :
« Tante Joséphine n'est plus toute jeune et elle a
besoin de tranquillité, vous comprenez ? »
Oh, oui, ils comprenaient : il allait falloir chuchoter,
marcher sur la pointe des pieds et beaucoup
s'ennuyer. Ils imaginaient sans mal la vieille tante
enveloppée dans un grand châle, assise dans
le fauteuil, une couverture sur les genoux.
Quel ennui, vraiment !
Dès qu'elle arriva, les enfants furent surpris :
« Arrêtez donc de m'appeler tante Joséphine,
dites plutôt Jo' ! »
Jo' était vraiment étonnante : elle portait
des grands colliers de perles, qui
trempaient parfois dans la soupe, et
parlait très fort en utilisant des mots qui
faisaient froncer les sourcils de papa à la
plus grande joie des garçons.
Malgré cela, ils suivaient les
recommandations de leur
maman et faisaient le

moins de bruit possible. Cela dura pendant trois jours,
jusqu'à ce qu'ils craquent :
« Je n'en peux plus, dit Firmin,
allons dans le jardin jouer au
foot », proposa-t-il à son
frère.
Les deux frères jouaient
depuis quelques minutes quand
ils virent la tante Joséphine surgir
de derrière un arbre. Les
garçons eurent un peu
honte, ils avaient été
bruyants et avaient sans
doute dérangé la vieille dame.
Mais elle n'avait pas l'air fâchée
du tout, au contraire.
« Ah, quand même ! s'écria-t-elle.
Je commençais à m'ennuyer ici ! »
Là-dessus, elle courut vers le ballon
et donna un grand coup de pied en
visant entre les deux arbres du
jardin.
« But ! cria-t-elle. Maintenant,
essayez d'en faire
autant ! » •

Au bout de l'arc-en-ciel

Monsieur Lafeuille, le bibliothécaire, racontait toujours des histoires étonnantes ; Clément et Lucile, les jumeaux, adoraient aller l'écouter à la sortie de l'école. Un jour, monsieur Lafeuille leur raconta une histoire dans laquelle une fée trouvait de l'or au bout d'un arc-en-ciel. Clément était d'autant plus attentif qu'il pleuvait dehors. Quand il sortit de la bibliothèque avec Lucile, il courut :
« Viens, dépêche-toi ! Il faut que nous en trouvions le bout avant qu'il ne disparaisse ! » dit-il à sa sœur en l'entraînant avec lui.
De quoi parlait-il ? Du magnifique arc-en-ciel qui se dessinait maintenant dans le ciel. Il fallait courir vite, car l'arc-en-ciel était gigantesque et, petit à petit, il commençait à s'effacer. À l'instant même où il s'évanouissait, Clément et Lucile arrivèrent dans un jardin. Avant que sa sœur ne puisse l'en empêcher, Clément s'empara d'une pelle qui était posée là et commença à creuser dans le jardin, au beau milieu d'un massif de tulipes.

Quelques minutes plus tard, le propriétaire de la maison arriva en courant, il avait l'air furieux :
« Mais que fais-tu ? Arrête ça tout de suite ! » cria-t-il à Clément.
Juste à ce moment-là, quelque chose de brillant sortit d'une pelletée de terre que Clément était occupé à jeter derrière lui. L'homme l'attrapa au vol.
« C'est incroyable ! s'exclama-t-il. C'est l'alliance que j'ai perdue l'an dernier ! »
Très ému, l'homme n'avait plus le cœur à gronder Clément et il invita les enfants à goûter pendant que, dehors, la pluie avait recommencé à tomber.
Lorsqu'ils rentrèrent chez eux, Clément et Lucile virent un bel arc-en-ciel apparaître : ils coururent alors aussi vite qu'ils purent et, au moment précis où il disparaissait, ils arrivèrent au bout de l'arc-en-ciel, dans un jardin qu'ils connaissaient bien : le leur... •

Éclair-Blanc et le loup des steppes

Personne ne galope aussi vite qu'Éclair-Blanc. Quand il fait la course avec les autres chevaux sauvages, c'est toujours lui qui gagne. Il est si beau, Éclair-Blanc, avec sa longue crinière, son pelage entièrement blanc et ses yeux noirs ! Il passe ses journées à brouter tranquillement dans la steppe et, quand il lève les yeux, il peut voir très loin, très loin, parce que la steppe, c'est immense et tout plat. Il voit de l'herbe à perte de vue. Le paradis pour un cheval.

Ce jour-là, il regardait le Soleil se coucher sur l'horizon, quand il vit un point noir qui se déplaçait. Intrigué, il continua à regarder cette chose étrange qui se rapprochait de plus en plus. Les oreilles pointées dans cette direction, il ouvrait grand ses naseaux pour essayer de comprendre. Éclair-Blanc était un cheval vraiment sauvage, donc très méfiant, aussi n'attendit-il pas que le nouveau venu arrive vers lui pour partir au galop. Il savait que personne ne pouvait le rattraper.

•••

•••

Le lendemain matin, quand le jour se leva, la chose était tout près d'Éclair-Blanc. C'était un loup des steppes tout maigre, tout pelé, et, surtout, tout seul, ce qui est important car les loups chassent en meute. Un loup tout seul, et dans cet état-là, ne représentait aucun danger. Toute la journée,

il restait là, à quelques pas. Quand Éclair-Blanc se déplaçait, le loup aussi. Au bout d'une semaine, Éclair-Blanc s'était habitué à lui. Il était même content de le voir. Puis, un jour, le loup disparut. Éclair-Blanc se sentit tout triste et tout seul. Alors il comprit qu'il avait perdu un ami. •

Chut !

Une nuit, alors que tout le monde était endormi, Basile se réveilla en sursaut. Il avait entendu un bruit. Des cambrioleurs, peut-être... Il sortit de son lit et, sur la pointe des pieds, il avança dans le couloir. Soudain, il entendit la porte de sa chambre se fermer et faire clic !
Perrine sortit alors de sa chambre :
« J'ai cru entendre un bruit, comme un clic, dit-elle.
– C'était moi, répondit Basile, mais chut, pas un bruit ! »
Mais Perrine fit tomber de la corbeille de fruits une pomme qui fit boum !
Nathan sortit alors de sa chambre :
« J'ai cru entendre un bruit, comme un boum, dit-il.
– C'était moi, répondit Perrine, mais chut, pas un bruit ! »
Mais Nathan se cogna contre la bibliothèque et un livre en tomba qui fit plaf !
Augustine sortit alors de sa chambre :
« J'ai cru entendre un bruit, comme un plaf, dit-elle.
– C'était moi, répondit Nathan, mais chut, pas un bruit ! »
Mais Augustine n'avait pas vu les

chaussures de papa et buta dedans dans un grand clac ! Axelle sortit alors de sa chambre :
« J'ai cru entendre un bruit, comme un clac, dit-elle.
– C'était moi, répondit Augustine, mais chut, pas un bruit ! »
Mais Axelle glissa sur le tapis dans un grand badaboum !
Maman sortit alors de sa chambre en courant :
« J'ai cru entendre un bruit, comme un badaboum ! dit-elle.
– C'était moi, répondit Axelle, mais chut, pas un bruit. »
Soudain, ils entendirent des scrouitch et des scrontch. Pas de doute : quelqu'un était en train de manger dans la cuisine.
« Suivez-moi », dit maman en s'armant d'un parapluie.
Doucement, elle poussa la porte et ils découvrirent papa avec un énorme sandwich !
« J'avais un petit creux, dit-il d'un air coupable.
– Chut ! lui répondirent les autres. Il y a des gens qui veulent dormir ! » •

27 La souris de la dent de lait

Tout au fond de sa petite cachette, allongée sur son lit, Bulette la souris ne se sentait vraiment pas bien. Bulette toussait et éternuait ; Bulette était malade. Et alors ? me direz-vous. Une souris malade, ce n'est pas très important. Détrompez-vous, c'est très grave, car Bulette est la fameuse souris de la dent de lait ! Et que va-t-il se passer si la souris de la dent de lait ne peut plus prendre une petite dent en échange d'une petite pièce ? Des enfants vont pleurer, d'autres ne vont plus vouloir perdre leurs dents, d'autres enfin ne vont plus vouloir se les brosser.

Une catastrophe !

« Reprends donc un peu de tisane, ma chère Bulette, lui dit Jojo la taupe, ça va te faire du bien.

– Merci mon amie, mais que vont devenir les dents de lait des enfants ?

– Je t'aurais bien aidée, lui répondit Jojo, mais je suis myope... comme une taupe. Si je devais récolter une dent, je serais bien capable de repartir avec une paire de lunettes.

– Qui pourrait m'aider ? C'est si important pour les enfants !

– Une poule !

– Une poule ?

– Oui, je connais une poule qui a toujours eu envie d'avoir un beau sourire, un beau sourire plein de dents... »

Et Cacotte la poule se débrouilla très bien. Elle entrait discrètement dans la chambre des enfants et soulevait délicatement l'oreiller sous lequel était placée la petite dent de lait. Aucun problème donc, si ce n'est qu'elle changea un peu la tradition. Oh, rien de très important dorénavant le petit sou placé sous l'oreiller était remplacé par un bel œuf. Depuis, Bulette est guérie et distribue encore des sous et Cacotte a maintenant le plus beau sourire du monde. •

28 L'écharpe rayée

« Brrr ! Quel froid ! J'ai cru que mes oreilles allaient geler ! Il me faudrait une bonne écharpe, tiens ! » s'exclama papa en rentrant à la maison.
Maman et Clémence échangèrent des regards complices : enfin, elles avaient trouvé son cadeau d'anniversaire !
Car c'était bientôt l'anniversaire de papa et, comme tous les ans, il fallait choisir un cadeau à la fois joli et utile.
Alors, l'air de rien, Clémence demanda :
« Et cette écharpe ?
Tu la voudrais comment ?

– Bleue, répondit son papa sans hésiter. J'adore le bleu. »
Le lendemain, maman acheta une pelote de laine bleue pour lui tricoter une belle écharpe. Mais papa ne savait pas ce qu'il voulait. Comme quelqu'un l'avait complimenté aujourd'hui sur son pull rouge, il déclara :
« Finalement, je préfère le rouge. »
Le surlendemain, maman acheta donc une pelote de laine rouge. Mais papa avait déjeuné ce midi avec un vieil ami et, le soir, il dit :
« Il portait un beau costume vert, j'aime bien le vert, je crois même que c'est ma couleur préférée. »

•••

•••

Maman et Clémence se regardèrent d'un air catastrophé. Trop, c'était trop ! Cette fois, maman acheta des pelotes de laine de toutes les couleurs, comme ça, au moins, elle n'aurait plus de surprise. Quand papa ouvrit son cadeau le jour de

son anniversaire, il découvrit... une magnifique écharpe rayée de toutes les couleurs.
« Oh, quelle belle écharpe ! Tiens ? il n'y a pas de violet... C'est dommage : j'adore le violet. » •

Le vase Ming

Il ne faut jamais vendre la peau de l'ours avant de l'avoir tué, dit le proverbe. C'est si vrai qu'on s'étonne toujours que certains l'ignorent. Et ce n'est pas Tchang qui nous contredirait.

Tchang était un petit chinois qui vivait dans une province proche de Shangaï. Un jour qu'il s'ennuyait, il fouilla le grenier de ses grands-parents et découvrit un magnifique vase en porcelaine. C'était un vase Ming, il en était sûr. Un vase d'une valeur inestimable qui devait dater du 15e siècle.

« Le vase va me rapporter beaucoup d'argent, se dit Tchang ; avec cet argent, je m'offrirai une belle maison, une belle voiture et un grand restaurant avec des tas de cuisiniers à mon service ; mon restaurant me rapportera beaucoup d'argent que j'investirai dans d'autres restaurants partout dans le monde ; je rencontrerai une femme riche qui me donnera de

beaux fils qui feront fructifier ma chaîne de restaurants et prendront soin de moi quand je serai vieux. »

Tout excité par ses pensées, Tchang sautilla, fit un faux pas et... lâcha le vase qui se brisa en mille morceaux sur le sol.

« Que se passe-t-il ? demanda le grand-père alerté par les bruits.

– J'ai cassé le vase Ming que tu gardais dans ton grenier, lui expliqua Tchang entre deux sanglots.

– Un vase Ming ? Quel vase Ming ? » s'étonna le grand-père. Et il s'approcha du vase brisé.

« Ah, tu veux sans doute parler de ce vase-là. C'est une vulgaire imitation. Je l'ai acheté il y a dix ans à un marchand de pacotilles pour une bouchée de pain ; comme il m'encombrait, je l'ai monté au grenier. » Tchang ne répondit rien, mais il avait compris, à ses dépens, qu'il ne fallait jamais vendre la peau de l'ours avant de l'avoir tué. •

La vraie légende des licornes

Tu connais sans doute les licornes, ces êtres magnifiques dont la tête, semblable à celle d'un cheval, est surmontée d'une belle corne translucide. De nos jours, les licornes ont disparu. On raconte des tas de légendes à ce sujet, on prétend que Noé a oublié d'en prendre une sur son arche, on raconte que les licornes, lassées de combattre la méchanceté inépuisable des hommes, se sont expatriées sur une autre planète. Tout ceci est faux. Je vais te raconter, moi, la vraie légende des licornes. Il y a très longtemps de cela, les licornes vivaient dans une forêt enchantée en compagnie des fées. Seules les fées, dont le cœur était pur, pouvaient les chevaucher. À cette époque, les hommes n'étaient pas méchants, mais ils étaient victimes des sorciers. À chaque fois qu'un sorcier ensorcelait un homme pour le rendre méchant, une licorne pleurait, c'était une complainte belle et triste à la fois. Pour guérir les hommes, les fées leur faisaient boire une

eau magique : l'eau d'un étang dans laquelle une licorne avait trempé sa corne. Dès qu'un homme la buvait, il retrouvait un cœur d'enfant ; alors un chant très beau s'élevait de la forêt enchantée : le chant des licornes. Une nuit hélas ! les sorciers envahirent la forêt et, sans aucun remords, ils tuèrent les fées et les licornes. C'était-là un sacrilège impardonnable, car les fées et les licornes sont des êtres innocents. Peu de temps après, les sorciers furent tous foudroyés par un étrange éclair venu du plus haut du ciel. Malgré cela, certains hommes restèrent ensorcelés et nulle licorne ne put leur venir en aide.

Voilà comment les licornes ont disparu. Ou presque. Si tu tends l'oreille, tu pourras peut-être entendre le chant d'une licorne, c'est un chant si beau qu'il peut te faire pleurer. Garde un cœur pur toute ta vie pour que quelqu'un ait la chance, lui aussi, d'entendre le chant d'une licorne... •

Octobre

OCTOBRE
OCTOBRE
1er

L'oiseau savant

Léo était un petit garçon qui n'écoutait jamais en classe. Et bien sûr, il avait toujours de mauvaises notes. On avait beau lui dire : « Concentre-toi, essaye de t'intéresser aux leçons », il n'écoutait pas. Et pourquoi, me direz-vous, était-il incapable de se concentrer ? Eh bien, tout simplement, parce que Léo était fasciné par les oiseaux. Il ne pouvait s'empêcher de les admirer à travers les fenêtres de la salle de classe. Et lorsque par bonheur on ouvrait les fenêtres, il ne se lassait pas d'entendre leur chant mélodieux. Ce petit monde d'oiseaux était pour Léo bien plus passionnant que les paroles du maître. Oui mais voilà, les examens de fin d'année approchaient, et les notes de Léo étaient toujours aussi mauvaises.
« Que faire ? » se demandaient ses parents.
« Que faire ? » se demandaient ses professeurs.

Et Léo continuait de n'écouter que le chant des oiseaux. Tant et si bien qu'à la veille des examens, Léo ne savait rien, ne se rappelait aucune leçon. Il avait beau ouvrir ses livres et ses cahiers, c'était trop tard. Le pauvre Léo était bien malheureux, il n'y avait plus rien d'autre à faire que dormir. Mais dès qu'il s'endormit, Léo sentit un léger frôlement tout près de son oreille. Il ouvrit les yeux et aperçut un tout petit oiseau qui se mit à lui parler :
« Ne cherche pas à comprendre et ouvre grand tes oreilles. Tu vas t'endormir et, demain, tu te souviendras de tout ce que je t'ai dit. »
Lorsqu'il se réveilla le lendemain, miracle ! Léo connaissait par cœur toutes ses leçons. Il eut de bonnes notes aux examens et trouva si passionnant ce que l'oiseau lui avait raconté qu'il se promit de bien écouter en classe l'année prochaine. •

OCTOBRE
OCTOBRE
2

Le trésor du farfadet

Les farfadets, comme tu le sais sans doute, cachent toujours un trésor. Il suffit de capturer un farfadet et hop ! tu deviens riche. Oui, mais voilà, les farfadets sont aussi des êtres très facétieux : ils adorent faire des blagues ! Et ça, Adam l'ignorait.
Adam était un jeune homme qui vivait à la campagne. Un jour qu'il se promenait le long d'un champ, il entendit siffloter. Il s'approcha à pas de loup et vit un drôle de petit être, à peine plus haut qu'un enfant. C'était un farfadet ! Sans bruit, Adam s'approcha et hop ! il l'attrapa.

« Où caches-tu ton trésor ? demanda-t-il au farfadet.
– Si tu me lâches, je te guiderai », lui répondit le petit être.
Adam le reposa sur le sol et lui dit :
« Pas de blague, hein ! Je t'ai à l'œil... »
Ils traversèrent un champ, puis un autre, puis encore un autre et arrivèrent bientôt dans un immense champ de tournesols. Le farfadet s'approcha d'un tournesol et dit :
« Le trésor est ici, juste en dessous. »
Les farfadets ne mentent jamais et Adam savait qu'il disait la vérité.

•••

188

•••

« Très bien, dit le garçon, je vais mettre ça. »
Et il ôta sa casquette pour la poser sur
le tournesol sous lequel se trouvait
le trésor.
« Je vais chercher une
pelle, dit-il au farfadet,
promets-moi que tu
ne toucheras pas à
ma casquette. »
Le farfadet promit.
Quand il revint
dans le champ,
quelque temps
après, un étonnant
spectacle attendait

le garçon : le champ de tournesols
s'était transformé en champ de
casquettes ! Sur chaque tournesol,
le farfadet avait posé une
casquette identique à celle
d'Adam. Impossible de
retrouver le trésor !
Eh oui, s'il n'était pas
malhonnête, puisqu'il
avait tenu sa
promesse de ne pas
toucher la casquette
d'Adam, le farfadet
était très farceur... •

OCTOBRE
OCTOBRE
3

On peut t'aider maman ?

Aujourd'hui, maman se sent bien fatiguée, elle
regarde l'évier qui déborde de vaisselle sale :
« Quelle corvée ! soupire-t-elle.
– On peut t'aider maman ? demandent en chœur
Ninon et Mathias.
– Vous êtes sûrs d'y arriver ?
demande maman hésitante.
– Oh oui ! Pas de
problème ! » répondent
les deux sacripants.
Bah ! maman se
résigne, elle s'assied
dans un fauteuil et
s'endort aussitôt. À
peine a-t-elle fermé
les yeux que déjà les
bêtises commencent :
Ninon ouvre le robinet à
fond et un grand jet
d'eau jaillit qui
éclabousse

l'évier, les murs, le plafond. Ninon et Mathias, ça les
fait rire, les garnements. Mathias s'empare du liquide
concentré de vaisselle et le vide à moitié sur les
assiettes. Comme l'eau continue de couler, ça fait très
vite un tas de mousse avec de belles
bulles. Ninon et Mathias font un
concours de bulles. La cuisine
est bientôt envahie de
petites bulles
multicolores qui vont
s'éclater partout sur
les meubles, la table,
les chaises, les murs
et le sol. C'est Mathias
qui gagne : armé de sa
passoire, c'est lui qui a
fait le plus de bulles !
Mais il ne faudrait
pas oublier la
vaisselle !

•••

•••

Tiens ? C'est quoi toute cette eau sur le sol ? Ah, zut, le robinet ! Ninon le ferme, mais le sol est inondé. Les deux chenapans en profitent pour faire quelques glissades. Cette fois, c'est Ninon qui glisse le plus loin : jusque dans la salle, mais chut ! maman se repose...

Bon, mais revenons à la vaisselle : ils s'y mettent sérieusement ce coup-ci. Quand les assiettes sont enfin lavées, Mathias et Ninon sont trempés de la tête au pied.

Mathias prend la pile d'assiettes à bout de bras, glisse et... Patatras ! toutes les assiettes s'éclatent en mille morceaux sur le sol ! Avec toute cette eau par terre aussi, c'était inévitable. Aïe, aïe, aïe ! Mathias n'a rien, mais... que va dire maman ?

Elle arrive en courant, au lieu de crier, elle soupire :

« Je ne sais pas pourquoi, mais je me sens plus fatiguée qu'avant ma sieste ! »

Ah, les mamans, ça soupire tout le temps ! •

La leçon de chant

Parmi les habitants du grand chêne, tu ne te rappelles sans doute pas de Crrrrâââ, le geai. Il est si discret qu'on pourrait l'oublier, sauf qu'il a une voix pas possible. On dirait qu'on ouvre une vieille porte rouillée. Quelque chose comme : sraaaaaakkk, craaaaakkk. Horrible, quoi ! Dans la forêt, tout le monde se moque de lui. Alors il a demandé à monsieur Merle de lui apprendre à siffler.

« N'y pense pas, a répondu l'oiseau noir au bec jaune. Tu n'es pas équipé pour.

– Mais je peux essayer, quand même. Tu arrives bien à crier comme moi. Pourquoi je ne pourrais pas t'imiter à mon tour ? a demandé Crrrrâââ.

– Moi, ce n'est pas pareil, je suis un artiste. »

« Quel prétentieux ! » s'est dit Crrrrâââ, tout triste. Monsieur Siffflll, le serpent, qui donne toujours de bons conseils lui a dit :

« Mon ami, n'écoutez pas les mauvaises langues. C'est bien parce que votre voix est si sonore et si particulière que chacun dans la forêt est prévenu quand quelque chose de grave arrive. Vous êtes notre sirène d'alarme. On ne demande pas à une sirène de chanter comme un rossignol ! Et puis moi je trouve que vous avez une belle voix. »

Là, il a peut-être un peu exagéré, monsieur Siffflll, parce que les serpents sont sourds. Il ne peut donc pas entendre la voix du geai. Mais il avait raison quand même. Quand tu iras dans la forêt, chacun, dans le grand chêne et autour, saura que tu es là, grâce à Crrrrâââ qui annoncera ton arrivée :

« Crrraaaaak ! Sraaaaak ! Il y a un petit d'homme qui vient nous voir. Vous pouvez vous montrer, il n'est pas dangereux. »

Génial, non ? •

190

Tétines et compagnie

Albin n'avait pas de frères et sœurs et il enviait son ami Baptiste quand il le voyait jouer avec son petit frère.

« J'aimerais bien avoir un frère ou une sœur, dit-il un jour à son papa.

– Un petit Albin à la maison, ça suffit bien, lui répondit celui-ci en le regardant d'un air espiègle derrière son journal. J'en connais un qui a saccagé mon potager et a laissé des traces de terre sur les tapis ! »

Il parlait d'un petit accident de la veille où Albin s'était pris pour un explorateur... de potager. Saccage ou pas, Albin aurait bien aimé avoir un petit frère ou une petite sœur, d'autant que les bébés sont trop petits pour faire de telles bêtises. Le lendemain, il décida d'aller voir Bertille, sa meilleure amie. Mais quand il arriva chez elle, le bruit était assourdissant. Pas un, ni deux ni trois, mais dix bébés étaient là, en train de ramper sur le tapis du salon tandis que les parents discutaient autour d'une table.

« C'est la réunion de l'association des mamans, lui expliqua Bertille. Elle a lieu une fois par an. »

Albin sentit alors quelque chose à ses pieds et vit qu'un bébé était en train de baver sur ses pattes pendant qu'un autre était occupé à escalader sa jambe droite. Quand il releva la tête, il découvrit qu'un bébé, à genoux sur une chaise, se préparait à plonger sur le tapis. Albin sauva in extremis le bébé-plongeur qui hurla si fort qu'il dut le reposer bien vite sur le sol, avant de s'apercevoir qu'un autre bébé s'apprêtait maintenant à avaler des feuilles de la plante verte. Et cela dura comme ça tout l'après-midi. À la fin de la journée, Albin était épuisé. Quand il rentra chez lui le soir, il s'assit devant son papa et lui dit : « Finalement, tu as raison, un enfant qui saccage tout dans la maison, c'est bien assez ! » •

Merci Monsieur Angel

Mademoiselle Pètesec était une vieille fille comme il n'en existe heureusement plus. Sèche, osseuse et amère, elle cultivait la détestation des enfants comme d'autres cultivent les salades. C'est pourquoi elle dirigeait un petit orphelinat qui accueillait une trentaine d'enfants de six à douze ans. Chaque matin, elle agrippait un orphelin de tous ses ongles et le secouait sans ménagement afin que ses cris réveillent les autres. Puis, elle l'insultait : « Debout misérable scarabée ! Infecte petite blatte ! »

Mademoiselle Pètesec était un monstre en somme. Tous les soirs, dans son petit lit, Germain priait son ange gardien : « S'il te plaît, change la directrice. »

Un matin, Germain vit arriver au réfectoire un drôle d'homme : petit, bossu, presque difforme, il était laid, mais son regard était habité par une étrange lumière. L'homme s'approcha du garçon et lui dit : « Bonjour Germain, excuse-moi d'arriver si tard, j'étais occupé avec un méchant papa.

– Qui... qui êtes-vous ? demanda Germain inquiet.

– Je suis ton ami. »

191

Sans ajouter un mot, il enleva sa veste et, devant le regard incrédule de Germain, des ailes immenses apparurent tandis qu'une lumière chaleureuse irradiait de ses yeux. En silence, il battit des ailes, s'envola à quelques mètres du sol, s'approcha de la directrice et l'emporta avec lui, gesticulante et vociférante, loin, très loin de l'orphelinat.

« Au revoir, Germain. »

Germain regarda autour de lui : les autres orphelins continuaient de manger comme si rien ne s'était passé, comme s'ils n'avaient rien vu.

« C'est bizarre, on n'a pas vu la directrice ce matin, disait un garçon.

– Bon débarras ! » répondait un autre.

Oui, bon débarras. Et ils ne la revirent jamais plus.

« Merci, Monsieur Angel. »

C'est ainsi que Germain avait appelé son ange gardien. •

À l'hôpital

Pauvre Julie ! En faisant du patin à glace pour la première fois, elle est tombée et s'est fait très mal au genou. Il est tout bleu et tout enflé. Le docteur a dit à sa maman :

« Il faut l'emmener à l'hôpital pour passer une radio. »

L'hôpital ? Oh, non ! Julie a bien essayé de raconter que ça allait passer, que ça ne lui faisait presque plus mal, rien n'y a fait. Il était bien évident que personne ne la croyait. L'ambulance est venue la chercher ce matin. On l'a installée sur un brancard et en route avec la sirène : touloulou... touloulou... touloulou... comme dans les films ! Finalement, Julie aurait trouvé ça assez rigolo, si seulement elle n'avait pas eu si mal à la jambe ! Arrivée à l'hôpital, une très gentille infirmière l'a emmenée dans une chambre avec sa maman. Julie avait très peur que sa maman s'en aille :

« Tu restes avec moi, dis ?

– Mais bien sûr, mon lapin ! Ne t'inquiète pas, on va juste faire une radio pour voir si tu as quelque chose de cassé et ce soir, on rentre à la maison. »

Heureusement, notre Julie est solide ; son genou a résisté. Rien de grave. Elle va boiter un peu, pendant quelques jours, et tout ira bien. Évidemment, il est hors de question de faire du vélo ou de retourner à la patinoire pendant au moins un mois. Les jeux olympiques, ça ne sera pas pour cette année ! Finalement, ce n'était pas si effrayant d'aller à l'hôpital. Les infirmières et les docteurs sont super gentils. Et puis les mamans peuvent rester avec leurs enfants tout le temps. Mais quand même, on est mieux à la maison ! •

Taro et le tigre

Chaque matin, Taro venait couper son bois dans la grande forêt de bambous. Quand il travaillait, Taro chantait toujours. Chaque matin, il inventait une nouvelle chanson ou une nouvelle musique pour se sentir moins seul au milieu de la grande forêt de bambous.

Sa voix était puissante et mélodieuse. Ses mélodies se faufilaient à travers les branches des bambous et arrivaient jusqu'au village.

« Ah, Taro est parti couper du bois », se disaient les villageois. Un jour, le vent emporta bien plus loin la voix de Taro et l'emmena jusqu'au repaire du tigre. Le lendemain, alors que Taro travaillait en chantant, apparut dans la clairière un énorme tigre. Taro crut mourir de peur, il n'avait jamais vu un tigre de cette taille. Ses jambes tremblaient si fort que Taro dut s'appuyer sur le tronc d'un bambou.

Le tigre le regarda avec ses yeux de braises.

« Homme, c'est toi qui chantes tous les matins ?

– Oui, tigre, mais excuse-moi si je te dérange. Je te le promets : je chanterai à voix basse dorénavant.

– Non, lui dit le tigre, je veux que tu chantes pour moi.

– Je suis heureux que tu aimes ma musique », répondit Taro, soulagé de n'être pas mangé par le grand fauve. Et il ne fut jamais mangé, car le tigre appréciait trop sa belle voix. Tous les matins, dans la grande forêt de bambous, on pouvait voir l'énorme tigre, sagement assis, écouter Taro chanter.

On entend parfois encore, au plus profond de la forêt, de longs et doux ronronnements. Certains parlent d'un tigre qui chante. D'un tigre qui chante grâce à un homme. •

Au milieu des lions

Il y avait longtemps que pépé Jean et mémé Annie en parlaient.

« Si vous êtes sages, on ira à la réserve africaine. »
Au début, Sam et Alex croyaient que leurs grands parents voulaient les emmener en voyage en Afrique !

« Non, non, a dit pépé Jean, ce n'est pas si loin ! On y sera en deux heures de voiture. Seulement, il faut attendre l'automne, parce que, sinon, on va mourir de chaud avec les vitres fermées !

– Eh bien, il n'y aura qu'à les ouvrir !

– Ah oui, a répondu pépé Jean ; et on se fera croquer ! Parce qu'il faut que je vous dise : on va se retrouver au milieu des lions, et ils sont en liberté ! Alors il vaut mieux être en voiture et fermer les vitres, vous ne croyez pas ? »

La visite commence par l'immense enclos des ours bruns. Un garde donne les consignes :

« Fermez bien les vitres. Surtout, ne descendez pas de voiture. Les ours vont s'approcher très près de vous ; ils ont l'air inoffensifs, mais ils sont très dangereux. »

Comme c'est dommage de ne pas pouvoir caresser ces gros nounours ! Surtout qu'ils viennent poser leur museau sur la portière !

•••

• • •

Enfin voilà le domaine des lions. Tout est bien fermé ?
On y va ! Mais où sont-ils ? Alex est très déçu.
« Ils ne sont pas là ! »
Pépé Jean roule encore un peu et soudain, sous
un arbre, presque invisibles tant ils sont immobiles,
un lion et quatre lionnes avec leurs petits,
paisiblement allongés à l'ombre. Ils sont si
près que les enfants discernent la
couleur dorée de leurs yeux ! Le lion
ouvre une gueule énorme et bâille
comme un gros chat. Hou la !
il vaut mieux être à l'abri
dans la voiture !
La visite terminée, Sam
fait frissonner tout le
monde :
« Et si on était tombés
en panne ? » •

Bal chez les marionnettes

Tu crois peut-être que les marionnettes sont bien
sages quand François le marionnettiste les a rangées
dans leur malle après la représentation. Pas du tout !
Il n'y a pas plus remuant que ces petites poupées de
plâtre et de chiffon. Surtout maintenant, avec les
accessoires du nouveau spectacle.
François a imaginé une histoire de musiciens
et de clowns. Pour cela, il a fabriqué des
instruments de musique. Un tube
de carton doré est devenu une
trompette ; avec un peu
de colle et quelques coups
de ciseaux, une boîte
de cigare s'est
transformée en violon.
Pour le piano, il
suffisait d'un morceau
de carton peint en
blanc et noir pour faire
les touches. Et pour
l'accordéon, il a fait un
pliage dans du papier. Ce
que François ne sait pas, et
comment pourrait-il imaginer
une chose pareille, c'est que la

nuit, ses accessoires de carton et de papier deviennent
de vrais instruments de musique.
Ce soir, les marionnettes ont organisé un bal. Les
princes ont mis leurs plus beaux habits de soie et les
princesses leurs robes de dentelle. En place pour le
quadrille ! Deux par deux, ils s'avancent, se prennent
par la main et tournent sur eux-mêmes en cadence.
Puis, ils changent de partenaire et la danse
continue.
Bien entendu, les clowns font rire
tout le monde en faisant des
pirouettes. Guignol a invité
Polichinelle et, tous les
deux, ils font des pitreries
pour se moquer des jolis
messieurs poudrés.
Juste avant que la nuit ne
s'achève, chacun regagne
sa place. Et quand François
le marionnettiste ouvre la
malle, les instruments de
musique sont redevenus des
tubes et des boîtes de carton, et les
marionnettes, des poupées de plâtre et
de chiffon. •

194

Ça fait très mal

Benjamin et ses deux petits frères, Lucas et Damien, font une bataille de boules de neige. Lucas a confectionné une énorme boule et la lance sur Damien.

« Aïïïe ! T'es fou, ça fait mal !

– Pffff... t'es vraiment une mauviette ! »

Benjamin essaye de les calmer. Mais Lucas et Damien continuent à se disputer. Alors Benjamin va chercher leur mère.

« Ça suffit ! Arrête Damien ! Et toi aussi Lucas ! »

Damien proteste :

« C'est Lucas qui a commencé !

– Alors Lucas ? demande sa maman.

– Mais non, c'est pas moi ! se défend-il.

– Je t'ai vu par la fenêtre et en plus tu mens ! Pour ta punition, tu resteras dans ta chambre jusqu'à midi ! »

Damien intervient :

« Mais maman, nous aussi, on a lancé des boules de neige.

– Allez, filez à la maison tous les trois ! Toi Lucas, va dans ta chambre ! »

Midi venu :

« À table ! dit la maman ; Benjamin, va chercher Lucas. »

Benjamin revient sans son frère : Lucas s'est endormi. Maman va dans la chambre de Lucas et le réveille doucement.

« Viens manger.

– J'ai pas faim ; j'me sens pas bien. »

Sa maman met sa main sur son front :

« Hou, la, la ! Tu as de la fièvre. Reste bien au chaud, mon lapin ; je vais t'apporter de la tisane. Tu vois, c'était une mauvaise idée de vous lancer des boules de neige ; vous êtes rentrés trempés, et maintenant tu es malade. Enfin n'en parlons plus. »

Lucas se pelotonne sous sa couette, rassuré que sa maman ne soit plus en colère. Maintenant, elle va le dorloter. Il adore ça. •

Le conteur

Polder, le petit berger, n'avait jamais appris à lire. Pourtant, il aimait les histoires. Certains soirs, au village, lors des veillées, un vieil homme descendait de la montagne. C'était un conteur.

Il impressionnait beaucoup les habitants du village qu'il captivait par ses récits. Il racontait toujours de nouvelles histoires. On s'asseyait en rond autour de lui et on l'écoutait en silence. Polder était sans doute le plus fasciné de tous.

« Comme c'est beau, toutes ces histoires. Quelle merveilleuse imagination ! » s'extasiait le petit berger. Polder ne se lassait jamais de

les écouter. Lorsqu'il faisait paître ses troupeaux en haut de la montagne, Polder passait devant la maison du vieux conteur. C'était une petite maison toute simple. Polder s'arrêtait et la contemplait :

« Dire que c'est ici que réside le secrets des histoires. »

Il tournait si souvent autour de la maison qu'un jour le conteur le remarqua.

« Que fais-tu là à rôder ? lui demanda le vieil homme.

– Je ne rôde pas, Monsieur. Je voulais juste voir d'où venaient toutes vos histoires, lui répondit Polder.

•••

•••

– Mes histoires ? répéta l'homme avec un sourire. Viens, je vais te montrer. »
Et il invita le petit berger à entrer.
D'un geste, le conteur désigna une immense bibliothèque, remplie de livres. Polder n'en avait jamais vu autant.
« J'ai lu beaucoup de livres, expliqua le vieil homme. Ils m'ont fait découvrir des histoires incroyables et des mondes merveilleux. Ces histoires m'ont ouvert l'imagination, et maintenant j'en invente moi-même. »
Polder était si impressionné que le conteur décida de lui apprendre à lire. Et quand il sut lire, il dévora tous les livres qu'il trouvait. Maintenant, Polder est devenu un auteur dont les histoires fascinent les enfants du monde entier. •

OCTOBRE OCTOBRE 13 C'est vrai ou c'est pas vrai ?

Ce matin, on discute beaucoup dans le grand chêne. Tout le monde s'est réveillé de bonne heure à cause de madame Hou, la chouette, qui a tenu à annoncer à tous les habitants ce qu'elle a vu cette nuit. Elle était perchée tout en haut, à guetter comme d'habitude, pendant que les autres dormaient. Monsieur Vifff, l'écureuil, s'était enroulé sur lui-même avec le nez dans sa queue touffue ; les rouges-gorges somnolaient sur leur branche, bien serrés l'un contre l'autre pour résister au froid ; la famille Souris dormait tranquillement, entassée dans son nid douillet entre les racines du chêne. Les fourmis travaillaient, bien sûr ; elles n'avaient pas le temps de s'occuper de ce qui se passait dans la forêt, elles ! Et pourtant, en plein milieu de la nuit, alors que les étoiles brillaient fort et que la forêt était complètement silencieuse pour une fois, madame Hou a entendu, au loin, un bruit de clochettes qui se rapprochait. On aurait dit que le bruit venait du ciel. Madame Hou a levé la tête et elle a vu, oui, elle a vu un traîneau tiré par des drôles d'animaux un peu comme des grands cerfs, mais avec des bois d'une autre forme. Dans le traîneau, qui semblait flotter dans l'air, il y avait un homme habillé en rouge, avec une grande barbe blanche. Ils sont passés si vite que madame Hou n'a pas eu le temps d'avoir peur ni de s'envoler pour les suivre. Elle aurait pourtant bien voulu savoir où ils allaient. Dans le grand chêne, on ne croit pas vraiment madame Hou. C'est vrai qu'elle est un peu bizarre parfois, mais alors comment expliquer que, ce matin, chacun ait trouvé un petit cadeau sous son oreiller ? •

C'était pas un ours blanc

Niak, Niouk et Niok, les trois petits phoques, viennent de sortir de l'eau. Leur maman leur a bien recommandé de ne pas rester trop longtemps sur la banquise à cause de l'ours blanc qui pourrait bien les croquer, mais nos trois petits amis s'attardent quand même un peu. C'est si beau, quand il y a un peu de Soleil ! Les cristaux brillent comme des pierres précieuses. Et puis, aujourd'hui, on voit très loin, il n'y a pas de brouillard. Si l'ours apparaît, ils auront le temps de plonger.

Mais quel est ce bruit bizarre, un peu comme des glaçons agités par le vent ? Surtout qu'il n'y a pas de vent ! Diling, diling, diling ! Intrigués, les trois petits phoques ne songent pas un instant à retourner dans la mer. Tiens, là-bas, il y a quelque chose qui approche. C'est encore tout petit, parce que c'est loin. Diling, diling, diling...

« Il vaut peut-être mieux plonger, maintenant, s'inquiète Niouk. Maman a dit... »
Niak essaie de la rassurer :
« Mais non, on a le temps ; moi, je veux savoir ce que c'est ! »

Niok ne dit rien. Cette chose qui arrive vers eux, ce n'est pas un oiseau, ce n'est pas un phoque et ce n'est pas blanc, alors ?
Diling, diling, diling ! De plus en plus fort, de plus en plus près. Et soudain : « Houa, houa ! »
Niouk, Niak et Niok sautent à l'eau comme un seul phoque. Il était temps ! La chose vient de passer à côté de leur trou à toute allure. Ça avait plein de pattes, avec un gros truc derrière, et ça soufflait comme une baleine. Nos trois petits amis ne le sauront jamais, mais ils viennent de rencontrer Mok l'Indien inuit dans son traîneau tiré par dix chiens huskies ! •

Charlie fait de l'escalade

Il y a longtemps que Charlie avait envie de faire de l'escalade, mais jusqu'à maintenant, on le trouvait trop petit. Il a bien fallu attendre. Mais que c'est long, la vie, quand on attend de grandir ! Enfin, à force d'insister, Charlie a obtenu d'accompagner son papa pour une première expérience. Ça ne sera pas les grands sommets des Alpes, mais un rocher haut comme une maison de deux étages, et c'est bien assez pour commencer. Dès le lever du jour, nos deux alpinistes ont préparé leurs sacs : une corde pour s'attacher, des pitons pour fixer la corde au rocher, un marteau pour planter les pitons, les casques, indispensables si on ne veut pas prendre une pierre sur la tête, sans parler du casse-croûte, de la gourde d'eau et de quelques fruits secs en cas de fringale. Après avoir tout vérifié, les voilà partis. Juste une petite heure de marche pour arriver au pied du rocher d'escalade. Oh là là, que c'est haut ! Charlie n'est plus tout à fait sûr d'avoir envie de grimper. Ses jambes tremblent un peu, mais il ne le dit pas. Son papa lui explique les manœuvres, puis il l'attache à la corde et s'attache aussi à l'aide d'un mousqueton. Ensuite, il commence l'escalade. Charlie ne voit plus que la semelle de ses chaussures !

•••

•••

« Allez mon gars, c'est à toi. Regarde bien où tu mets les pieds et ne lâche une main que lorsque tu as trouvé une bonne prise. N'aie pas peur, je tiens la corde. »
Charlie commence à escalader le rocher ;

ce n'est pas plus difficile que de grimper aux arbres, finalement, et il arrive au sommet sans difficultés.
« Bravo ! dit son papa. Te voilà devenu un vrai alpiniste. La prochaine fois, on ira sur une vraie montagne. » •

Clara est malade

Petit Pierre est venu rendre visite à son amie Clara. Elle est couchée au fond de son lit. Dommage, ils ne vont pas pouvoir faire les fous.
« Je suis malade, j'ai mal à la gorge, dit Clara d'une petite voix enrouée.
– C'est pas grave, je vais te raconter des histoires, lui répond Petit Pierre.
– Viens dans le lit avec moi, ça sera plus pratique pour lire ensemble. »
Très content, Petit Pierre se glisse vite sous la couette, bien serré contre son amie Clara.
« Mais tu es brûlante !
– Ah, c'est vrai, c'est l'heure de prendre ma température. Non, ne touche pas à cette bouteille, c'est mon sirop ; il est à la fraise, mais c'est seulement pour les gens malades. Non, n'ouvre pas cette boîte : ce sont mes pastilles à la banane pour la toux ; elles sont délicieuses. »
Petit Pierre voudrait bien

goûter à toutes ces bonnes choses, mais il n'est pas malade, lui. Les deux amis se racontent des histoires, blottis l'un contre l'autre durant tout l'après-midi. Vers le soir, Clara rabat la couette et saute du lit.
« Ça y est, je suis guérie ; je suis en pleine forme ; allons jouer dehors. »
Mais Petit Pierre ne se sent pas bien ; il a mal à la gorge, la tête lui tourne.
« C'est vrai, dit Clara, tu es tout pâle ; je vais te donner une cuiller de sirop et des pastilles. »
Le sirop a un bon goût de fraise et les pastilles sont vraiment délicieuses, mais Petit Pierre ne peut guère les apprécier : il a tellement mal à la tête ! Il ferme les yeux et s'endort. Clara quitte la chambre sur la pointe des pieds.
Pourvu que Petit Pierre soit guéri quand ses parents vont rentrer de leur travail ! Sinon, comment va-t-elle leur expliquer qu'il est couché dans son lit ! •

Le voyage de Luc, le manchot

Très loin, dans les pôles, Luc le manchot s'apprêtait à partir en voyage. Il s'était toujours promis de faire un jour un beau voyage dans des contrées lointaines et inconnues. Aujourd'hui, il était en route, seul sur son petit bout de banquise. À l'aide d'un long bâton, il se dirigeait vers le sud et poussait les autres blocs de glaces qui pouvaient le gêner. Il passa une bonne partie de la nuit à regarder les étoiles et les aurores boréales. Il pêcha quelques petits poissons pour son déjeuner ; il se préparait à passer une nouvelle journée en mer quand il vit un bateau immense s'approcher de lui.

« Hé, Ho, petit, tu n'as pas besoin d'aide ? lui demanda le capitaine.

– Non, merci capitaine, fit Luc en le saluant. Bonne route à vous. » Plus il descendait vers le sud et plus il voyait des bateaux et des animaux qui lui offraient leurs services.

Silène la baleine lui demanda s'il voulait qu'elle le porte sur son dos, Buzz le dauphin lui proposa de tirer son bloc de glace pour aller plus vite. Mais Luc refusa gentiment toutes ces propositions. Il n'avait besoin de personne. Les jours passaient et Luc se rapprochait du Sud. Hélas ! son petit bloc de glace fondait à vue d'œil. Un matin, le petit bloc de glace devint si petit qu'il restait tout juste assez de place à Luc pour se tenir debout, le soir, le pauvre manchot dut se tenir en équilibre sur un pied pour ne pas tomber à l'eau.

« Oh, je crois maintenant que j'ai besoin d'aide, se lamenta-t-il.

– Bien sûr, jeune manchot, lui dit alors Silène la baleine, heureusement que je t'ai suivi jusqu'ici. Allez, monte sur mon dos. À l'avenir, tu sauras qu'il faut parfois demander conseil pour voyager. » •

Oh, non, pas lui !

Ce matin, maman a reçu une lettre ; maintenant, elle a l'air catastrophé.

« Qu'y a-t-il ? demande papa.

– Assieds-toi », lui dit-elle.

Papa s'assied.

« Alors ? demande-t-il.

– Il va venir ici passer quelques jours avec nous...

– Il... ? Oh, non ! Ne me dis pas... qu'il revient ! » Maman hoche la tête d'un air navré. Heureusement que papa est assis, parce qu'une nouvelle pareille, ça fait toujours un choc. Mais de qui parlent-ils ? D'un ouragan ? D'un cyclone ? Non, pire que ça : ils parlent de Josué, leur neveu de sept ans. Il faut dire que Josué est un vrai garnement ; dès qu'il est là, les catastrophes se succèdent à un rythme effréné. La

dernière fois qu'il est venu, papa a dû refaire la plomberie de la salle de bains, changer le carrelage de la cuisine et payer la réparation de la voiture des voisins. Cette fois, il faut s'organiser.

Papa et maman mettent à l'abri tous les objets fragiles, ils enlèvent même les tapis. Enfin, quand tout est prêt, Josué arrive. Il est content de revoir son oncle, sa tante et ses cousins. Josué a changé depuis la dernière fois : il a l'air plus posé, comme assagi. Et, ô miracle ! le séjour se passe sans qu'aucune catastrophe n'arrive.

Le jour de son départ, au déjeuner, son oncle et sa tante complimentent leur neveu. Papa regarde sa montre, il va être l'heure, tout le monde se lève.

•••

•••

Josué aussi, bien sûr. Et, comme il est devenu un enfant vraiment très sage, il a accroché la nappe à sa ceinture afin qu'aucune miette ne tombe par terre, alors patatras ! en un éclair les assiettes, la saucière, le plat s'envolent dans les airs avant de s'écraser sur le beau parquet de la salle. Papa et maman ne disent rien, puis ils se regardent avec des airs de sacripants, et papa se tourne vers Josué :

« Tu sais quoi ? La prochaine fois, c'est nous qui viendrons chez toi... » •

Des traces de pas dans la neige

Les triplés sont enfermés dans la maison depuis le début de l'après-midi. Dehors, le vent souffle fort, la neige tombe et il fait un froid de canard. Antonin, Anicette et Adrien s'amusent à jouer aux détectives. Ils ont déjà résolu le mystère de la chaussette perdue. Il reste encore à résoudre l'énigme du gâteau disparu.

« Il ne neige plus, dit Antonin, jouons dehors !

– Essayez donc de me retrouver quand vous serez prêts ! » s'écrie Adrien en mettant son écharpe.

Et il disparaît. Quand Anicette et Antonin arrivent, il n'y a plus personne.

« J'ai une idée, dit Anicette, nous allons jouer les détectives et suivre ses pas dans la neige. »

De belles traces fraîches partent de la porte de la maison, tournent autour de la maison et reviennent vers la clôture. Elles s'arrêtent là.

« Il a dû sortir par là », dit Antonin.

Mais la porte de la clôture est fermée à clé.

« Il n'a quand même pas pu s'envoler ! » s'exclame Anicette.

Elle lève quand même le nez vers le ciel : il n'y a rien, pas un nuage ni un avion, même pas un ballon ou un cerf-volant. Où est-il donc passé ?

À ce moment-là, ils entendent derrière eux un petit rire étouffé. C'est Antonin ! Il se tient debout sur le seuil de la porte, un gros gâteau à la main.

« Alors, les détectives ? On cale ? Je suis sorti, j'ai marché dans le jardin, j'ai fait le tour de la maison, j'ai marché vers la clôture et, pendant que vous suiviez mes traces derrière la maison, j'ai marché à reculons en posant mes pieds dans les traces que j'avais faites à l'aller. »

C'était donc ça !

« Ah, au fait, j'ai résolu le mystère du gâteau disparu ! »

Et, tandis qu'il porte le gâteau à ses lèvres, une boule de neige atterrit sur son nez. D'où vient-elle ?

L'enquête ne fait que commencer ! •

Une si mignonne boule de poils

Tonton Paul vient de rentrer d'un long voyage en Afrique. Dans ses bagages, il a ramené un cadeau pour la famille. Au téléphone, il n'a pas voulu dire de quoi il s'agit ; Loulou est très impatient. C'est quoi, ce cadeau ? Tonton Paul a juste dit qu'ils seraient très surpris.

On sonne. C'est lui, c'est tonton Paul ! Loulou se précipite sur la porte. Tonton Paul est là, souriant. Dans ses bras, il tient une boule de poils avec de grands yeux tout effrayés.

« Oh merci, dit Loulou ! Comme il est mignon ce chat !

– Ce n'est pas un chat, dit tonton Paul en éclatant de rire. C'est un bébé léopard. Il s'appelle Mamba. Tiens Loulou, c'est pour toi. »

La maman de Loulou attrape tonton Paul par la manche et l'entraîne dans la cuisine.

« Non mais, tu es fou ? C'est un fauve !

– Pas du tout, proteste tonton Paul ;

vous avez un grand jardin. Tu sais, les léopards s'apprivoisent très bien. Celui-ci a été sauvé de justesse : sa mère a été tuée par des braconniers. »
Loulou arrive avec le bébé léopard dans ses bras. Il a entendu sa maman et, les larmes aux yeux, il demande : « S'il te plaît, maman ! »
La maman de Loulou ne répond rien, mais elle est très mécontente. Loulou va se réfugier dans sa chambre avec son nouvel ami. Mais au bout d'une minute il revient, et il dit :

« Tonton Paul, maman a raison. Quand Mamba sera grand, on ne pourra pas le garder, parce qu'il sera trop dangereux. J'aurai trop de chagrin, et lui aussi sans doute. Il vaut mieux que tu l'emmènes au zoo tout de suite ; comme il n'a pas connu la liberté, il sera moins malheureux. Adieu, Mamba. J'irai te voir toutes les semaines. » •

Dans le pré

Jonas le berger vient de sortir son troupeau de moutons de la bergerie. Il a ouvert grand la porte pour qu'ils aient bien la place, mais, comme d'habitude, ils se bousculent pour passer tous ensemble au lieu d'attendre leur tour, exactement comme vous quand vous sortez de l'école ! Et ils courent, et ils bêlent ! Ding, ding, ding ! font les cloches aux cous des brebis, dong, dong, dong ! aux cous des béliers. Bêêê ! bêêê ! bêêê ! Ça fait un bruit épouvantable et Pipo, le chien de berger, les regarde passer d'un air de dire :
« Mais que c'est donc bête, ces animaux-là ! »
Arrivés dans le pré, ils continuent à cavaler, comme si le loup était à leurs trousses. Au bout d'un moment, ils ralentissent, se regardent et enfin s'aperçoivent qu'ils sont dans l'herbe et qu'il est temps de manger. Jonas a suivi ses bêtes et, voyant qu'elles sont calmées, il

s'installe sous un arbre pour une petite sieste. Pipo le chien s'assied près de lui, sans quitter son troupeau des yeux. Tout à coup, un agneau qui a perdu sa mère dans la foule se met à appeler d'une voix désespérée. Aussitôt, toutes les brebis lèvent la tête et répondent, puis elles voient que leurs petits sont là, sous leur nez, et elles se remettent à brouter, sauf la vraie maman qui arrive en courant vers son petit ; celui-ci se met à genoux entre les pattes de sa mère

•••

et se met à téter en frétillant de la queue.

Maintenant, rassasiés, les moutons se sont couchés auprès de leur berger et ils ruminent paisiblement, les yeux mi-clos. Toutes les mâchoires remuent au même rythme. On n'entend plus que le chant des merles. Tout à l'heure, quand le Soleil disparaîtra, on rentrera à la bergerie. Ah, la belle vie ! •

Des œufs pas ordinaires

Enfin, les vacances sont arrivées ! Julie part retrouver sa grand-mère. Vite, vite, il faut se dépêcher : demain, c'est Pâques, les cloches vont passer ! Il faut préparer des nids pour qu'elles y déposent les œufs en sucre. Pas facile de préparer des nids, en ville. Julie s'est bien débrouillée ; elle en a fabriqué trois : elle a ramassé des brindilles dans le square, récupéré du raphia chez la fleuriste et des brins de laine à la maison. Elle va les installer dès ce soir dans le jardin de mamie et, demain, ils seront pleins d'œufs. Elle devra également chercher tous ceux que Mamie aura cachés.

« Bonjour, ma belle ! dit Mamie en ouvrant ses bras dans lesquels Julie saute avec joie. Oh, tu as préparé de très jolis nids ! Zut, cette année, j'étais trop occupée, j'ai oublié d'acheter des œufs en chocolat. »

Julie est très déçue ; elle a bien du mal à retenir ses larmes. Comment sa mamie chérie a-t-elle pu oublier les œufs de Pâques ?

« Je vois bien que tu es triste. Mais j'ai autre chose pour toi et avec de la chance, demain, tu auras une très belle surprise. »

Connaissant Mamie, la surprise sera sûrement extraordinaire. Julie peut aller dormir rassurée.

Tôt ce matin, Mamie est venue la réveiller.

« Viens vite ! Certaines surprises n'attendent pas. » Mamie et Julie entrent tout doucement dans la grange. Sous une lampe, dans la paille, dix œufs de poule. Julie entend un drôle de toc, toc, toc. Soudain, une des coquilles se brise, un petit bec pointu apparaît, suivi très vite de duvet jaune. Tour à tour, les dix œufs éclosent. Voir naître des poussins, c'est bien plus intéressant que des œufs en chocolat ! •

Devinette

C'est blanc et c'est froid. On peut en faire des boules. Et aussi des bonshommes, et même de grandes sculptures. Par contre, ça ne sait pas garder un secret. Qu'est-ce que c'est ? Tu ne trouves pas ? La neige, bien sûr !

Elle est blanche, on peut faire des boules et des bonshommes avec, mais elle raconte tout ce qui se passe, comme un grand livre ouvert. Tant qu'elle est là, impossible de passer inaperçu. Elle garde les empreintes de pas, de roues de voiture, et surtout les traces des animaux sauvages. C'est pour ça que la chasse est interdite par temps de neige. Sinon, ce serait trop facile. Il suffirait de suivre les pistes des pauvres bêtes jusqu'à leur cachette. Chacune laisse derrière elle des empreintes bien reconnaissables, comme une signature. Ici, un lièvre a sauté à travers la prairie en direction des fourrés. Derrière lui, le renard. L'a-t-il rattrapé ?

L'a-t-il mangé ? Non, les traces du lièvre disparaissent sous une souche d'arbre ; le renard a tourné autour, puis il s'est éloigné vers les bois. Ouf ! Tiens, là-bas, toute une famille de sangliers a fouillé la neige. Quel gâchis ! Et voilà les pattes de Chouca, le chien berger, parti voir sa copine dans la ferme d'à côté. En chemin, il a rencontré un chat qui a eu peur de lui et a grimpé dans un arbre ; Chouca ne s'est pas occupé du peureux et il a continué sa route. Alors le chat est redescendu et il est reparti en sens inverse. Et ça, c'est quoi ? Peut-être une genette.

Cette nuit, les animaux de la forêt se diront : « Deux bêtes à deux pattes, une grande et une petite sont passées ici dans l'après-midi. Qu'est-ce que c'était ? » •

Le petit cheval de bois

Monsieur Roullet était le propriétaire d'un magnifique manège. Tout en dorures, peintures et ornements, il était d'une rare beauté. Dans chaque village de la région, monsieur Roullet installait pour quelque temps son manège. On entendait de loin sa jolie musique, et les enfants se précipitaient pour faire un tour. Il y avait le choix : des carrosses, des cochons, des chevaux, et même une licorne. Mais ce que les enfants ignoraient, c'est qu'un de ces chevaux de bois était triste. Il n'avait pourtant pas à se plaindre : il était beau, aimé de tous, et il adorait les enfants. Mais, malgré tout, le petit cheval soupirait. Ce qu'il aurait voulu, lui, c'est être un vrai cheval. Il les voyait bien, les autres, les vrais chevaux. Ce qu'ils avaient l'air heureux ! Rien à voir avec sa vie à lui, monotone et sans surprise.

Il tournait toujours dans le même sens, il n'y avait jamais d'imprévu, et puis, lorsque l'hiver venait, il était enfermé dans un hangar sombre et humide jusqu'au printemps. La seule chose qui ne le lassait pas, c'étaient les enfants qui montaient avec bonheur sur son dos.

Or, un jour, sur la place du village de Caroube, une petite fille monta sur son dos. Ce n'était pas une petite fille comme les autres : elle était légère, aussi légère que l'air. Lorsque le manège démarra, la petite fille caressa l'encolure du cheval et se mit à lui parler.

« Mon beau cheval, je suis une petite fée et, aujourd'hui, je dois exaucer ton premier vœu. J'ai lu dans tes pensées et je sais ce que tu désires. Eh bien, voilà, pour toute la joie que tu as apportée aux

•••

203

•••

enfants, ton souhait va se réaliser. Je vais faire de toi un vrai cheval. »
À ces mots, elle le transforma en un magnifique cheval blanc. Le petit cheval de bois, devenu un vrai cheval,

galope maintenant librement dans la nature et reste toujours très doux avec les enfants qu'il croise sur sa route. •

Éléonore est débordée !

Depuis des mois, Éléonore demande un petit frère à ses parents. Toutes ses copines en ont, ou presque toutes. Et elles n'arrêtent pas de lui raconter comme elles s'amusent bien à habiller le bébé, à lui donner le biberon, à le bercer, à le promener dans sa poussette et tout ça. Éléonore est très jalouse, forcément, et surtout, elle ne comprend pas pourquoi papa et maman disent toujours :
« Bientôt, bientôt ! »
Éléonore est sûre qu'ils disent ça pour qu'elle arrête de leur réclamer un petit frère. Mais l'autre jour, elle a entendu sa maman qui disait à papa :
« Le docteur m'a dit que cette fois-ci, ça allait marcher. »
De quoi parlaient-ils ? Éléonore est très inquiète. Maman serait-elle malade ? Il faut lui demander.
« Non, a répondu la maman d'Éléonore, je ne suis pas malade ;

c'est juste un peu difficile d'avoir un bébé. Tu sais, nous aussi, on est impatients. Mais cette fois-ci, ils sont bien là, dans mon ventre. »
Éléonore s'étonne :
« Pourquoi tu dis : ils sont ?
– Parce que ce sont des jumeaux ! »
Éléonore est folle de joie. Deux petits frères ! Ça valait la peine d'attendre ! Enfin, le grand jour est arrivé. Maman vient de rentrer de la clinique avec les nouveau-nés. Elle est un peu fatiguée, alors Éléonore l'aide tant qu'elle peut. Et pour y avoir du boulot, il y a du boulot ! Éléonore est débordée. Deux petites bouches qui hurlent en même temps pour réclamer à manger ; par lequel commencer ? Deux couches à changer, quatre petites fesses à nettoyer ! En plus, les jumeaux occupent en permanence les bras de papa et maman ! Oui, mais ça fait aussi quatre joues toutes rondes à embrasser, et Éléonore ne s'en prive pas. •

En passant par les canaux

L'an passé, Cédric et Mina sont partis en roulotte sur les petites routes. Ils ont adoré leurs vacances. Leurs parents aussi ont beaucoup apprécié le voyage et ils ont eu une autre idée : cet été, les voilà sur une péniche ; ils descendent le canal du Midi. Ils sont très organisés. Tour à tour, papa ou maman prend la barre, et l'un des enfants surveille le fond de l'eau, à l'avant du bateau. Un canal, ça n'est ni très large, ni très profond. Il faut faire bien attention ! Ils ont pris leurs bicyclettes et, très souvent, une équipe part en éclaireur ou se charge d'acheter du pain au prochain village avant que la boulangerie ne ferme. Et puis il y a plein de mûres dans les fossés. Parfois, ils croisent un autre bateau et chacun raconte à l'autre ce qui se passe un peu plus loin. Un jour, une famille anglaise les a même invités à déjeuner sur sa péniche.

Ils s'arrêtent quand ils en ont envie. Cédric et Mina peuvent se dégourdir les jambes dans les prés et reprendre le bateau un peu plus bas. Ils adorent se réveiller le matin sur l'eau, en pleine campagne, et écouter les oiseaux.

Cédric a découvert la pêche ; il est passionné et, du coup, les deux enfants se mettent à aimer le poisson. Mais ce qu'ils préfèrent par-dessus tout, c'est le passage des écluses ; Cédric et Mina se sentent tout petits au fond du bassin ; ils adorent quand l'eau monte.

Ils en ont le souffle coupé avant que les grandes portes ne s'ouvrent vers la rivière en liberté. Cédric et Mina sont devenus de vrais mariniers !

Qui sait dans quelle étrange aventure leurs parents les embarqueront l'année prochaine ! •

Guarani

Nauel et Shunko habitent un pavillon en banlieue parisienne. Ils vont à l'école de leur quartier, au parc le dimanche et ils regardent trop la télé. Des enfants normaux, quoi ! Parfois, ils en ont un peu assez que personne ne sache prononcer leur nom correctement. C'est pourtant simple ! Pour le u, il faut dire ou : Nouel et Shounko. Pour Shunko, c'est plus facile ; tout le monde l'appelle Shoun. Remarque, dans leur école, les enfants viennent du monde entier, alors, des prénoms difficiles à prononcer, il y en a des tas !

Anne-Marie, leur maîtresse, dit qu'elle aime bien cette classe parce que, lorsque les enfants annoncent leur prénom tour à tour, ça fait comme une jolie chanson qui l'emmène faire le tour du monde. Nauel et Shunko ont un secret : ce sont de vrais Indiens guaranis d'Amérique du Sud (on dit gouarani). Nauel, ça veut dire tigre en guarani, et

Shunko : petit garçon. À la maison, leur papa leur parle la langue guarani. Nauel et Shunko adorent quand il ferme les yeux et qu'il chante tout doucement en frappant sur son tambour. Après, il chante de plus en plus fort et sa voix résonne dans toute la maison.

Nauel et Shunko sont impatients de grandir. Papa leur a promis que, lorsqu'ils auront douze ans, il les emmènera dans son pays, au Paraguay, pour le grand rituel du passage à l'âge d'homme. Si Nauel et Shunko réussissent toutes les épreuves, ils seront admis dans la tribu de leur grand-père, et ainsi ils pourront retourner là-bas quand ils voudront. En attendant ce grand jour, il faut aller à l'école... et ce soir, vite au lit ! •

Henri fait de la spéléo

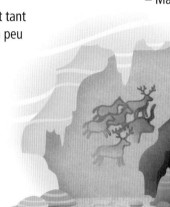

Henri était impatient et un peu inquiet ; il allait faire de la spéléo avec son papa. Il se disait que c'était peut-être dangereux. Et s'il y avait des monstres des cavernes comme dans toutes les histoires ?

« P'pa, t'es sûr... qu'on monte là-haut ?

– Eh oui ! Impressionnant, non ?

– Ben... un peu... »

Pendant que son père commençait à grimper, Henri était de plus en plus anxieux.

« Alors Henri ? Tu viens ? »

Il fallait bien se décider. Il avait tant souhaité être là ! Il se força un peu et rejoignit enfin son père qui avait trouvé l'entrée de la grotte. Ce n'était pas évident, parce que la faille était dissimulée et seul un œil averti pouvait l'apercevoir d'en bas. Son père l'avait découverte en faisant de l'escalade. Ils entrèrent. Une galerie étroite les mena jusqu'à une grande salle. Et là, surprise ! De merveilleuses fresques peintes ornaient les parois. Des bisons, des chevaux, des ours ; tout cela ne datait pas d'hier. De retour à la maison, Henri raconta leur découverte à sa maman :

« Maman, maman, on a découvert une grotte préhistorique !

– Vous avez découvert quoi ? s'étonna sa mère.

– Une grotte préhistorique !

– Mais, il faut contacter le musée ! Vite le numéro !

– Non, jamais ! Il ne faut pas les alerter, imagine ce qu'ils vont faire ? s'exclama Henri. Ils vont dévaster la montagne pour en faire un lieu touristique puis ils vont installer l'électricité dans la grotte ! Ou bien, ils vont l'interdire au public pour éviter que les peintures ne s'abîment et nous ne pourrons plus jamais y entrer ! » Ils ont peut-être eu tort, mais ils ont gardé le secret. •

Il était une fois

Il était une fois, au pied du beffroi, le fils du roi, sur son cheval de bois. Arriva, tout droit de la ville de Troyes, le chevalier Godefroy, pour le grand tournoi.

« Prince, dit Godefroy, vous êtes prêt ma foi, pour ce beau tournoi ? »

Le petit bonhomme, sur son cheval Pomme, regarda notre homme.

« Comment on vous nomme ? Et où sont vos hommes ? Vous venez de Rome ?

– Non, répond Godefroy, je suis né à Troyes ; atchoum... excusez-moi !

– Vous avez pris froid ? Moi aussi je crois, dit le fils du roi.

– Alors prince, entrez dans le beffroi ; il y fait moins froid. »

Le petit bonhomme, sérieux comme un homme, dit au cheval Pomme :

« Mon beau cheval Pomme, reste avec cet homme, c'est un gentilhomme. Il arrive de Troyes, pour le grand tournoi, avec tous les rois. Ils sont déjà trois, du moins je le crois, arrivés chez moi. C'est la première fois, pour ce grand tournoi, que j'aurai le droit, avec tous les hommes, comme un grand en somme, d'admirer comme, cachés sous leurs heaumes, ils galopent et, comme pour gagner ma foi, trois poules et deux oies, ils foncent et guerroient. »

Arrive le roi et quelques ministres : un, deux, trois, il dit à Godefroy :

« Chevalier Godefroy, au pied du beffroi, par ce temps si froid, le prince allait en somme, sur son cheval Pomme, attraper un rhume... »

Aïe, aïe, Aïe... plus de rimes en ome !

« Eh bien, pour une fois, comme je suis le roi, j'en ai bien le droit, je prendrai ma plume, et vous donnerai, à cause de ce rhume, ma province d'Ulm. » •

Il vaut mieux réfléchir...

On parie que tu ne crois pas que les enfants naissent dans les choux ? Et pourtant c'est vrai : des bébés naissent dans les choux, d'autres dans les salades, d'autres encore dans les roses, et même au sommet des arbres ! Bien sûr, ce ne sont pas des petits d'homme, mais, dans les choux, il y a des chenilles d'où naissent des papillons, dans les salades, des petites limaces, et dans les roses, des pucerons tout verts. Au sommet des arbres, il y a des nids d'oiseau et, dedans, des bébés. Eh oui ! Des bébés tout petits et qui ont besoin de leur papa et de leur maman, comme toi ! Tu vois qu'il vaut mieux réfléchir avant de parler ! Évidemment, tu ne crois pas non plus que le nez s'allonge quand on ment ! Pourtant, tu connais l'histoire

de Pinocchio : quand il ment, son nez s'allonge, et pas qu'un peu ! Oui, mais toi, as-tu essayé devant la glace, pour voir ? Par exemple, tu dis, en te regardant droit dans les yeux :

« Je ne mangerai plus jamais de bonbons, je le jure. »

Fais bien attention ! Il se pourrait que ton nez aille s'aplatir sur le verre, parce qu'un mensonge pareil, quand même...

Il vaudrait peut-être mieux que tu réfléchisses avant de parler ! On raconte aussi que les garçons sont plus forts que les filles. Et ça, même les filles le croient. Mais alors, si c'est vrai, les bébés garçons qui viennent à peine de naître et qui ne savent pas encore marcher ni parler peuvent gagner la bagarre contre les filles de la grande école, ou même contre les championnes de judo ?

Et toi ? Qu'en penses-tu ?
Tu devrais y réfléchir. •

Au voleur !

Monsieur Vifff, l'écureuil du deuxième étage, est l'habitant le plus prévoyant du grand chêne. Il passe ses journées à courir partout pour constituer ses réserves d'hiver. Sa maison est remplie de noisettes, mais ça ne lui suffit pas. Il en cache partout, et souvent, il ne les retrouve pas. Tout le monde sait ça, dans le grand chêne, aussi quand ce matin il a commencé à crier :

« Au voleur ! On m'a volé mes provisions ! » Personne ne s'est inquiété.

« Mes noisettes, on m'a volé mes noisettes, se lamentait monsieur Vifff tout tremblant d'indignation. Je suis sûr que c'est ces petits voyous du rez-de-chaussée ! Tous ces souriceaux se ressemblent et ils sont toujours en train de grignoter.

– Oh non, ils sont si mignons, a protesté mademoiselle Rouge-Gorge d'une voix mélodieuse. Ils sont bien remuants, certes, mais... Et puis, vous aussi vous grignotez, monsieur Vifff, et personne ne penserait que vous êtes un voleur ! Avez-vous bien regardé partout ? Parfois, vous savez bien, vous... oubliez.

– Comment ça, j'oublie ? Sachez que je n'oublie jamais rien ! Non, c'est eux, j'en suis sûr !

– Ne vous fâchez pas, monsieur Vifff a repris la jeune oiselle ; c'est juste que l'autre jour j'ai trouvé quelques noisettes cachées dans le creux d'une branche, et... je pense que, peut-être, elles étaient à vous.

– C'est possible, c'est possible, a marmonné l'écureuil. Où ça, dites-vous ? Mais je reste persuadé que les souriceaux...

– Monsieur Vifff ! »

Cette fois, mademoiselle Rouge-Gorge s'est fâchée tout rouge : « Ils ne vous ont rien volé du tout ! Les souris ne grimpent pas aux arbres ! » •

Novembre

Julie fait à manger

Les parents de Julie sont partis faire des courses. Julie et sa petite sœur sont seules à la maison. Comme Julie adorerait faire la cuisine, elle se dit que c'est le moment ou jamais. Elle mélange des ingrédients au hasard : sel, poivre, piment, sauce tomate, sucre... puis elle fait mijoter tout ça ensemble. Quand le plat semble prêt, les deux sœurs se mettent à table. La petite fait la grimace :

« Beurrrk ! C'est vraiment horrible !

– Tu dis ça pour me faire marcher !

– Ben vas-y, goûte, goûte ! » dit la petite. Julie goûte et manque de s'étouffer tant c'est mauvais, mais elle n'en laisse rien paraître : « Heurrk ! Heu... tu rigoles ou quoi, c'est dég... délicieux ! » La petite proteste : « On le fera goûter à papa et maman ! On verra bien ce qu'ils diront, eux !

– Non ! Surtout pas !

– Je pourrais savoir pourquoi ? interroge la petite

sœur. Si c'est aussi bon que tu le dis, ils aimeront ça !

– Eh bien, heu... c'est une potion anti-adulte ! Il ne faut absolument pas qu'ils y touchent.

– Ah ! Dans ce cas-là... » Pour être sûre que ses parents ne se moquent pas d'elle, Julie jette sa préparation à la poubelle. Quand ses parents arrivent, leur mère demande : « Ça sent bizarre dans la cuisine. On dirait que vous avez fait cuire quelque chose.

– Non, maman, dit la petite sœur ! C'était juste une potion anti... » Inquiète, leur maman se tourne vers Julie qui avoue : « Ben... J'ai voulu essayer de faire à manger, mais c'était trop mauvais, alors...

– Oui, et puis elle m'a dit que c'était de la potion anti-adulte et puis...

– Et si on se faisait des crêpes, suggère leur papa. Maman va nous apprendre à tous les trois, d'accord ? » •

Le loup peureux

Depuis le début de l'hiver, chaque soir, la peur envahissait le village de Caroube. En effet, dès que tombait la nuit, on entendait un cri à vous glacer le sang : le cri du loup ! Depuis que le loup s'était installé aux abords du village, tous les habitants, les moutons surtout, vivaient dans la terreur. Ce soir-là, le cri lugubre retentit une nouvelle fois et l'inquiétude gagna le village : Renaud, qui était parti cueillir des fleurs pour sa maman, n'était toujours pas rentré. Il était pourtant déjà bien tard. Ses parents étaient morts d'inquiétude. En fait, le petit garçon avait tout simplement décidé de prolonger sa promenade. S'il avait, lui aussi, entendu le cri du loup, il ne semblait pas effrayé. Soudain, au détour d'un arbre, Renaud tomba nez à nez avec le loup ! Le petit garçon eut un mouvement de recul. Mais, au lieu de l'attaquer, le loup se cacha sous les fougères en tremblant de peur. « Ne me fais pas

de mal, supplia le loup tout recroquevillé. Je ne suis pas méchant. » Renaud tendit alors sa main vers le loup qui se cachait la tête sous les pattes. Le petit garçon caressa son pelage. « Mais si tu as si peur des autres, que fais-tu à rôder par ici ?

– On m'a élu chef de la meute ! Il faut bien que je fasse le méchant, sinon je serais ridicule aux yeux des autres loups.

– Allons, ça ne sert à rien de jouer au méchant, accepte donc d'être doux, si c'est ta nature. Viens avec moi, je suis sûr que tu feras un bon chien de berger. » Renaud revint alors au village accompagné du loup.

Tout le monde fut d'abord effrayé, mais les villageois virent bien vite que ce loup était doux comme un agneau. Et finalement, le loup devint le meilleur ami des bergers et des moutons. •

Le têtard et la chenille

À la mare des Jonquilles, un têtard et une chenille étaient les deux meilleurs amis du monde. Ils aimaient bien se retrouver le soir pour discuter.

« Ne trouves-tu pas, cher têtard, que la vie est belle ? demandait la chenille.

– Superbe, mais j'attends avec impatience de devenir une grenouille, répondit-il.

– Et moi, un beau papillon ! s'exclama la chenille. Mais... »

La petite chenille parut soudain inquiète et triste.

« Qu'y a-t-il ? lui demanda son ami.

– Ne sais-tu donc pas que les grenouilles mangent les papillons ?

– Non, jamais, jamais je ne te mangerai ! » s'indigna le têtard.

Un soir, la chenille ne se sentit pas très bien et dit au têtard :

« Je crois qu'il est temps que je fasse mon cocon pour devenir un papillon. Je suis heureuse, mon ami, mais je reste inquiète : dans quelques jours nous serons tous les deux transformés, toi en grenouille, moi en papillon, et tu voudras me manger.

– Non ! Grenouille ou têtard, je resterai toujours ton ami ! » s'écria le têtard.

Les jours et les semaines passèrent et la chenille se transforma en un magnifique papillon. En s'envolant vers le Soleil, le papillon repensa avec tristesse à son vieil ami le têtard et les larmes lui brouillèrent la vue. Aveuglé, il ne vit pas l'arbre contre lequel il buta avant de s'écraser dans l'eau...

Quand il reprit connaissance, il était allongé confortablement sur un nénuphar. Tout près de lui une belle grenouille le regardait d'un air soucieux :

« Ça va, tu te sens mieux ? »

C'était son ami le têtard devenu grenouille ! Non seulement il ne l'avait pas mangé, mais en plus il lui avait sauvé la vie ! •

Premier boulot

C'est la fête au village. Cette année, pour la première fois, il y a des quads pour les enfants. Tu sais, ces drôles de motos à quatre roues. Rémi et Manuel voudraient bien faire un tour. Mais voilà, ils se sont précipités, ils ont déjà dépensé tous leurs sous au tir à la carabine. Ils sont là, accoudés aux barrières, à regarder passer les autres enfants.

Déjà une heure qu'ils sont là ; ils n'arrivent pas à partir.

« Hé ! les enfants, ça vous dirait de faire un tour de quad ? »

Tiens, c'est le monsieur du circuit qui les appelle.

« Oh oui, Monsieur ! répondent Manuel et Rémi en chœur.

– Je m'appelle Robert. Vous êtes prêts à me donner un coup de main en échange ?

– Bien sûr, que faut-il faire ?

– Je vais bientôt fermer, alors je vous laisse faire un long tour, et ensuite vous passerez à l'éponge, puis au chiffon, tous les quads. Il faut qu'ils brillent pour demain.

– D'accord, on peut y aller ? »

Rémi et Manuel s'élancent sur les quads. Celui de Rémi est rouge. Manuel en a choisi un vert. Robert leur a expliqué : à droite l'accélérateur, à gauche le frein. Les voilà qui entament une course effrénée ;

•••

209

•••

c'est Rémi
qui a gagné !
Robert leur fait signe.
Ils arrêtent sagement
leurs engins et vont
chercher les éponges.
Au boulot ! Bon,
d'accord, ça n'est pas de
tout repos, mais quel
plaisir d'astiquer ces
machines et de
pouvoir rester
encore un peu
près d'elles.

« C'est bon les garçons,
vous avez vraiment
bien travaillé. Si
vous voulez, vous
pourrez revenir
demain. »
Et Robert leur
serre la main,
comme à des
vrais travailleurs.

•

Pilou joue sous la pluie

Pilou le caniche aime bien le mercredi. Ce jour-là, Alex l'emmène se promener dans le parc. Aussi, quand il voit Alex enfiler son imperméable, il se lève en remuant la queue. Chic, on va jouer !
Oh non ! Pas de chance, il pleut. Pilou n'aime ni la pluie ni la neige.
« Allez mon chien, dit Alex tout joyeux ; ce ne sont pas quelques gouttes de pluie qui vont te faire reculer quand même ! Quelle poule mouillée tu fais ! »
Le traiter de poule mouillée, lui, un caniche pure race ! Puisque c'est comme ça, il va lui montrer ce que c'est, un chien mouillé ! Et voilà notre Pilou qui s'élance dans les flaques d'eau et gambade en jappant comme un fou. Alex le suit en courant ; Pilou galope dans l'herbe, revient sur ses pas, saute après Alex en lui posant ses pattes mouillées sur le ventre ; il repart, traverse les pelouses trempées en

aboyant après les pigeons, revient, se secoue juste devant son petit maître qui en prend plein la figure et rouspète tant qu'il peut : « Pilou, arrête ! c'est malin ! Je suis tout trempé maintenant ! »
Pilou s'amuse beaucoup. Finalement, c'est très rigolo d'être mouillé. Il regarde Alex d'un air de dire :
« Allez, on y retourne ? »
Mais Alex n'a plus du tout envie de jouer ; il a froid et il veut rentrer à la maison. Juste au moment où on commençait à bien s'amuser ! De très mauvaise humeur, Alex se déshabille dans la salle de bains ; mais où est Pilou ? Oh non, pourvu que... Hélas ! lui aussi avait besoin de se sécher, alors il a sauté sur le lit d'Alex et il s'est enroulé dans la couette. Pourquoi, disent ses yeux marron, fallait pas ?

•

La belle découverte

Zizou l'abeille vient de rentrer à la ruche le jabot rempli d'un délicieux nectar qui deviendra du bon miel. Elle se dépêche d'aller le déposer dans un alvéole.

Ensuite, elle se frotte les pattes pour enlever les deux pelotes de pollen qu'elle a aussi ramenées pour nourrir les bébés.

Ouf ! C'est lourd tout ça, et Zizou est très fatiguée. Mais les abeilles ne se reposent jamais, et surtout, elle doit annoncer la bonne nouvelle à toute la famille :

elle a trouvé un endroit plein de fleurs de lavande. Zizou s'installe sur le rayon de cire et elle commence à danser. Oui, oui, à danser ! C'est comme ça que les abeilles expliquent à leurs sœurs dans quelle direction il faut aller, à quelle distance se trouvent les fleurs, et quelle quantité de nectar elles pourront y trouver. Parfois, Zizou marche normalement, et parfois elle se secoue.

Au début, une seule abeille la suit en faisant comme elle. Mais très vite, d'autres entrent dans la danse et, enfin, toutes les abeilles se tortillent comme s'il y avait de la musique !

Les unes après les autres, elles quittent la danse et s'envolent dans la direction indiquée par Zizou. Et elles ne se trompent jamais. Mais voilà Zaza qui

revient. Elle raconte qu'elle a trouvé un endroit où poussent des chardons.

« Des chardons ! s'écrient les abeilles. Chic ! Le miel des chardons est si parfumé ! Vite, Zaza, danse-nous ça ! »

Zaza se met à se tortiller et, au fur et à mesure, les abeilles apprennent que le champ de chardons est situé derrière le petit bois, que les chardons sont tous en fleurs et... plus personne. Les abeilles sont déjà au travail. •

La boule d'or

Loulou et son ami Julien sont des garnements ! Ils n'arrêtent pas de faire des bêtises dès qu'ils sont ensemble.

Cet après-midi, au lieu de jouer tranquillement près de chez eux, ils s'en vont courir dans les bois. Tout à coup, Julien se met à crier :

« Là, là, une boule d'or ! J'ai vu une boule d'or ! »

Loulou court vers l'endroit indiqué, mais rien. Pas la moindre boule, ni d'or, ni de plomb, ni de bois. Loulou a bien l'impression que son copain lui a raconté n'importe quoi pour faire le malin.

« Mais si, je t'assure, se défend Julien, elle était là, par terre, juste derrière ce buisson. Je ne comprends pas... »

Loulou est très déçu. Il cherche partout, sous les branches, dans l'herbe, et même sous les cailloux. Pas de boule d'or. Soudain, un éclair lumineux, derrière le tronc d'un arbre. Loulou se précipite. À peine a-t-il le temps de voir briller quelque chose que déjà cela a disparu. La boule d'or ! C'est elle ! Elle se sauve quand ils approchent !

Les deux garçons se mettent à courir dans tous les sens :

« Elle est là ! Je l'ai vue !

– Moi aussi, moi aussi, par là !

– Mais non, de l'autre côté ! »

Ils passent ainsi l'après-midi à se démener à la poursuite de la boule magique.

•••

...

À la nuit tombée, épuisés mais persuadés que la boule d'or existe vraiment et qu'elle leur a échappé, ils reviennent enfin, bredouilles.

On les a cherchés toute la journée. Aussi, quand ils se présentent en racontant cette histoire à dormir debout, leurs parents sont très en colère. Nos deux découvreurs de trésor seront privés de promenade pendant quelques jours ! Et ils ne sauront jamais si la boule d'or existe ou pas. Et toi, l'aurais-tu vue par hasard ? •

La famille couleur

Toute la famille Couleur est réunie chez grand-mère Blanche. Il y a aussi tatie Grise, la femme de tonton Noir. Elle est toute petite, tatie Grise, et très gentille ; mais elle est toujours triste. Son sourire est comme le ciel quand il pleut, ses yeux comme de la poussière. Tonton Noir n'est pas venu. Rouge, Bleu et Jaune, les trois enfants de grand-mère Blanche viennent d'arriver avec tous les cousins. Ça en fait du monde !

Bleu, l'aîné, est toujours gai parce qu'il est amoureux.

Il aime la mer, le ciel, les fleurs de myosotis, et les yeux de Mira, sa fiancée. Et de quelle couleur sont les yeux de Mira ? Verts. Mais pas comme l'herbe au printemps, non ; verts avec des paillettes dorées, comme l'eau des ruisseaux quand il y a de jolis cailloux brillants au fond.

Et quand Bleu et Mira se regardent dans les yeux, on ne sait plus qui est bleu, qui est vert, qui est bleu vert. La sœur de Bleu, c'est Rouge.

Ah, celle-là, quel caractère ! Et que je crie, et que je m'énerve, et que je bouscule tout le monde pour un rien ! Elle fait autant de bruit qu'un volcan, mais elle est craquante comme une pomme. Vraiment, si elle n'était pas si jolie, la miss Rouge, on ne pourrait pas la voir en peinture ! Pas comme sa petite sœur, la douce Jaune. Jaune, on dirait qu'elle est en miel. Elle sourit tout le temps. Une vraie fleur. Et gentille avec ça. Elle, ce qu'elle aime, c'est le Soleil. Elle passe des heures allongée à se faire bronzer. Elle ferait quand même bien de se méfier, parce qu'elle risque de devenir comme sa cousine Brune, toute marron, et toute brûlée. Mais où est Violette ? Elle est partie se promener avec Orange et Rose, les deux jumelles. •

Le perroquet magique

Corentin était un enfant gâté qui n'était jamais content de son sort. Lassé de ses caprices, son grand-père décida de lui donner une bonne leçon. Pendant que Corentin était à l'école, il se rendit chez monsieur Arthur, son voisin, et lui fit part de son plan.

« C'est une idée géniale ! » s'exclama monsieur Arthur. Quand il revint de l'école, le garçon tapa du pied : « Je veux un vélo !

– Va chez le voisin, lui dit alors le grand-père, il a un perroquet magique qui exauce tous les vœux. » Sous le regard amusé de son grand-père, Corentin se rendit aussitôt chez monsieur Arthur.

« Je te présente Aral, lui dit celui-ci en conduisant le garçon auprès d'un magnifique perroquet. C'est un perroquet magique. Demande lui ce que tu veux et il te le donnera. » Là-dessus, il quitta la pièce.

« Je veux un vélo, dit Corentin au perroquet.

– Si tu me donnes un peu d'argent, je te donnerai ce que tu désires », lui répondit le perroquet avec une drôle de voix. Corentin courut alors dans la forêt, y ramassa des mûres et les vendit au marché. Satisfait, il revint chez monsieur Arthur avec quelques pièces.

« Ce n'est pas assez, il me faut plus d'argent », exigea le perroquet. Avec ses pièces, Corentin acheta un canif avec lequel il fabriqua des petits jouets en bois qu'il vendit au marché. Comme le perroquet voulait encore plus d'argent, Corentin travailla tous les soirs à la maison : il aida son père à faire quelques travaux et il aida sa mère à faire la vaisselle en échange d'un peu d'argent. Cette fois, il en avait gagné assez. « C'est bon, lui dit alors le perroquet, maintenant, tu peux t'acheter un vélo... » Et monsieur Arthur, accompagné du grand-père, sortit du mur derrière lequel il se cachait pour imiter la voix du perroquet. Corentin comprit la leçon et sourit. Avec son argent, il put s'offrir un vélo et jamais plus il ne fit de caprice. •

La vache Honshu

Aujourd'hui, dans les alpages, les vaches ne broutent même pas. Elles sont toutes en train de parler de Honshu, la cousine de la vache Mirza. En effet, ce matin, Mirza a reçu du Japon une lettre de sa cousine Honshu. À vrai dire, Mirza ne sait plus son vrai prénom, mais comme sa cousine habite la ville de Honshu, elle l'appelle comme ça.

Cette Honshu, alors ! Avant, elle vivait dans un pré, comme Mirza et ses copines, maintenant, elle vient de déménager, et elle habite un immeuble de huit étages ! Si, si, ça existe, au Japon, les immeubles

pour les vaches !
À chaque étage, il y a six appartements habités chacun par huit vaches. Elles ne sortent jamais ; un ascenseur leur livre du fourrage et de la paille pour se coucher. Quand la paille est sale, on la pousse dehors avec un balai, car il n'y a pas de

•••

fenêtre et pas de murs, dans l'immeuble pour vaches ; tout est ouvert sur l'extérieur. Honshu est très fière d'habiter dans cette étable ultramoderne ; en plus, elle a une belle vue sur les autres immeubles ; elle les voit de haut !

Le seul truc auquel elle a du mal à s'habituer, c'est qu'elle est attachée tout le temps. Pourtant, il n'y a guère d'endroits où aller !

« Vaï, je sais bien pourquoi elle est attachée, dit Célesta, une vache très avisée. Ils ont trop peur qu'elle veuille quitter cet horrible endroit ! Et toi, Mirza, je ne te conseille pas de lui rendre visite ; ils ne te laisseraient sûrement pas repartir ! »

Mirza est bien triste pour sa cousine Honshu. Elle se dit que Célesta a raison : il vaut mieux rester en liberté dans les alpages. Dommage, elle aurait bien aimé faire de l'ascenseur, elle aussi. •

C'est la fête !

C'est la fête aujourd'hui ! Mademoiselle Rouge-Gorge se marie. Tous les habitants du grand chêne sont invités, et beaucoup d'autres encore, comme monsieur Siffflll, le serpent. C'est d'ailleurs lui qui va célébrer le mariage. Mademoiselle Rouge-Gorge a rencontré son fiancé au début du printemps. Perchée sur la plus haute branche du grand chêne, elle essayait sa voix après le long hiver. Comme elle était jolie avec son chemisier orange ! Et siii et tictictic ! Elle s'égosillait dans le Soleil couchant. Un jeune Rouge-Gorge de passage l'a entendue et, aussitôt, son cœur a pris feu ! Il s'est posé sur le bouleau voisin et il a commencé à chanter, lui aussi. Son chant était si mélodieux que mademoiselle rouge-gorge s'est interrompue pour l'écouter.

« Qui chante si bien ? » Son cœur battait très fort déjà, juste à entendre cette

voix. Mais quand elle a vu le bel oiseau, avec ses jolies couleurs, elle est tombée raide amoureuse. Et voilà. Ce matin, on les marie !

Monsieur Vifff, l'écureuil du deuxième étage, a accepté de leur faire une petite place dans le lierre. Ils vont y construire leur nid et, dans une quinzaine de jours, mademoiselle Rouge-Gorge, oh pardon, madame Rouge-Gorge pourra pondre ses œufs.

Les invités sont venus nombreux. Au menu, baies d'églantier et fruits secs. Pour la musique, on a eu l'embarras du choix ! Docteur Toctoc, le pivert, s'est mis à la batterie, et tous les oiseaux des alentours ont fait leur numéro. Pour terminer, le merle a tenté quelques imitations assez réussies. Au coucher du Soleil, chacun est rentré chez soi. Maintenant, on attend la naissance des petits. Quinze jours, c'est long ! •

Le musicien des rues

Un soir qu'il gelait, un homme très mal habillé s'est arrêté devant l'immeuble où habite Julie et il a essayé de pénétrer dans le hall pour se mettre à l'abri, mais c'était fermé à clé. Il avait l'air si pauvre et si triste que rien que de le regarder on avait envie de pleurer. Il n'avait pas de maison, pas d'amis, pas d'enfants, pas de chien, personne. Juste son violon pour gagner quelques euros en jouant dans les rues.

Il restait là devant la porte fermée quand Julie est arrivée de son cours de musique. L'homme a remarqué la boîte que portait la petite fille.

Il lui a adressé la parole :

« Tu es musicienne ? a-t-il dit en montrant son étui à lui.

– Bonsoir Monsieur, a répondu Julie. Oui, je joue du violon.

– Moi aussi, mais ce soir il fait trop froid.

Mes doigts ne veulent pas m'obéir. »

Julie n'a pas hésité.

« Vous pouvez m'attendre un instant ? Je reviens. »

Vite, elle est montée chez elle et elle a expliqué la situation à ses parents. Son père est

redescendu avec elle et ils ont invité le musicien des rues à dîner.

Ensuite, l'homme a sorti son violon et il a commencé à jouer des musiques de son pays, la Roumanie. C'était magnifique. Après il a demandé à Julie de jouer un peu avec lui. Comme il s'apprêtait à partir, le papa de Julie lui a dit :

« Est-ce que vous donnez des leçons de violon ? »

Très surpris, le musicien a répondu en hésitant :

« Chez moi, en Roumanie, j'étais professeur, mais maintenant...

– Alors, vous seriez d'accord pour donner des cours à Julie ? »

C'est comme ça que Julie a rencontré son nouveau professeur, monsieur Vilovic. Grâce à lui, elle a fait beaucoup de progrès. En plus, il est devenu l'ami de ses parents. •

Le serpent qui vole

On est au tout début de l'été. Lise est de retour chez tante Lucie pour les vacances. L'autre soir, à table, tonton Jean, qui rentrait de son travail dans les champs, a dit :

« Les jean-le-blanc sont de retour. »

Lise a demandé :

« C'est des voisins à vous ?

– Oui, a répondu tonton Jean en éclatant de rire ; oui, on peut dire ça. Des voisins qui ne viennent ici que l'été.

– Ah, des touristes alors ? Et ils habitent où ? »

Tonton Jean a pris l'air mystérieux et il a ajouté :

« Je t'emmènerai les voir demain, mais il faudra être très discrète. Ils n'aiment pas trop être dérangés. Et puis, il faut les laisser tranquilles, ils sont trop utiles ! »

En se mettant au lit, Lise se posait beaucoup de questions sur ces voisins bizarres, mais tonton Jean et tante Lucie n'ont pas voulu en dire davantage. Tante Lucie a même ajouté :

« Si on t'expliquait, tu ne nous croirais pas. Il vaut mieux que tu constates par toi-même. »

•••

215

•••

Ce matin, Lise ne s'est pas fait prier pour se lever. On part à la rencontre des mystérieux voisins ! Ils doivent habiter une ferme isolée, ces gens, parce qu'il y a déjà dix minutes que Lise et son oncle ont quitté le village en direction des bois.

« Chut ! Ne bouge plus ! Regarde là-haut ! chuchote tonton Jean à l'oreille de la petite fille. »

Lise lève la tête. Dans le ciel, juste au-dessus d'eux, un grand oiseau avec le ventre blanc ; mais... ça alors ! À son bec pend un serpent qui se tortille !

« C'est un aigle, un circaète jean-le-blanc, dit tonton Jean ; il vient nicher chaque année ici. Il se nourrit de serpents. Tu comprends pourquoi nous sommes contents de le voir arriver, et pourquoi il ne faut pas le déranger, ce voisin-là ! » •

La porcelaine de Chine

Il était une fois un très vieux monsieur qui habitait seul dans une maisonnette à l'écart du village, bien loin de toute autre habitation. Il n'avait ni parents, ni amis, ni voisins à qui parler. Tout le jour, il cultivait son potager pour pouvoir se nourrir et n'avait nulle autre distraction. Dans sa pauvre maison, le vieux monsieur ne possédait presque rien : quelques bougies, un lit, une cuillère et un bol en porcelaine de Chine. Ce bol, il l'avait trouvé en arrivant dans la maison, et il ne savait pas à qui il avait appartenu avant lui. Il le trouvait si joli avec cet oiseau bleu pâle peint sur les parois.

Il pouvait rester des heures à le contempler.

« Tout de même, se disait-il, si, de temps à autre, quelqu'un passait, quelqu'un avec qui je pourrais parler... Je voudrais qu'on me raconte des histoires, qu'on me dise ce qui se passe ailleurs que dans ce pauvre village désert. Il me semble que cela fait un siècle que je n'ai pas entendu une voix. Ce que je m'ennuie ! »

Un soir qu'il admirait une nouvelle fois son bol, il dit : « Dis-moi, bel oiseau, d'où viens-tu ? Quel est l'artiste qui t'a si habilement peint ? »

Et soudain, comme par magie, l'oiseau bleu pâle commença à s'animer. Il se détacha du bol, battit des ailes et vola tout autour du vieux monsieur qui n'en revenait pas. Sa surprise fut plus grande encore lorsque l'oiseau prit la parole. Il lui raconta qu'il venait de Chine, qu'il avait été peint il y a un millier d'années de cela avec une peinture magique. Ému par sa solitude, il avait décidé de lui raconter tout ce qu'il avait vu et vécu depuis mille ans. Depuis, chaque soir, les récits de l'oiseau magique enchantent les soirées du vieil homme qui plus jamais ne s'ennuie. •

Le petit ours brun

Un petit ours brun
Avec deux yeux bleus,
Trois boutons de bois
Et quatre pattes ; un deux trois quatre.
Ses cinq cousins malins arrivent à cinq heures cinq, avec six citrouilles et six saucisses, plus sept sucettes dans leurs chaussettes, et huit gouttes de pluie à jeter dans le puits.
Neuf heures neuf !
Il manque un œuf !
« Dix », dit la souris à ses amis les onze monstres qui bronzent,
et les douze poules rousses très douces.
Treize balèzes assis sur leurs chaises face à quatorze molosses féroces voient arriver quinze zinzins à toute berzingue !
Et... et... hou, la, la, ça se gâte ! Voyons... nous disions... Un avion... non, non, non ; un bateau ? Ho, ho, ho ! C'est pas ça, la, la, la. Un chat noir ? Va savoir ! Un grizzli ?

Hi, hi, hi ! Pas un grizzli, tu es sûr ? C'est quoi alors, un ours blanc ? Mais non, c'est...
Un petit ours brun
Avec ses deux yeux bleus,
Ses trois boutons de bois
Et ses quatre pattes ; un deux trois quatre !
Ses cinq cousins malins, arrivés à cinq heures cinq avec leurs six citrouilles, leurs six saucisses et leurs sept sucettes dans leurs chaussettes, le trouvent endormi dans son lit ; il rêve sans doute à la petite souris, et à ses amis : les onze monstres qui bronzent et les douze poules rousses si douces. Quant aux quatorze molosses féroces qui attendent les quinze zinzins, ils ont dû repartir ou bien il les a oubliés, le petit ours brun, parce que sinon, il se réveillerait en sursaut au lieu de sourire dans son sommeil. Tu ne crois pas ? •

Le pou amoureux

Poutou est un jeune pou charmant qui a tout pour être heureux. Il est né sur la tête de Robinson, un petit garçon très accueillant. Poutou vit là, entouré de sa famille et de toute une communauté de poux. Pourtant, Poutou est très malheureux. Il est amoureux de Zoé, la voisine de classe de Robinson. Toute la journée, il reste assis sur l'oreille de Robinson et il admire sa chère Zoé. Comme elle est belle ! Elle a des cheveux roux, de grands yeux verts et des taches de rousseur. Poutou le pou voudrait tant lui dire son amour ! Mais voilà, la maman de Zoé n'aime pas les poux. Elle a décidé que cette année, Zoé n'en attrapera pas. Tous les matins, elle lui met une goutte d'essence de lavande derrière les oreilles : Zoé est ainsi protégée pour la journée. Les poux détestent la lavande ; pas moyen d'approcher ! Même Poutou qui pourtant a essayé en se bouchant le nez.
Ce matin, Zoé ne s'est pas réveillée à temps. Elle était tellement en retard que sa maman a oublié de lui mettre de l'essence de lavande.
Comme tous les jours, Poutou le pou est installé sur l'oreille de Robinson.

•••

Celui-ci se penche vers Zoé pour lui dire bonjour et, oh surprise, Poutou ne sent pas l'odeur de lavande. Il se jette dans le vide et se rattrape à une boucle de cheveux dorés ; le voilà enfin chez sa fiancée ! Poutou est fou de joie ; il l'embrasse, la caresse, lui dit des mots doux. Zoé ne répond pas. Poutou a une toute petit voix, et puis Zoé est une petite fille ; elle ne comprend pas la langue pou !

Ça ne fait rien ; Poutou est le plus heureux des poux. Il finira bien par se faire comprendre et la persuader d'arrêter l'essence de lavande ! •

Mystère chez les voisins

Olivia adore lire des histoires de mystères, de détectives et de fantômes. Mais, aujourd'hui, il se passe des choses curieuses chez les voisins et Olivia n'est pas du tout rassurée. Monsieur et madame Vidal et leur chien Popeye viennent de partir en vacances. Ils ont bien fermé leurs volets et confié la clé de leur maison aux parents d'Olivia pour qu'ils aillent arroser les plantes vertes et le jardin. Olivia les a vus partir. Popeye, le chien, était dans la voiture, elle en est sûre. Eh bien, hier soir, elle l'a entendu aboyer dans la maison. En plus, à 21 h précises, une lumière s'est allumée dans le salon. À 22 h, cette lumière s'est éteinte et une autre s'est allumée à l'étage, dans la chambre. Olivia a pensé que les voisins étaient revenus chez eux, mais ils ont téléphoné depuis l'Espagne pour dire qu'ils étaient bien arrivés. Voilà qui est étrange, et passionnant !

Le cœur serré, Olivia pénètre dans le jardin des voisins. Aussitôt, les aboiements se déchaînent. C'est curieux, la voix du chien est beaucoup plus grave que celle de Popeye. Cette fois, il faut en parler à papa et maman.

Quand Olivia, l'air mystérieux, leur explique la situation, ses parents éclatent de rire : « Bravo, ma poulette, tu ferais un bon détective ! Mais on a oublié de te dire que monsieur Vidal a installé un système dans sa maison pour faire fuir d'éventuels voleurs. Dès qu'on pénètre dans le jardin, une bande sonore se déclenche avec des aboiements de chiens ; et chaque soir, les lumières sont automatiquement allumées, puis éteintes au matin. Ingénieux, non ? »

« Décidément, se dit la petite fille, les grandes personnes ont des idées bizarres. » •

Les échecs

Tu sais jouer aux échecs ? C'est un jeu un très rigolo. Surtout les personnages. On dirait des héros du Moyen Âge, avec un roi et une reine dans leur château. Il y a aussi leurs chevaliers, le fou du roi qui fait des blagues sans arrêt, et toute une armée de soldats pour les défendre. En face, de l'autre côté de l'échiquier, il y a aussi un roi, une reine, des chevaliers, deux fous, le château, et plein de soldats.

Le roi est le personnage le plus important. Il est si gros et sa couronne est si lourde qu'il ne peut faire qu'un seul pas à la fois. Il n'ira pas bien loin ! Heureusement, les autres sont là pour le protéger, sinon, il serait tout de suite fait prisonnier.

À côté de lui se tient la reine. Elle, elle adore courir ; alors malgré sa couronne et sa longue robe, elle va absolument où elle veut, pourvu que personne ne lui bouche la route. Gare aux imprudents !

De chaque côté des

personnages royaux, il y a les deux fous. Ah, ceux-là, quels pitres ! On ne sait pas pourquoi, ils ont décidé une fois pour toutes de marcher comme les crabes, jamais tout droit.

Beaucoup plus sérieux, les cavaliers se tiennent aux pieds des tours du château. Bien utiles, ces messieurs, car leurs chevaux peuvent sauter par-dessus les soldats.

Tout au bord de l'échiquier, il y a les tours qui protègent le château et ses habitants. Mais, curieusement, elles peuvent changer de place, elles aussi. Comme elles sont très lourdes, elles marchent tout droit, sans le moindre virage, sinon, elles tomberaient par terre. Et, devant, les soldats sont alignés. On leur a dit de ne pas bouger.

« Un petit pas, quand même ? ont-ils demandé au roi.

– Un seul alors », a-t-il répondu.

Drôle de jeu, non ? •

Les petits jardiniers

Monsieur Louis le jardinier vit tout seul dans sa petite maison au fond de son jardin. C'est un vieux monsieur qui n'a pas très bon caractère, et, avant, il n'aimait pas les enfants. Enfin, c'est ce qu'il croyait, parce qu'il n'en avait jamais rencontré vraiment. Il faut dire que les enfants du quartier lui faisaient des farces, comme de lui transformer ses citrouilles en lampes d'Halloween. Mais depuis cette histoire, il a beaucoup

réfléchi et il a invité les enfants dans son jardin. Il a bien fait, les enfants sont tout contents d'apprendre à faire pousser des légumes. Et monsieur Louis n'est plus jamais tout seul dans son jardin.

Ce printemps, ils ont planté des pommes de terre et toutes sortes de salades, des carottes, du maïs pour faire du pop-corn, des fleurs pour leurs mamans, des radis pour croquer au passage.

• • •

Chaque mercredi, ils viennent enlever les mauvaises herbes. Et, ce matin, ils vont arracher les pommes de terre. Ça, ils adorent ! Comme c'est mystérieux, ce qui se passe sous la terre ! On plante une pomme de terre, durant des jours et des jours on voit pousser les feuilles, on arrose régulièrement, et pendant ce temps, là-dessous, quatre ou cinq toutes petites patates poussent autour de celle qu'on a plantée. Mais on ne sait jamais combien il y en a sur chaque pied et, surtout, quelle taille elles auront !

Monsieur Louis est très content de ses petits jardiniers. Les pommes de terre sont énormes. Il fait le partage et chacun des enfants ramène chez lui de quoi faire un bon plat de frites. Cet automne, ils ramasseront les citrouilles. Quelle belle fête d'Halloween ils feront grâce à monsieur Louis ! •

Les renards à deux pattes

Picou, Pica et Pipic, les trois petits hérissons étourdis, n'écoutent jamais les conseils de leur maman. Par exemple, ce matin :

« Si vous êtes en danger...

– Oui, oui, on sait », ont-ils répondu en chœur.

C'est vrai que maman hérisson est toujours inquiète de voir partir ses petits. Elle craint surtout qu'ils ne rencontrent le renard.

Hélas ! à peine Picou, Pica et Pipic sont-ils entrés dans la forêt qu'ils entendent un bruit de pas dans les buissons. Sans réfléchir, nos trois petits étourdis, ne sachant que faire, s'aplatissent sur le sol, mettent leurs pattes sur leurs yeux et, terrorisés, ils attendent l'attaque du renard.

« Regarde, papa, dit une voix d'enfant, qu'est-ce que c'est, ces petites bêtes ?

– Ce sont des hérissons, répond une grosse voix d'homme. Mais je ne sais pas pourquoi ils restent comme ça. Viens, laissons-les tranquilles. D'habitude... »

Picou, Pica et Pipic s'enfuient vers la maison pour raconter leur aventure à leur maman.

« C'étaient des renards sur deux pattes, et ils ne nous ont pas attaqués.

– Et qu'avez-vous fait ? demande maman hérisson.

– Ben, rien, avoue Pica ; on avait trop peur ! Mais maintenant explique nous ce qu'il faut faire dans ces cas-là. »

Les trois petits hérissons s'asseyent sagement autour de leur maman et, pour une fois, ils l'écoutent avec attention.

« Quand le renard arrive, même s'il ne vous a pas vus, mettez-vous en boule, en rentrant bien votre nez sous vos piquants et ne bougez plus. Ainsi, il ne saura pas comment vous attraper ; il vous croira morts et il s'en ira. Quand il sera parti, remettez-vous vite sur vos pieds, et sauvez-vous. Cette fois-ci, vous avez eu de la chance ! » •

La montre toujours en retard

« Je n'y arriverai jamais ! sanglotait la petite montre. C'est trop dur ! » Pauvre montre ! Elle avait tout essayé, tout tenté, mais il fallait se rendre à l'évidence : elle était incapable d'être à l'heure ! Et, pour une montre, c'était terrible. On avait beau la régler, la remonter, la secouer dans tous les sens, rien n'y faisait. Pourtant, elle se concentrait de toutes ses forces, la malheureuse, mais impossible de faire tourner correctement ses aiguilles. Alors évidemment, au bout d'un moment, le temps passait et elle retardait. La petite montre faisait le désespoir de son propriétaire. Il en avait assez : « À cause de toi, je suis en retard à tous mes rendez-vous, ça ne peut plus durer ! Il faut que je me décide à changer de montre une bonne fois pour toutes. » Chaque soir, il retirait sa montre et la posait sur la table. Et chaque fois la petite montre craignait d'être abandonnée : « Je ne suis qu'une bonne à rien, on va me jeter et me remplacer, c'est sûr ! »

Mais un soir que la petite montre sanglotait, la grosse pendule du salon l'entendit et, émue par son chagrin, elle se mit à lui parler : « Écoute-moi, petite pendule. Notre rôle à nous, c'est de donner l'heure exacte, il faut que tu y arrives ! Je te propose de te donner des cours du soir. »

La petite montre était toute contente. « C'est vrai, tu ferais ça pour moi ? » Et, chaque soir, pendant que tout le monde dormait, la petite montre prit des cours avec la grosse horloge. Elle fit de rapides progrès. Si bien qu'au bout d'une semaine, elle était devenue d'une ponctualité exemplaire. Son propriétaire en fut le premier étonné. Enfin une montre fiable ! Et la petite montre ne quitta plus jamais son poignet. •

Un poisson bien prétentieux

Polo le hareng est un poisson très coquet. Il se trouve très beau, très intelligent, et surtout il veut absolument ne ressembler à aucun autre poisson. Lorsqu'il nage en compagnie des autres harengs, il ne cesse de les critiquer : « Ce que vous pouvez être laids. Vous êtes tout ternes, vous êtes tout gris. Vraiment, quel manque d'originalité !
– Tu te crois mieux que les autres, peut-être ? lui rétorque-t-on. Tu as les mêmes écailles que nous.
– Eh bien, justement, ça ne me va pas du tout ! Je suis le plus intelligent, je veux aussi être le plus beau et le plus original. Vous allez voir ce que vous allez voir ! »

Chaque jour Polo commence alors à se chercher des tenues extravagantes. Il se couvre de coraux rouge et orange, d'algues multicolores, de débris de coquillages aux reflets brillants.

« Regardez-moi, dit-il. Ne suis-je pas le plus magnifique des poissons ? Je suis la lumière des océans !
– Quel crâneur ! » répondent les autres.

•••

Il faut dire qu'il brille de mille feux. Mais un jour un énorme requin repère le banc de harengs. Il se rue alors sur les petits poissons qui se dispersent en tous sens et vont se cacher sous les rochers. Un seul ne parvient pas à se dissimuler : c'est Polo. Avec ses couleurs criardes et ses dorures, le requin ne le perd pas de vue. Un des harengs crie alors à Polo :
« Débarrasse-toi donc de tes colifichets, idiot ! Tu ne vois pas qu'on te repère à cent mètres ? »

C'est ce que fait Polo. Il peut enfin se camoufler sous une pierre, et le requin finit par s'en aller.

« Cela te servira de leçon ! lui disent les autres.

– Oui, désormais, je me contenterai simplement d'être le plus intelligent du monde ! » •

23 NOVEMBRE — Maman, les p'tits bateaux...

Mamie a appris une jolie chanson à Marinette :
« Maman, les p'tits bateaux qui vont sur l'eau, ont-ils des ailes ? Mais non, mon grand bêta, s'ils en avaient, ils voleraient !
– Ben, dit Marinette, elle est fausse ta chanson ; les bateaux, ils en ont, des ailes ! C'est leurs voiles.
– Tu as raison ; mais sais-tu comment c'est arrivé ? Autrefois, il y a très longtemps, les bateaux n'existaient pas. Les hommes ne pouvaient pas voyager sur la mer, et pour pêcher ils restaient au bord. Un jour, un enfant lança dans l'eau une écorce d'arbre. Elle ne coula pas, et les vagues l'emportèrent au loin. Le petit alla chercher son père :
« Papa, regarde ! Il flotte ! »
C'est comme ça que les bateaux ont été inventés. Mais, pour les faire avancer, ce n'était pas facile.

Les hommes laissaient pendre leurs jambes dans l'eau et les agitaient, comme s'ils marchaient. Un jour, un pêcheur tomba à la mer et il attacha sa chemise sur le bateau pour la faire sécher. Le vent souffla dessus et la chemise se gonfla. Aussitôt, le bateau se mit en route, mais doucement. Alors les marins mirent deux chemises et le bateau accéléra. Vite, un pêcheur très malin rentra chez lui ; il prit le drap de son lit, retourna vers son bateau et attacha les coins du drap sur une grande perche. Il n'attendit pas longtemps. Le bateau fila sur l'eau à une telle vitesse qu'il traversa la baie en quelques minutes. Voyant arriver les récifs, le marin arracha le drap de ses attaches et le bateau ralentit. Voilà, il avait inventé le bateau à voiles. »
Marinette n'est pas très sûre que les choses se soient passées comme ça, mais mamie raconte si bien les histoires ! •

Un poisson à la mer !

Quand ses parents proposèrent à Cathy de partir pour une croisière en bateau, elle en fut très heureuse, mais aussi très ennuyée. Car Cathy aimait par-dessus tout Ploc, son poisson rouge. Oh, un poisson rouge bien ordinaire, dans un bocal très ordinaire. Pourtant, Cathy ne voulait pas se séparer de lui, même pour une croisière de rêve.

Ses parents protestèrent :

« Enfin, Cathy, nous laisserons Ploc aux voisins ! Ils prendront bien soin de lui.

– Pas question, leur répondit-elle, je ne veux pas partir sans lui. »

Cathy était têtue, ses parents le savaient et, plutôt que de commencer les vacances dans la mauvaise humeur, ils finirent par accepter que Ploc vienne avec eux. Sur le grand bateau, Cathy ne quittait pas son poisson rouge. La journée, le bocal sous le bras, elle promenait Ploc sur le pont ou bronzait près de lui au bord de la piscine, pour le dîner, elle amenait Ploc à table. Mais,

un soir, alors que Cathy lui faisait admirer le coucher de Soleil, une grosse vague fit tanguer le bateau et Cathy, déséquilibrée, lâcha le bocal dans la mer.

« Mon Dieu ! s'écria-t-elle. Un poisson à la mer ! Un poisson à la mer ! »

Les marins et les passagers du bateau qui se trouvaient là se retournèrent vers elle en riant :

« Mais oui, petite, des poissons, il y en a des millions et des millions dans la mer.

– Mais c'est Ploc, mon ami ! »

Comme personne ne réagissait, Cathy sauta dans l'eau pour aller sauver son poisson rouge.

« Une petite fille à la mer ! Une petite fille à la mer ! » hurlèrent alors les passagers. Aussitôt, les marins se jetèrent dans une chaloupe pour sauver Cathy. Quand ils la ramenèrent à bord, saine et sauve, Cathy était rayonnante :

« Regardez mon bocal, j'ai deux poissons maintenant, Ploc s'est fait un copain ! » •

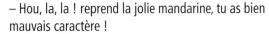

Mandarine et citron

La nuit, quand tout le monde dort, il se passe des choses dans la cuisine. Ce soir, une grande discussion a lieu entre les fruits disposés sur le compotier.

« Moi, dit la mandarine, je suis douce et sucrée ; ma peau se détache facilement et les enfants peuvent me manger sans faire des taches partout. C'est pourquoi ils m'aiment autant.

– Moi, dit le citron, c'est tout le contraire. J'aime pas qu'on me déshabille n'importe où ; j'aime pas le sucre, ça abîme les dents ; et j'aime pas qu'on me croque !

– Hou, la, la ! reprend la jolie mandarine, tu as bien mauvais caractère !

– C'est normal, je suis acide. Mais pour les vitamines, c'est moi le meilleur !

– Je m'excuse de vous contredire, dit timidement le kiwi, mais il me semble que le champion des vitamines, c'est moi ! »

Le citron se met en colère :

« Ne dites pas n'importe quoi ! Qui utilise-t-on pour faire la sauce de la salade,

•••

...

vous, ou moi ? Et qui accompagne le poisson ? Et qui, avec juste quelques gouttes, donne du goût à un grand verre d'eau ? »
La banane essaie de les calmer :
« Inutile de vous disputer. De toute façon, c'est moi que les enfants préfèrent, parce qu'ils peuvent me mettre dans leurs cartables. Et puis, nous sommes toujours là, nous, les fruits exotiques, n'est-ce pas, l'ananas ? Tandis que vous les kiwis, et vous les mandarines,

il faut attendre l'hiver pour que vous soyez mûrs !
– C'est vrai, admet la mandarine de sa petite voix sucrée, mais l'été, vous restez chez le marchand, parce que les enfants préfèrent les cerises, les fraises et les pêches. »
À ce moment-là, la porte s'ouvre. Petit Paul s'approche du buffet :

« Zut, il n'y a plus de pommes ! Tant pis, je vais boire un verre de lait ! » •

26 novembre — Comment c'est fait dans le ciel ?

Il paraît que l'univers est immense et plein de planètes et d'étoiles gigantesques qui tournent. Pour vérifier si c'est vrai, il y a des télescopes, ces grandes lunettes pour regarder tout au fond du ciel les choses que nos yeux ne peuvent pas voir, et des cosmonautes qui volent dans les fusées. On t'a expliqué tout ça. À moi aussi, mais...
Et si les étoiles étaient seulement accrochées au ciel comme des dessins sur un mur ?
Et si le noir de la nuit se mettait à couler comme quand on met trop d'eau dans la peinture ?
Et si la Lune perdait l'équilibre quand elle est posée juste sur un coin ?
Et si les planètes avaient envie brusquement d'aller se promener toutes ensemble ailleurs ?
Et si elles se fâchaient avec la Terre, parce que celle-ci fait trop la crâneuse avec sa robe de nuages et ses océans tout bleus ?
Et s'il y avait, quelque part dans l'espace, des sortes de petits enfants qui regardent le ciel en se disant :
« Et si cette belle planète bleue là-bas, très loin, s'appelait la Terre ?
Et s'il y avait sur la Terre des petits enfants comme nous, ou d'une autre couleur, ou faits différemment qui regardent le ciel ? »
Et si tu dormais, maintenant ? Peut-être aurais-tu les réponses à toutes ces questions dans tes rêves. Il y a tout dans les rêves. On peut même y rencontrer les petits enfants qui habitent sur les autres planètes, bien qu'on ne sache pas s'ils existent. Il suffit de se dire : « Et si... » Essaye cette nuit, tu verras. •

Au secours !

Dans le verger de monsieur Louis, le cerisier est couvert de cerises bien mûres. Elles brillent tellement sous le Soleil qu'on dirait qu'elles clignotent comme des boules de Noël sur un sapin. Évidemment, bien des gens les ont repérées. À commencer par ce voleur de blaireau qui a attendu jusqu'à aujourd'hui pour aller faire ses provisions. Monsieur n'aime pas les fruits verts, ça lui donne la colique. Mais ce soir, dès la nuit tombée, il grimpera dans l'arbre et se goinfrera tranquillement. Un peu plus loin, cachée dans l'herbe, la famille hérisson au grand complet a fait la même constatation : les cerises sont à point. Mais contrairement au blaireau, les hérissons ne grimpent pas aux arbres, aussi attendront-ils dessous. Ils pourront ainsi ramasser les fruits qu'il laissera tomber. Le soir venu, le blaireau se glisse à travers les buissons jusqu'au pré de monsieur Louis. Ah, quel festin il va faire ! De l'autre côté du pré arrivent les hérissons, suivis de leur marmaille : un, deux, trois, quatre petits hérissons à la queue leu leu. Mais là, au pied de l'arbre, que voient-ils ? Une espèce de bonhomme, avec un grand chapeau, un manteau qui flotte au vent, des yeux brillants sous la Lune comme ceux du renard ! Au secours, tout le monde se sauve, le blaireau dans un sens et les hérissons dans l'autre. Dommage, car s'ils avaient regardé de plus près, ils auraient vu que ce n'était qu'un épouvantail. Dommage aussi que les animaux n'aient pas plus de mémoire, parce que, chaque année, c'est la même histoire ! Et comme chaque année, monsieur Louis pourra tranquillement ramasser ses cerises. •

On fait la paix ?

Trottinette et Trotte-Menue, les deux petites souris, n'osaient plus sortir de chez elles depuis que Riff, le chien des voisins, allait mieux. Pendant qu'il était malade, elles ont pu aller faire leurs provisions sans trop d'inquiétude, mis à part le risque de rencontrer quelques chats de gouttière. Il allait bien falloir trouver une solution ; nos deux petites souris ne pouvaient pas rester sans manger et leur armoire était vide. C'est Trotte-Menue qui a eu l'idée :
« Et si on allait voir Riff, tout simplement ? De loin, bien sûr, ne t'inquiète pas ! On va lui proposer un marché.
– Et tu crois que tu vas le convaincre ? Mais ma pauvre petite sœur, Riff est gavé de croquettes, qu'est-ce que tu veux lui proposer de plus ?

– Nous verrons bien, Trottinette. Fais-moi confiance. »
Et les voilà parties en direction de la niche de Riff. En les sentant arriver, celui-ci retroussa ses babines et commença à gronder, mais Trotte-Menue, qui s'était perchée sur un mur, lui dit très gentiment :
« Riff, nous avons quelque chose à te proposer. Nous avons remarqué que tes maîtres ne te donnent que des croquettes à manger. Si tu veux, nous pouvons t'apporter des choses bien meilleures !
– Comme quoi ? aboya Riff, l'air pas commode.

•••

– Eh bien, du fromage par exemple, du chocolat, des biscuits.

– Du chocolat au lait ? C'est celui que je préfère, dit Riff l'air soudain très intéressé. D'accord. Vous pouvez passer.

– Mais... heu... tu veux bien rentrer dans ta maison, s'il te plaît, nous serions plus rassurées. »

Tout content à l'idée d'avoir désormais un bon dessert, Riff rentra dans sa niche.

Depuis ce jour, Trottinette et Trotte-Menue n'ont plus peur de passer dans le jardin. •

Pauvre géant !

Il était une fois un géant si géant qu'il n'avait pas trouvé de chaussures à sa taille. Qui aurait pu fabriquer des sabots ou des baskets aussi longs et aussi larges qu'une vallée !

Ce jour-là, il allait voir sa grand-mère, la vieille géante. Elle habitait très loin. Notre géant dut s'arrêter plusieurs fois pour se reposer, parce qu'il avait mal aux pieds. Il était là, assis sur une montagne, avec les nuages à ras du nez, car il faisait mauvais temps, quand un bruit étrange lui fit lever la tête. Il ne vit rien, mais ressentit une légère piqûre à l'œil. Machinalement, il leva la main pour frotter sa paupière et, au passage, sans le faire exprès, renversa toute une forêt. Les animaux s'enfuirent dans tous les sens. Un petit singe qui croyait se réfugier sur une colline grimpa sur le pied du géant. Comme il trouvait à cet endroit une drôle d'odeur, il continua à grimper. Il n'osait plus regarder en bas tant c'était haut !

Enfin il arriva sur un plateau sans herbe. C'était la main du géant. Celui-ci sentit quelque chose qui le chatouillait. En regardant de très près, il vit cette minuscule bestiole :

« Qui es-tu ? » tonna la voix du géant. Le petit singe dut se cramponner à un poil pour ne pas tomber.

« Excusez-moi, je ne fais que passer...

– J'ai besoin d'aide, murmura le géant pour ne pas effrayer l'animal. J'ai quelque chose dans l'œil. Tu peux regarder ?

– Certainement, répondit le petit singe, mais comment aller là-haut ? »

Le géant leva sa main jusqu'à ses yeux.

« Alors, dit-il ? Tu vois quelque chose ?

– Comment ne pas le voir, répondit le petit singe, c'est un avion ! Approchez encore votre doigt, je crois qu'il y a des passagers qui veulent descendre ! » •

Joko sauve
les chiens de traîneau

Ce jour-là, dans le grand nord du Canada, le froid n'avait jamais été aussi vif. Les arbres se brisaient sous le gel et les bêtes mouraient d'épuisement. Pourtant, un traîneau, tiré par des chiens, traçait sa route dans cet immense désert blanc et glacé. Le conducteur du traîneau était un explorateur renommé qui avait décidé d'étudier la vie des animaux pendant la période la plus froide de l'année. Il était accompagné par six chiens, tous aussi robustes les uns que les autres. Le septième chien était très jeune ; il s'agissait de Joko, un chiot courageux, mais qui n'avait pas d'expérience. À cause de son jeune âge, on l'avait chargé de tirer un petit traîneau qui contenait des médicaments et quelques couvertures.

Un soir, au bivouac, l'explorateur se tourna vers Joko et lui dit : « Joko, nous partons demain matin, dès l'aube, pour une mission très importante. Tu dois rester ici pour surveiller le campement et ton petit traîneau. Ne t'inquiète pas, nous serons de retour demain soir. » Joko voulut protester, mais le plus vieux chien de l'attelage lui fit comprendre qu'il

était trop jeune et pas assez robuste pour cette mission. Tristement Joko accepta son sort et attendit patiemment jusqu'au soir, mais, ne voyant pas rentrer la troupe, il devint très inquiet.

« Il a dû leur arriver quelque chose, se dit-il, je vais suivre leurs traces avec mon petit traîneau. »

En dépit du froid intense et mordant, Joko réussit enfin à les trouver. Le chariot était renversé et les chiens, coincés sous un grand sapin, étaient affamés. Dans l'accident, l'explorateur s'était cassé la jambe et était incapable de sauver ses chiens. Joko fut accueilli par des aboiements de joie. Et, ce jour-là, ils rentrèrent tous sains et saufs, grâce au jeune mais courageux Joko. •

Décembre

DÉCEMBRE
DÉCEMBRE
1er

Pilote et la baleine bleue

Comme tous les jours, la baleine bleue était en train de déjeuner ; au menu, de minuscules bestioles que la baleine attrape en filtrant l'eau de mer à travers ses fanons. Mais ce jour-là, Pilote le petit poisson solitaire était distrait et il s'y retrouva coincé.

« C'est quoi, ce truc, demanda la baleine bleue ? Ça me gêne !

– C'est moi, dit Pilote.

– Qu'est-ce que tu fabriques là ?

– Ben, je passais dans le coin et puis je n'ai pas fait attention et vous m'avez aspiré. Heureusement que je me suis coincé, parce que, sinon, je me retrouvais dans votre estomac !

– Oh, excuse-moi, dit la baleine, c'est ma faute. Comment pourrais-je me faire pardonner ? Tu n'as pas eu mal, au moins ?

– Non, non, pas du tout reprit Pilote. Vous êtes très aimable. Ce doit être bien de vous avoir comme amie.

Moi, depuis que je suis tout petit, je suis tout seul. Est-ce que je peux rester près de vous ? Je vous débarrasserais de vos parasites et, en échange, vous me protégeriez des requins. »

L'énorme baleine et le petit poisson devinrent amis. Mais la baleine bleue était triste. Pilote lui demanda pourquoi.

« J'aimerais tant retrouver mon frère, la baleine blanche, mais ce n'est pas possible, soupira la baleine bleue. Je ne sais pas où il est. »

Pilote ne dit rien, mais il disparut. Il était parti à la recherche de la baleine blanche. Il interrogea tous les habitants de la mer qu'il rencontra et un beau jour, il revint en sa compagnie. Les deux baleines étaient si contentes qu'elles dansèrent ensemble en poussant des cris et en éclaboussant tout autour. Désormais, Pilote, le petit poisson solitaire, n'avait plus un ami, mais deux ! •

DÉCEMBRE
DÉCEMBRE
2

Quand je serai grande

Carmen est assise bien droite à la table des grands. Elle écoute son grand cousin Pascal expliquer la profession qu'il a choisie. À la fin de l'année, il sera orthophoniste. Carmen connaît ce travail : on aide tous les enfants qui ont du mal à parler, à lire ou à écrire. C'est bien de faire ça, mais, elle, Carmen, elle a choisi un métier encore plus beau.

Elle dit bien fort :

« Moi, quand je serai grande, je serai réparateur de cœurs.

– Ah bon, tu veux être cardiologue comme l'oncle Arthur ? demande tante Germaine.

– Non, répond Carmen, je ne veux pas guérir les cœurs avec des médicaments, je veux les réparer quand ils sont cassés. Lorsque papy est mort, j'ai entendu mamie dire qu'elle avait le cœur brisé ; c'est vrai, depuis, on ne la voit plus beaucoup rigoler. Et l'autre jour, Mathilde est venue à la maison et elle pleurait : maman m'a dit que c'était parce que Mathilde avait des peines de cœur. Maman et elles ont parlé, et Mathilde avait l'air d'aller mieux. Eh bien, moi aussi, je veux apprendre les mots qui font du bien, les caresses

•••

228

qui rendent heureux. Comme ça, à chaque fois que quelqu'un dira : « Je n'ai plus le cœur à rien », je l'aiderai. Je l'écouterai, ensuite je le consolerai, je le soignerai et il repartira guéri, son chagrin oublié. Il trouvera à nouveau qu'il a bien de la chance de pouvoir admirer les cerisiers en fleurs, d'écouter les oiseaux, de sentir le vent dans ses cheveux. Et il saura que le bonheur est partout, comme me l'a appris mamie.

– Ma picoulette, tu as choisi un métier magnifique ! dit papa en serrant très fort Carmen dans ses bras. Je suis sûr que tu seras un très bon réparateur de cœurs ! » •

Quand le tigre n'a plus faim

Un bébé singe était en train de pleurer au pied d'un arbre quand un énorme tigre sortit de l'ombre. Il avait fait un très bon repas et il était de bonne humeur. Quelle bonne sieste il allait faire ! Il fut très surpris de voir que le petit ne se sauvait pas à son approche. Cela l'intrigua. Il dit en murmurant, car sa terrible voix aurait pu terroriser la bestiole :

« Eh bien, qu'est-ce qui se passe ? Pourquoi tu es tout seul ?

– J'attends ma maman, sanglota le petit singe. Je ne sais pas où elle est. Elle est partie à l'autre bout de la forêt et elle n'est jamais revenue.

– Ah, dit le tigre en se lissant les moustaches, je vois. Elle a peut-être été... enfin, elle est peut-être en retard. Ne reste pas là ; si un autre tigre passe dans le coin, tu vas lui donner de mauvaises idées. Allez, monte dans l'arbre.

– Mais je n'ai pas assez de force, dit le petit singe en fondant en larmes. Mangez-moi tout de suite, et qu'on n'en parle plus.

– Ça aurait été avec plaisir, dit le tigre, mais vois-tu, j'ai le ventre plein et vraiment je ne peux plus rien avaler d'ici demain. Bon. Grimpe sur mon dos ; je vais te transporter jusqu'à ce gros rocher là-bas et, de là, tu pourras attraper une branche. »

Le petit singe fut si surpris qu'il ne se le fit pas dire deux fois. D'un bond puissant, le tigre sauta sur le rocher ; le petit singe s'empressa de prendre de la hauteur. Du sommet de l'arbre, il cria : « Merci Monsieur, j'espère vous revoir un jour.

– Il ne vaut mieux pas, gronda le tigre entre ses dents. La prochaine fois, je pourrais bien te croquer ! » •

La peinture magique

Il était une fois, dans un village, une jeune fille très pauvre qui s'appelait Marine. Elle vivait seule et son unique distraction était de peindre. Elle peignait les choses qui l'entouraient : les champs, les animaux, les fleurs. Et ce qu'elle peignait était si ressemblant qu'on le confondait avec la réalité. Un jour, un jeune homme arriva dans le village. Il était maigre, épuisé et semblait mort de faim. Il supplia qu'on l'héberge. La jeune fille, émue, l'accueillit chez elle, le nourrit du mieux qu'elle put et lui prodigua tant de bons soins qu'il reprit bientôt des forces. Les deux jeunes gens apprirent à se connaître et commencèrent à éprouver des sentiments amoureux l'un pour l'autre.

Lorsqu'il découvrit les peintures de Marine, le jeune homme n'en crut pas ses yeux :

« Mais, tu peins divinement bien ! Sais-tu que je possède une peinture magique ? Cette peinture permet de faire exister réellement ce que l'on peint. Je ne m'en suis jamais servi, car je suis

•••

incapable de dessiner, et cette peinture ne fonctionne que si la ressemblance est parfaite. Essaye-la, peins un bon repas pour voir. »

Marine se mit alors à peindre un beau jambon tout rose, de belles tranches de pain, des gâteaux succulents et une carafe de vin vermeil.

« Magnifique ! » dit le jeune homme.

Tout cela avait l'air tellement appétissant !

En un instant, le repas peint sortit de la toile et se matérialisa sur la table devant les regards ébahis des deux jeunes gens. Ils le partagèrent avec délice. Les deux amoureux se regardèrent et comprirent qu'ils ne pourraient jamais plus vivre l'un sans l'autre. Alors Marine se mit à peindre une jolie maison, des potagers, des troupeaux de moutons et des arbres fruitiers. Il n'y eut bientôt plus de peinture, mais ce n'était pas grave : ils avaient désormais tout pour être heureux ! •

DÉCEMBRE
DÉCEMBRE
5

Trop triste

Je suis trop triste. Mon amie, madame Aglaé, tu sais, cette vieille dame qui habitait dans une cabane derrière la cité, eh bien, elle est partie. Elle habitait là avec son chat Gaston. J'allais la voir souvent. Elle m'a appris des quantités de choses sur la nature, les plantes, les animaux, les étoiles. Chez elle, il n'y avait pas de télé ni de frigo, bien sûr, puisqu'il n'y avait pas non plus l'électricité ! Elle s'en fichait bien. Je crois qu'elle était très pauvre. Mais, un jour, en me montrant le carton dans lequel elle gardait tous ses livres, elle m'a dit :

« Non, je ne suis pas pauvre, j'ai ça. Tu vois, la vraie richesse, ce n'est pas d'avoir des sous, ou une voiture, ou deux ; la vraie richesse, elle est là-dedans. Rappelle-toi ça. »

Souvent, madame Aglaé me lisait des histoires. Et puis aussi, elle me posait des questions sur l'école et, parfois, elle me faisait faire des dictées.

« L'orthographe, ma petite fille, c'est plus important que tout. Et c'est maintenant qu'il faut l'apprendre ; parce qu'à ton âge, ça rentre tout seul et puis après, c'est comme la bicyclette, on ne l'oublie jamais. »

Ce soir, après l'école, je suis allée là-bas pour lui dire que j'avais fait zéro faute à ma dictée. Madame Aglaé n'était pas là. Dans sa cabane, il y avait un vieux monsieur pas très aimable. Il m'a dit :

« Elle est plus là. Elle est... partie. »

Moi je sais bien ce que ça veut dire. Parce que Gaston, lui, il est encore là, et puis le carton de livres aussi. Jamais madame Aglaé ne les aurait laissés. J'ai ouvert le carton. Dedans, il y avait un mot pour moi : « Au revoir, ma pitchoune. Je pars dans les étoiles. Les livres sont pour toi. » •

Un bruit bizarre

Lise est allongée dans l'herbe en compagnie de Jump, un des chiens de tante Lucie. Elle regarde passer les nuages ; c'est un de ses passe-temps favoris quand elle est à la campagne. Dans son quartier, il n'y a pas de pré et le peu d'herbe qu'il y a dans le square, on n'a même pas le droit de marcher dessus ! Alors, pour ce qui est de s'y coucher, ce n'est pas la peine d'y penser ! Ici, chez tante Lucie, le ciel est immense, et l'herbe odorante. C'est bien pour ça, entre autres choses, que Lise vient y passer toutes ses vacances ! Depuis un moment, elle entend un bruit étrange, comme un frôlement. Et elle a la sensation qu'il y a quelque chose d'invisible autour d'elle. Qu'est-ce que ça peut être ? Jump n'a pas l'air inquiet du tout. Il ronfle, ce gros paresseux. Pas très rassurée, Lise se lève et va rejoindre tante Lucie dans la cuisine.
« Tatie, j'ai entendu un drôle de bruit, un peu métallique, tu vois, mais je ne sais pas ce que c'est.
– Ce n'était pas un avion ? Tu es sûre ?
– Ben non, répond Lise, je ne crois pas !
– Allons voir ça. »
Elles sortent de la maison. Tante Lucie lève la tête.
« C'est un planeur. Regarde comme c'est beau !
– Mais tatie, on n'entend pas son moteur ?

– Bien sûr, il n'en a pas.

Il se sert du vent pour voler, comme un oiseau. Ce que tu as entendu, c'est le bruit du vent dans ses ailes.
– Comment il fait pour s'envoler ?
– C'est un petit avion qui le tire jusqu'à ce que le vent le porte ; ensuite, le pilote lâche la corde.
– Et il y a quelqu'un dedans ? » s'étonne Lise.
Tante Lucie soupire.
« Oui, il y a quelqu'un. Quelle chance il a !
Comme je voudrais essayer un jour ! »
Tante Lucie dans un avion ? Ça alors ! •

Crôa le corbeau

Il était une fois une grande forêt pleine d'animaux. Tous avaient un ami, sauf Crôa le corbeau.
Il aurait bien aimé, lui aussi, mais il venait juste d'arriver et il ne connaissait encore personne.
Ce jour-là, à la nuit tombante, Crôa vole paisiblement au-dessus de la forêt quand tout à coup il entend un cri terrible :
« Miaou ! Miaou...!
Au secours ! »
Crôa plane silencieusement jusqu'à une basse branche et là, juste en dessous de lui, un braconnier et un pauvre chat dans les mâchoires d'un piège. Crôa fonce sur l'homme en faisant le plus de bruit possible ; surpris, le chasseur s'enfuit. Crôa tire, pousse, tape et enfin il arrive à faire sortir le chat du piège.
« Viens chez moi je vais te soigner », dit Crôa.

231

...

●●●

Le lendemain matin :

« Est-ce que ça va ? demande le corbeau. Moi, c'est Crôa, et toi ?

– Merci, je vais beaucoup mieux. Je m'appelle Frimousse. Je vais m'en aller maintenant. Merci pour ton aide. Au fait, on est quel jour ?

– On est samedi. Oh non, les chasseurs ! »

Frimousse propose :

« On n'a qu'à aller se réfugier dans une grotte !

– Non, répond Crôa, ils nous trouveraient et, en plus, il y fait froid ! Je crois qu'il vaudrait mieux partir d'ici.

– Pour aller où ?

– Eh bien… en Afrique ! Là, au moins, il fait tout le temps chaud ! propose Crôa.

– C'est une bonne idée, dit Frimousse, mais tu oublies que je ne suis pas un oiseau, moi.

– Tu te mettras sur mon dos ! Ça va être un peu lourd, mais je crois que je peux y arriver. »

Le lendemain matin, nos deux amis se mettent en route pour un très, très long voyage. ●

Voyage dans les airs

Tonton Paul est reparti en Amérique. Loulou est très triste, parce qu'il adorait aller à la pêche avec lui. Mais aujourd'hui, une lettre est arrivée de New York. Tonton Paul invite Loulou à venir passer les grandes vacances avec lui près des grands lacs. Ils iront camper et pêcher tout l'été. Loulou est fou de joie, mais, en même temps, il est un peu inquiet, parce qu'il faut prendre l'avion pour aller en Amérique, et c'est la première fois. En plus, il sera tout seul pendant le voyage. Bien sûr, tonton Paul l'attendra à la descente de l'avion, mais quand même…

C'est le grand jour ! Loulou a passé une mauvaise nuit. Dans ses rêves, il se voyait enfermé dans un avion qui tombait dans la mer. Il tombait, tombait, tombait, à tel point qu'il s'est réveillé à côté de son lit !

Ses parents l'ont accompagné à l'aéroport. Après lui avoir fait plein de bisous et de recommandations de toutes sortes, ils l'ont confié à une hôtesse de l'air qui l'accompagne dans l'avion. Loulou se retrouve assis près du hublot. Les moteurs se mettent en route avec un drôle de sifflement. Les hôtesses expliquent comment il faut enfiler son gilet de sauvetage en cas de problème et elles demandent aux passagers d'attacher leurs ceintures.

Loulou sent une très forte accélération et, avant qu'il ait compris ce qui se passe, ils sont déjà en l'air. Les maisons deviennent toutes petites, puis il n'y a plus que les nuages. On dirait qu'on flotte dessus.

Pour flotter, il flotte, notre voyageur, parce qu'il s'endort aussitôt. Il est réveillé par la gentille hôtesse qui le secoue gentiment :

« On est arrivés », dit-elle.

« Pas possible ! Bof, se dit Loulou, c'est rien du tout de prendre l'avion ! » ●

Nina ne veut pas porter de lunettes

« Et celles-ci, ma Nina, elles te plaisent ?

– Non, maman, elles sont horribles, ces lunettes. »

Cela faisait maintenant à peu près deux heures que Nina essayait des paires et des paires de lunettes chez monsieur Prunelle, l'opticien.

« Bon, ça suffit, Nina, fit sa mère. C'est très important, une paire de lunettes. Quand tu lis, tu as les yeux fatigués, car tu n'as pas de lunettes. Alors, choisis celles qui te plaisent le plus et n'en parlons plus. »

À regret, Nina choisit une paire de lunettes rouges. En se regardant une dernière fois dans le miroir, elle rougit, elle ne se reconnaissait pas. Qu'allaient penser ses copines à l'école ? Et, surtout, qu'allait penser Bernardin ? Monsieur Prunelle effectua les derniers réglages et leur dit que les lunettes seraient prêtes le soir même. Nina passa une nuit épouvantable en pensant que demain il faudrait qu'elle se présente devant toute l'école, et devant Bernardin, avec une paire de lunettes. Elle les entendait déjà, les « copines » :

« Serpent à lunettes », « Tête de hublot », « Quat' zieux ». Elle passa son petit déjeuner à bouder, le nez dans son bol de céréales. Mais bon, il fallait y aller. Elle prit son sac, posa ses lunettes sur son nez et prit le chemin de l'école. Elle eut beau traîner, elle arriva quand même à l'heure devant la grille de l'école.

Mais il ne servait à rien de se cacher, Nina le savait. Courageuse, elle pénétra dans la cour. Sous les regards surpris des autres élèves, elle traversa la cour. Mais personne ne se moqua d'elle. Elle se dirigeait maintenant vers le groupe de ses copines quand quelqu'un la retint par l'épaule. C'était Bernardin !

« Salut, Nina, lui dit-il, que penses-tu de mes nouvelles lunettes ? »

Les siennes étaient bleues et lui allaient très bien. Finalement, Nina était ravie de porter des lunettes, elle aussi. Main dans la main, ils se promenèrent dans la cour, tout fiers de leur nouveau « look ». ●

Parlez plus fort, je n'entends pas !

Aujourd'hui, les élèves du cours moyen sont surpris, ce n'est pas madame Potiron qui fait classe, derrière le bureau se tient un vieux monsieur : il a des cheveux blancs et ses sourcils sont si longs qu'ils débordent sur ses yeux.

« Bonjour ! » crie-t-il.

Les yeux ronds, les élèves se regardent. Pourquoi parle-t-il si fort ?

« Je suis monsieur Ludwig !

– Qu'est-ce qu'il parle fort..., murmure tout bas Albin à son ami Baptiste.

– Vous dites ?! » hurle le professeur en regardant le garçon.

Bien que très âgé et... un peu sourd, le professeur n'est pas encore aveugle : il a bien vu Albin se pencher pour chuchoter quelque chose à l'oreille de Baptiste.

« Heu... rien..., bredouille le garçon embarrassé.

– Parlez plus fort ! Je ne vous entends pas ! » rugit le professeur.

Lui, on l'entend bien par contre. Si le professeur Ludwig continue à crier ainsi les élèves vont finir par devenir sourds eux-mêmes.

« Rien d'important ! » hurle Albin.

À ses côtés, Baptiste et Clément sursautent sur leurs chaises. Cette fois-ci, le professeur a dû entendre Albin.

« Bon ! Alors nous allons pouvoir commencer le cours ! »

●●●

Les élèves du premier rang commencent déjà à regretter d'avoir choisi cette place, car il est évident que le professeur Ludwig est sourd et ne s'entend pas crier. Intriguée, Bertille observe les oreilles du vieux professeur. Elle comprend aussitôt. Elle prend un stylo, écrit, se lève et donne son papier au professeur. Celui-ci lui sourit et porte la main à son oreille pour rebrancher son appareil auditif. Le cours de musique peut enfin commencer ! •

DÉCEMBRE 11 — Titus, le chat chasseur de souris

Titus le chat était un très grand chasseur. Il fallait voir avec quelle grâce et quelle habileté Titus s'approchait tout doucement de sa proie. Pas un poil, pas un frémissement de moustache ne pouvait trahir sa présence. Quand la souris se sentait en sécurité, Titus lui bondissait dessus. Oui mais voilà, Titus vivait dans la même maison que son ami Pacha, le chien.

« Yahou ! Yahou ! Titus, je reviens de la chasse, c'était super ! lui cria Pacha dans les oreilles. J'ai plongé dans la mare pour attraper le canard. Ha, ha, j'étais plein de boue ! Tiens, regarde, j'en ai encore partout ! dit-il en s'ébrouant juste sous le nez de Titus.

– Mais, bougre d'âne, tu me salis ! Regarde-toi, va te laver », lui ordonna Titus.

L'œil soudain attiré par un petit mouvement, Titus vit une petite souris s'approcher d'un quignon de pain. D'un mouvement souple, il se redressa, s'approcha doucement de la petite souris et prit son élan.

« Ça y est mon vieux, je suis propre comme un sou neuf ! » s'écria Pacha au même instant.

La petite souris s'enfuit aussitôt.

« Ah c'est malin ! Tu viens de faire fuir la souris que je chassais ! »

Penaud, Pacha s'excusa et s'éloigna en trottinant. Mais Titus avait déjà repéré une autre souris, il s'approcha d'elle sans bruit et...

« Allez, on fait la paix ! fit Pacha en s'avançant vers son ami. Tiens, regarde, j'ai volé une belle saucisse pour toi ! »

À nouveau, la petite souris courut se cacher dans un trou du mur.

« Rien, je ne veux rien de toi ! » s'écria Titus en colère.

Et toute la journée ce fut le même manège : Pacha, aussi discret qu'un éléphant, faisait fuir les petites souris que Titus pourchassait.

Si Titus n'avait pas dormi cette nuit là, il aurait pu surprendre une drôle de scène : Pacha, en grande conversation avec les souris, disait :

« D'accord les filles, demain on recommence, mais cela vous coûtera un os de plus. » •

Le printemps est en retard

C'était le 1er mai et il faisait encore très froid. L'hiver semblait vouloir ne pas finir. Partout, la neige était présente et chaque lac, chaque étang était gelé. Les champs étaient couverts de givre ; il n'y avait rien à manger et les petits animaux essayaient de se réchauffer près des maisons. Les petites mésanges et les petits rouges-gorges tentaient de se nourrir de petites miettes de pain. Bruno était bien triste pour eux, mais que faire ? Comment les aider ? Et ce printemps qui ne voulait pas arriver ! Bruno se disait que s'il faisait si froid c'était que le Soleil n'était pas encore réveillé. En hiver, le Soleil apparaît peu, il est un peu là, mais c'est surtout la nuit qui domine. Alors, il fallait réveiller le Soleil. Bruno sortit avec son chien dans le jardin et se tourna vers la pâle lueur du Soleil.

« Soleil, Soleil, réveille-toi ! cria Bruno. Ici, tout le monde a besoin de ta chaleur. Allons, debout ! »

Nul ne répondit. Seul un faible cui-cui se fit entendre dans le lointain. Bruno prit alors une grande inspiration et continua : « Soleil, Soleil, tout le monde t'attend, réveille-toi ! cria-t-il encore. S'il te plaît, Soleil, réveille-toi ! Réveille-toi ! » Alors le chien de Bruno aboya trois fois, au loin, on entendit le chant d'un coq, puis une, deux, trois, dix vaches meuglèrent en même temps. Dans une joyeuse cacophonie, tous les animaux semblaient s'adresser au Soleil eux aussi.

Même les arbres essayaient de tendre leurs branches vers lui. Puis tout s'arrêta. La faible lueur dans le ciel devint alors de plus en plus intense pour briller bientôt de mille feux. Le Soleil était enfin réveillé ! La neige et la glace fondaient pour laisser place aux bourgeons, puis aux feuilles. Les fleurs apparaissaient pour colorer le paysage printanier. Oui, le printemps était bien là, grâce à Bruno et à tous ses amis. •

Le conteur et le crocodile

Dans le petit village africain où habite Sambo, les habitants sont désemparés. D'habitude, pour accéder aux récoltes, ils doivent traverser une rivière. Or, de nouveaux venus empêchent désormais toute traversée. Une famille de crocodiles est venue s'installer là, au beau milieu du cours d'eau. Depuis, ceux qui ont eu envie de passer ont bien vite renoncé : les dents pointues des crocodiles à la surface de l'eau les ont vite dissuadés. Au village, on est inquiet : comment se nourrir si on ne peut plus récolter

de céréales, de fruits ou de légumes ? On a bien essayé de capturer ces méchants crocodiles, mais ils sont vifs. Dès qu'ils aperçoivent un homme, ils plongent sous l'eau boueuse, impossible de les capturer. Un jour, le petit Sambo a une idée : il va chercher le griot. Le griot, c'est le conteur du village. Dès qu'il commence à raconter une histoire, on ne peut plus s'empêcher de l'écouter tant il est passionnant. Le griot connaît le langage des animaux. Sambo l'emmène prêt de la

rivière où se sont installés les crocodiles. Le vieil homme commence alors à leur raconter une histoire. D'abord méfiants, les crocodiles sont très vite passionnés. Ils sont là, pendus aux lèvres du griot. Mais, en plein milieu de son histoire, le griot s'arrête.
« La suite, la suite ! s'écrient les crocodiles impatients.
– D'accord, répond le griot. Mais alors il va falloir laisser passer mes amis. »
Les crocodiles acceptent. Depuis, chaque semaine, le griot captive les crocodiles par ses histoires tandis que les villageois traversent tranquillement la rivière. •

Petit-Buffle et la perdrix

Petit-Buffle est un petit Indien. Comme tous ses camarades, il sait depuis tout jeune monter à cheval, fabriquer un arc et des flèches et chasser. Heu... chasser ? En fait, Petit-Buffle est un très mauvais chasseur. Il ne sait pas viser, et ses flèches, manquent systématiquement leurs cibles. Son père, Aigle-Furieux, le grand guerrier, est désespéré. Petit-Buffle rêve pourtant de ramener un trophée à la maison. Alors il s'entraîne, il s'entraîne, mais il a beau s'entraîner, il n'y arrive pas. Un jour qu'il tente encore de chasser, Petit-Buffle arrive devant une grotte. Il y pénètre et croit apercevoir, dans l'obscurité, quelque chose bouger. Il s'approche : il y a quelque chose juste devant lui, à moins d'un mètre. Il s'approche encore et découvre une perdrix sauvage. De là où il est, il ne peut pas la manquer. Il sort son arc, vise et s'apprête à tirer lorsque, soudain, la perdrix se met à parler :
« Épargne-moi, je t'en prie, dit-elle. Laisse-moi la vie sauve ! »
Petit-Buffle n'en revient pas : une perdrix qui parle !
« Si tu ne me tues pas, je te ferai un précieux cadeau. »
Petit-Buffle décide alors de l'épargner.
« Merci, dit-elle. Tiens, prends quelques-unes de mes plumes et confectionne tes flèches avec. »
Une fois sorti de la grotte, Petit-Buffle fabrique des flèches avec les plumes de la perdrix. Il les essaye aussitôt.
Incroyable ! Elles vont toutes seules au but, sans même qu'il ait à viser ! À la plus grande fierté de son père, Petit-Buffle devient très vite le plus fameux chasseur de la tribu, et on l'appelle maintenant : Petit-Buffle-Qui-Vise-Droit ! •

Matthieu et Louise

Pour Matthieu, Louise est plus proche que son meilleur ami. Quant à Louise, elle confierait à Matthieu des secrets qu'elle n'oserait pas confier à la plus fidèle de ses amies. Matthieu parle souvent de Louise à sa maman. Il lui en parle tant et tant que sa maman finit par lui dire un jour :

« Mais c'est que tu es amoureux ! »

Matthieu devient tout rouge. Amoureux ? Tiens, il n'y avait jamais songé, et pourtant... C'est évident : il aime Louise. Quelle découverte !

Il faut à tout prix le dire à Louise. Car, c'est sûr, elle l'aime aussi, il ne peut pas en être autrement. Il se rend donc à l'école, le cœur battant et les mains moites. À la récréation, il voit Louise qui discute avec une amie. Il s'approche à pas de loup et se cache derrière un arbre. Il attend que Louise ait fini de parler pour l'entraîner à part et tout lui avouer. Mais Louise déclare :

« Écoute, je suis sûre qu'il m'aime et qu'il croit que je l'aime, mais je ne l'aime pas ! Comment lui dire ? »

C'en est trop, Matthieu ne peut pas en entendre plus. Il s'éloigne en courant, les larmes aux yeux.

À midi, lorsque la cloche sonne, Louise va voir Matthieu. Il a l'air tout triste.

« Matthieu, dit-elle. Ce soir, j'ai une audition au théâtre. Je voudrais répéter devant toi mon rôle pour que tu me dises ce que tu en penses. »

Sans enthousiasme, Matthieu accepte et Louise répète :

« Écoute, je suis sûre qu'il m'aime et qu'il croit que je l'aime, mais je ne l'aime pas ! Comment lui dire ? »

Incrédule, Matthieu n'en revient pas. Ce n'était donc que du théâtre ! Louise ne parlait pas de lui, elle répétait son rôle devant sa copine ! Le cœur de Matthieu bondit de joie dans sa poitrine. Sans plus attendre, il lui confie son amour.

« Moi aussi, je t'aime Matthieu », lui répond Louise avec son plus beau sourire. La vie est si simple parfois. •

Le vœu de Bouli

Son grand-père disait chaque jour à Bouli :

« Ne sors pas du sous-bois, car ici seulement tu es à l'abri ! »

Mais, Bouli, le petit hérisson, n'était pas très obéissant. Comme il tombait, ce matin-là, une petite pluie fine, qui accrochait de multiples gouttelettes sur les piquants et les sourcils de notre petit ami, celui-ci se posta à l'orée du bois et attendit. Qu'attendait-il au juste ? Il attendait l'arc-en-ciel. Car Bouli avait entendu dire que toute personne qui apercevait un arc-en-ciel pouvait faire un vœu. Comme la cime des arbres lui cachait le ciel, le petit hérisson avait décidé de sortir du couvert des arbres. Bientôt, la pluie, comme lassée d'elle-même, cessa. Alors apparut dans le ciel un gigantesque arceau de couleurs qui traversait tout l'horizon. Que c'était beau !

« Ce doit être ça un arc-en-ciel, se dit Bouli émerveillé, faisons vite un vœu... »

Mais... qu'est-ce qu'un vœu au fait ? Bouli devait bien admettre qu'il s'était un peu emballé ! Faire un vœu, d'accord, mais cela consistait en quoi ?

« Un vœu est un souhait, un désir, un rêve, un espoir ! lui dit l'arc-en-ciel d'une voix mouillée.

– J'ai compris ! Je souhaite, je désire, je rêve et j'espère ! s'écria Bouli.

– Oui, mais tu souhaites, tu désires, tu rêves et tu espères quoi ? souffla l'arc-en-ciel amusé.

- Rien, ou plutôt tout !
répondit le hérisson
du tac au tac.
– Oh ! Oh ! Oh !
rit l'arc-en-ciel,
et bien voilà
qui n'est pas
clair ! À
bientôt,
Monsieur
Toutourien ! »

À ces mots, l'arc-en-
ciel disparut.
« Tout, c'est
peut-être trop, se
dit Bouli, et rien
ce n'est pas assez.
La prochaine
fois je
demanderai
un peu ! » •

Quand la télé est cassée

Cédric et Mina viennent de sortir de l'école. Vite, vite, ils courent vers la maison ; à 5 h il y a les dessins animés.

À peine arrivés, ils jettent leurs manteaux par terre et s'installent devant la télévision. Cédric appuie sur la télécommande : pas d'image.

« Maman, maman, la télé est en panne ! hurle Mina.

– Quelle curieuse manière de dire bonjour ! Bonsoir les enfants. C'est vrai, la télé ne marche pas, mais un réparateur a promis de passer avant 6 h. Alors, rangez vos manteaux et nous allons faire un vrai goûter, il y a longtemps que je ne vous ai pas fait de pain perdu.

– Super ! »

La cuisine embaume le beurre fondu et le sucre caramélisé, les enfants se régalent.

« Maman, il est 6 h 30, la télé est toujours cassée et je vais rater mon émission préférée, bougonne Cédric.

– Je n'y peux rien ; si vous voulez, nous ferons une partie de mikado.

– Oh oui, ça fait au moins un an que nous n'y avons pas joué. »

La partie est acharnée ; c'est Mina qui finit par gagner. Après le dîner, comme chaque soir, les enfants s'asseyent face à la télé.

« Oh non, c'est vrai, elle est cassée ! se lamentent-ils.

– J'ai une idée, dit maman : papa ne va pas tarder ; mettez-vous au lit, il viendra vous lire une histoire. »

À peine arrivé, leur papa est allé voir Cédric et Mina et il leur a lu « Les Trois Brigands », une histoire que les enfants ont adorée. Du coup, ils n'ont même pas pensé à lui parler de la télé cassée.

« Hum, hum, se dit la maman, et si on laissait la télé se reposer quelque temps ? » •

238

Bonhomme-légume

Il était une fois un drôle de bonhomme qui ressemblait à un potager à lui tout seul. Il était solitaire et triste. Tous les gens le montraient du doigt et se moquaient de lui :

« Regardez ! Il a le nez comme une grosse tomate trop mûre ! Ses cheveux ressemblent à de la salade fanée ! Il a les yeux comme de vieux noyaux de prunes ! Oh ! Oh ! Les drôles de sourcils en forme d'haricot vert ! Oh ! Les affreuses oreilles en feuilles de chou ! Quel menton ridicule, on dirait un navet tout fripé ! »

Seul et sans ami, le bonhomme-légume pleurait souvent ; les moqueries lui faisaient si mal et la vie lui semblait si dure ! Pourtant, il n'avait pas choisi sa drôle de figure et il n'avait personne avec qui partager la délicatesse de son cœur d'artichaut.

Un jour où il errait sans but, il rencontra une jolie petite fille et dit :

« Comme elle est belle ! Ses cheveux sont blonds comme les blés, elle a un teint de rose, ses oreilles sont ourlées comme deux jolis coquillages, ses yeux sont des petites noisettes dorées, sa bouche a la couleur de la framboise. Comme elle a de la chance. Tout le monde doit l'aimer ! »

La fillette entendit le pauvre bonhomme et lui murmura doucement :

« Tu sais, tout dépend de la façon dont on dit les choses, le même mot peut être gentil ou méchant, compliment ou insulte ! Tomate, haricot vert, coquillage, noisette ou framboise, quelle importance après tout ? Moi, je te trouve très beau comme tu es. Si tu veux, soyons amis ! »

Depuis ce jour, le bonhomme-légume n'est plus jamais triste, et tant pis si l'on se moque de lui. Il a une amie et il n'a plus peur des gens. •

Drôles de noms, non ?

Un jour, un drôle d'insecte se posa sur une jolie feuille duveteuse et parfumée.

« Faisons connaissance, dit la feuille en faisant une révérence, comment t'appelles-tu ?

– Je m'appelle mante religieuse et toi, petite plante, quel est ton nom ?

– Moi c'est menthe sauvage ! Qu'as-tu de religieux ? demanda la feuille.

– C'est mon nom, et toi qu'as-tu de sauvage ? demanda l'insecte.

– C'est mon nom aussi ! répondit la brindille.

– Au revoir ! » dit la mante à la menthe.

Un jour, un renne magnifique vint se coucher à l'orée d'une forêt. Une fleur lui dit à l'oreille :

« Faisons connaissance, quel est ton nom ?

– On me nomme renne du Grand Nord, et toi ? demanda le cervidé.

– On m'appelle reine des prés, répondit la fleur. Pourquoi du Grand Nord ?

– Parce que j'y vis, pardi !

– Et toi, pourquoi des prés ?

– Parce que j'y pousse, bien sûr ! répondit la fleur.

– Au revoir ! » dit le renne à la reine.

Un jour, un paysan dessella son âne et posa le fardeau sur le buffet de la cuisine. Le calendrier accroché au mur dit :

« Bonjour paquet, as-tu un nom ?

– Tous les objets ont un nom. Je suis une ânée, car c'est un âne qui me transporte ! Et toi ? demanda le colis.

– Moi aussi, je suis une année, mais moi c'est le temps qui me transporte ! »

Lorsque le paysan revint chercher le fardeau, ce dernier dit doucement au calendrier :

« Au revoir et bonne année !

– Toi aussi, bonne ânée ! » •

Ça sent le printemps

La famille Campagnol a passé tout l'hiver dans son abri au pied d'un vieux mûrier. Ce matin, il fait un temps magnifique, monsieur Campagnol est en grande forme.

« Les enfants, dépêchez-vous, ce matin nous allons à la rencontre du printemps.

– Mais papa, comment peut-on rencontrer quelque chose qui n'existe pas vraiment ? s'étonne l'aîné des campagnols.

– Tu verras, il suffit de bien regarder, sentir, écouter, goûter. »

Les quatre petits campagnols sont un peu surpris, mais très contents de partir en balade avec leur père. Après quelques pas, les campagnols traversent une plaque de neige et tombent en arrêt devant un perce-neige. Tiens, tiens...

Les petits campagnols se mettent à regarder autour d'eux avec attention. L'amandier a changé d'allure. Bien sûr, il est tout couvert de bourgeons.

Un peu plus loin, ils entendent une douce musique. La neige a tellement fondu qu'un ruisseau dévale joyeusement la montagne.

Le plus jeune des petits campagnols se sent très attiré par le bouleau qui est devant lui. Il gratte l'écorce avec ses griffes et se met à lécher le tronc d'où coule une sève abondante et sucrée.

Tout à coup, monsieur Campagnol dresse la tête et fait signe à ses enfants d'écouter :

« Coucou, coucou » entendent-ils dans le lointain.

« Papa, rentrons vite raconter à maman que nous avons rencontré le printemps ! »

Fous de joie, les quatre petits campagnols se dépêchent, ils courent :

« Maman, maman, nous avons... »

Madame Campagnol sourit en déposant fièrement un saladier de pissenlit sur la table :

« Oui, je sais, moi aussi je l'ai trouvé, dit-elle.

– Vive le printemps ! » s'écrient en chœur les petits campagnols. •

Petit croco deviendra grand

Allongé dans la rivière, avec juste le bout du nez et les yeux qui dépassent de l'eau, Croc, le petit crocodile, fait la sieste. Il fait tellement chaud que les oiseaux ont cessé de chanter pour ne pas se dessécher le gosier. Les gazelles sont couchées à l'ombre des grands arbres sans se faire de souci, parce que les lionnes en font autant. Qui aurait la mauvaise idée de courir par une chaleur pareille ? Tout le monde attend le soir, quand le Soleil se couche, pour aller boire à la rivière. On appelle ça : « la trêve de l'eau ».

Mais Croc est un crocodile, et bien qu'il fasse semblant de dormir, il est prêt à saisir n'importe quoi dans son impressionnante mâchoire pleine de dents pointues. Pourtant, il n'est pas méchant. C'est juste qu'il est né crocodile et que la nature l'a fait comme ça. Il aimerait bien avoir des amis, mais personne ne veut de lui. Dès qu'il s'approche, tout le monde s'enfuit. Ah ! Comme il aimerait courir après sa queue comme font les lionceaux, ou voler au ras de l'eau avec les grands oiseaux multicolores !

Tiens, justement, voilà quelqu'un qui s'approche. Celui-là, il ne l'a jamais vu. Qui ça peut bien être ? Une bête toute carrée, avec quatre pattes rondes. Et ça fait un boucan ! L'inconnu entre dans l'eau, juste sous le nez de Croc qui ne peut s'empêcher d'ouvrir grand la mâchoire. Croc ! Aïe ! Tout endolori, le petit croco plonge pour aller se plaindre à sa maman. « C'est bien fait pour toi, lui répond-elle. Je t'ai toujours dit de regarder ce que tu manges. Ça, c'était un camion 4x4. N'y touche plus jamais, c'est indigeste. » •

La note salée

Depuis deux ou trois jours, c'est l'effervescence à la maison. Le papa de Chloé est très excité. Il doit passer un « entretien » et ça a l'air sérieux ! Décidément ! La semaine dernière, c'est la voiture qui est allée à l'entretien. Sauf que, là, papa n'était pas énervé avant, mais plutôt après. Il est revenu de mauvaise humeur avec une « note salée ».
Il faut dire qu'une « note salée », ça ne fait pas plaisir, et Chloé n'est pas pressée d'en avoir une.
Madame Haleur, l'institutrice, a dit qu'à l'école ça pouvait arriver aussi.
Donc, papa a l'air inquiet pour « l'entretien ». Pourtant, pour la voiture, ça s'est bien passé puisqu'elle est revenue comme neuve...
Maman dit que si ça marche, « ça mettra du beurre dans les épinards ». Tandis que papa craint que « les carottes soient cuites ».

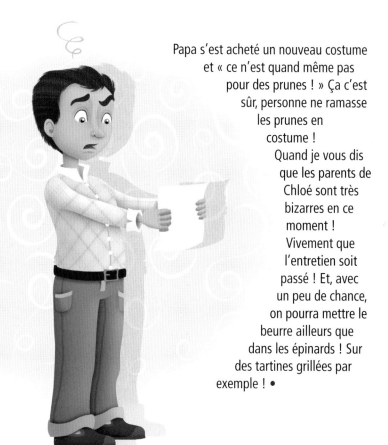

Pauvre papa qui n'y connaît rien en jardinage ! C'est pas de chance !

Avec tout ça, papa a quand même le temps de chercher un nouveau travail. Mais ça a l'air de moins l'inquiéter que les légumes trop cuits ou trop salés. Maman le rassure en disant qu'« il ne faut pas vendre la peau de l'ours... ». Chloé a quand même ramassé ses peluches, on ne sait jamais, des fois qu'elle changerait d'avis !

Papa s'est acheté un nouveau costume et « ce n'est quand même pas pour des prunes ! » Ça c'est sûr, personne ne ramasse les prunes en costume !

Quand je vous dis que les parents de Chloé sont très bizarres en ce moment ! Vivement que l'entretien soit passé ! Et, avec un peu de chance, on pourra mettre le beurre ailleurs que dans les épinards ! Sur des tartines grillées par exemple ! •

Le grand pouvoir

Abel est un petit garçon comme tous les autres. C'est à dire qu'il aime jouer et qu'il désobéit parfois. Comme tous les autres... Pourtant, Abel est différent. Ses deux yeux ne sont pas de la même couleur : un vert à gauche, un marron à droite. C'est étrange et beau à la fois. Les autres enfants se moquent de lui : « Tu les as trouvés où tes yeux ? dans une boîte à boutons ? Tu aurais pu choisir les mêmes ! Ah ! ah ! ah ! », « C'est pour repérer la gauche de la droite ? », « Hou ! Hou ! Les yeux vairons ! T'es une vipère ou t'es un cochon ? »

Abel n'écoute pas, il a les yeux comme il les a... et puis voilà. Alors il regarde intensément les gens, de son œil vert charmant et du marron perçant. En général, quand il fixe comme ça, de son drôle de regard, les plaisanteries douteuses ne durent pas. Les moqueurs insisteraient encore moins, s'ils savaient... Abel a un pouvoir. D'un seul regard, il connaît les pensées des gens. Son œil vert sait voir la douceur et la bonté, son œil marron peut deviner la méchanceté et la bêtise. Alors Abel, depuis qu'il est tout petit, sait une chose : « Dans la vie, tout n'est pas noir ou blanc, marron ou vert en ce qui le concerne. » Il peut lire la tristesse chez les gens joyeux, la tendresse chez les gens sévères, et parfois... un petit peu de méchanceté chez des personnes pourtant tellement adorables. Il sait, mieux que personne, que chaque différence cache un pouvoir. •

242

Pourquoi pas lui ?

Au village du Père Noël, c'est la panique : il est presque minuit, la grande distribution de cadeaux doit commencer, et le Père Noël n'est toujours pas là.

« Ce n'est pas normal, dit Sylvain le lutin. Je vais aller le chercher, pourvu qu'il ne lui soit rien arrivé. » Sylvain se rend donc chez le Père Noël. La lumière est allumée, il frappe à la porte : aucune réponse. Il frappe à nouveau : rien ! Il se décide alors à entrer. Il s'avance jusqu'à la chambre, pousse la porte, mais que voit-il ?

Le Père Noël, allongé sur son lit, en train de dormir !

« Père Noël ! Que faites-vous ? Les enfants vous attendent ! s'inquiète Sylvain.

– Laisse-moi, répond le Père Noël. Je suis triste. Je n'irai plus jamais distribuer de cadeaux.

– Mais vous êtes devenu fou ! Et tous ces enfants ? Ils vont être si déçus !

– Et qui se soucie de moi ? Qui songe à m'offrir des cadeaux ? Depuis tout ce temps, quelqu'un a-t-il seulement pensé que j'aimerais, moi aussi, recevoir quelque chose ? Non, décidément, je préfère dormir. »

Et le Père Noël enfouit sa tête sous son oreiller.

« Attendez-moi, je reviens », lui dit le lutin. Quelques minutes plus tard, Sylvain est de retour dans la maison du Père Noël.

Il porte un sac rempli de lettres.

« Levez-vous, Père Noël ! Regardez ça.

– Qu'est-ce que c'est ? » grommelle le Père Noël. Sylvain déverse alors le contenu de son sac sur le lit.

« Ce sont toutes les lettres de remerciement des enfants du monde entier pour les cadeaux que vous leur apportez. Existe-t-il un cadeau plus grand que celui-ci : la joie d'un enfant ? Debout Père Noël, il vous reste à peine quelques minutes !

– Tu as raison, mon garçon, sourit le Père Noël en se levant. Dès mon retour, nous fêterons dignement Noël. J'ai d'ailleurs un petit présent pour toi ! » •

Kévin et le Père Noël

Kévin est un petit garçon de cinq ans qui rêve tout le temps de Noël comme tous les enfants ; et, comme tous les enfants, il se lève la nuit pour aller à la rencontre du Père Noël. Au beau milieu de la nuit, il sort de sa chambre sur la pointe des pieds, traverse le couloir en rampant contre le mur, passe discrètement devant la chambre de ses parents et arrive enfin à la salle à manger où se trouve la cheminée. Il regarde s'il y a des cadeaux près du sapin joliment décoré. Mais non, il n'y en a pas encore. En repartant en direction de sa chambre, Kévin entend soudain un bruit sur le toit. Puis, de la cendre tombe dans la cheminée et il voit... des bottes noires !

C'est le Père Noël qui rouspète dans sa barbe :

« Encore des parents qui n'ont pas pensé à nettoyer la cheminée ! Et maintenant, de quoi j'ai l'air ! Je suis tout sale ! »

•••

•••

Kévin dit :

« Ce n'est pas grave, tu sais. L'important, c'est que tu puisses distribuer les cadeaux !

– Comment ? Qui me parle ? demande le Père Noël.

– Je m'appelle Kévin, répond le petit garçon très ému.

– Mais tu n'es pas au lit comme tout le monde ?

– Non, je voulais te voir !

– Bon, tu m'as vu ! Maintenant, va te coucher ! »

Kévin repart tout content dans sa chambre en se disant :

« Quand je vais raconter ça aux copains ! »

Le matin, quand les parents de Kévin le réveillent, il y a plein de cadeaux ! Et déjà, il attend l'année prochaine pour revoir le Père Noël.

Ah ! ce sont les copains qui vont être étonnés, eux qui disent que le Père Noël n'existe pas ! •

DÉCEMBRE 26 — Marielle ne sait pas son âge

Marielle, la coccinelle, a perdu la mémoire :

« Je suis restée trop longtemps au Soleil ! Je ne me souviens plus de mon âge ! se lamente-t-elle.

– Tu dois quand même bien te rappeler ta date de naissance ! dit l'escargot agacé. Es-tu née au printemps, à l'automne ?

– Non, non et non, je ne me le rappelle pas ! pleurniche Marielle.

– Sur quelle fleur es-tu née ? Allons la voir, peut-être saura-t-elle te renseigner… ? suggère l'escargot.

– Je ne me souviens pas de la fleur non plus ! C'est la catastrophe ! pleure la coccinelle.

– Tu as bien des parents quand même, allons les trouver ! propose alors l'escargot.

– Oh, la, la ! vous en faites du raffut au moment de la sieste ! maugrée une vieille chouette en clignant des yeux.

– Pardon, Madame ! s'excuse l'escargot, mais Marielle ne connaît pas son âge et ça l'inquiète beaucoup !

– Tant de bruit pour si peu ! Compte donc les points sur ton dos ! Chaque point correspond à une année, c'est facile ! dit la chouette.

– Tourne-toi ! dit l'escargot, je vais les compter pour toi ! Un, deux, trois, quatre, cinq, six, sept, huit ! Tu as huit ans Marielle !

– C'est bien, mais maintenant je ne sais plus combien j'ai de frères et sœurs…, murmure la coccinelle.

– Bon ça suffit, je vais aller compter les moutons et dormir ailleurs ! s'exclame la chouette dans un battement d'ailes.

– Elle a raison, ça suffit ! Tu n'es jamais contente, tu cherches toujours des complications à tout. On ne peut pas compter sur toi, un point c'est tout ! marmonne l'escargot en s'éloignant.

– On ne peut pas compter sur moi… On ne peut pas compter sur moi ! Il en a de bonnes ! Me dire ça, à moi ! C'est pourtant bien ce qu'il vient de faire, compter sur moi ! bougonne Marielle de mauvaise humeur. Tiens, voilà, avec tout ça, j'ai encore oublié mon âge ! » •

De toutes les couleurs

C'est l'histoire de l'ours qui a des soucis.
Quand il fait nuit, il devient gris.
Lorsqu'il pleut, il devient bleu.
Quand il neige ? Il est beige.
S'il y a du tonnerre, il passe au vert.
S'il y a du vent, il est tout blanc.
Dans la lumière de la grange, il est orange.
Lorsque l'on ferme les volets, il est violet.
Quand il sourit, il est kaki.
À chaque frisson, il est marron.
Et lorsqu'il bâille, il est jaune paille.
Pour compliquer sa vie, l'ours a un autre petit souci :
Quand il mange des myrtilles, il fait des vrilles.
Quand il suce un bonbon, il fait des bonds.

Lorsqu'il croque une noix, il fait un pas.
S'il goûte le miel d'une ruche, alors là, il trébuche.
Il grignote une brindille et sautille.
Il mâchonne une carotte, et bien sûr, il trotte.
Pour un bout de nougat, il fait un entrechat.
Deux feuilles de pâquerette, hop ! une galipette !
Une feuille de primevère et le voilà par terre !
Du lait chaud dans un bol, il fait une cabriole !
La moitié d'un petit pois et il va de guingois.
Une branche de céleri et de sa route il dévie.
Le moindre petit trognon le fait tourner en rond.
Quand il veut faire la sieste, il se met à la diète.
Il mordille son chapeau et s'endort aussitôt.
Mais attention ! Si jamais il bâille, il deviendra jaune paille.
Si jamais il pleut, il deviendra bleu... •

Le naufrage

« Les ruisseaux font les rivières, les rivières se déversent dans les fleuves, et les fleuves se jettent dans la mer... Les typhons et les tornades sont les causes principales des naufrages des bateaux... », avait expliqué monsieur Pinson, l'instituteur. Camille n'avait écouté que d'une oreille la leçon de géographie. Alors bien sûr, tout était un peu mélangé dans sa tête ! Pourtant, il avait retenu une chose : toutes les eaux finissent par rejoindre la mer ! Incroyable ! C'est drôlement intelligent, l'eau ! Si Camille avait voulu marcher vers la mer, il aurait été bien embêté. C'est vrai, comment savoir de quel côté aller ?
Camille décida de vérifier cette information étonnante par lui-même.

L'heure du bain était arrivée et Camille se dit :
« Si je fabrique un petit navire avec un bouchon de liège et que je le laisse partir par le trou de la baignoire, il rejoindra une rivière, puis un fleuve, puis la mer ! Si j'écris dessus mon nom et mon numéro de téléphone au feutre indélébile, peut-être qu'un marin m'appellera pour me dire qu'il a trouvé mon message. »
Camille mit alors son projet à exécution.
« Sors du bain ! C'est l'heure du dîner ! » dit sa mère en enlevant le bouchon de la baignoire.

•••

Camille sortit de la baignoire et, sans se faire voir, plaça son frêle esquif dans le trou tourbillonnant et plein de mousse. Le bateau fut aspiré aussitôt.

« Bientôt, il naviguera sur les flots de l'océan ! » se dit notre jeune marin.

Le lendemain soir, alors qu'il rentrait de l'école, il surprit une drôle de conversation :

« Chéri ? Tu as terminé ta séance de plomberie ?

– Oui ! mais pas sans mal, la baignoire était bouchée ! répondit le père de Camille.

Un drôle de bateau avait échoué dans le siphon ! On a évité la catastrophe de peu ! Quelle bataille navale ! »

« Mon bateau a échoué dans une bataille navale ! se dit Camille, je me demande si les siphons ne sont pas plus dangereux que les typhons ! Il faudra que j'en parle à monsieur Pinson ou que j'écoute mieux la prochaine fois…» •

DÉCEMBRE
DÉCEMBRE
29

Trop facile

Un jour, Pierrick se promenait dans la montagne. Alors qu'il s'asseyait au bord du chemin pour se reposer un peu, il entendit une voix :

« Bonjour petit !

– Mais qui me parle ? demanda le garçon en regardant autour de lui.

– Ah ! Ah ! Devine ! J'ai un tronc mais pas de bras ! dit la voix.

– Tu m'as fait peur… Un tronc mais pas de bras ? Mon pauvre ! Tu es un manchot ? Montre-toi ! dit Pierrick.

– Non, non ! Je ne suis pas un manchot ! Devine ! Encore un indice : je ne perds pas mes feuilles ! dit la voix.

– Trop facile ! Ce sont les classeurs qui perdent leurs feuilles, tu es donc un cahier !

– Ah ! Ah ! Ah ! Réfléchis un peu, qu'est-ce qu'un cahier ferait ici ? Je bouge, mais je reste à la même place !

– Alors là, ce n'est pas possible, ou alors… tu es un magicien !

– Un magicien ! Oh ! Oh ! C'est trop d'honneur ! Cherche encore. J'ai la tête dans les nuages !

– Un oiseau, tu es un oiseau !

– Non ! Non ! et re-Non ! Quand je suis vieux, j'ai plein de nœuds !

– Alors tu es un bout de ficelle ou une corde !

– Bout de ficelle toi-même ! Bout de chou de rien du tout ! Tu es assis sur mon ombre !

– Oh ! Pardon ! dit le garçon en se levant d'un bond.

– Il n'y a pas de mal ! » répondit le sapin. •

Le souvenir

La maman de Camille possédait une très jolie boîte qu'elle conservait dans sa chambre. Elle semblait beaucoup tenir à ce petit coffre qu'elle maintenait fermé à clé. Cela intriguait beaucoup Camille : que pouvait-il y avoir dans cette boîte de si précieux ? Un jour, n'y tenant plus, Camille demanda à sa maman. Celle-ci lui répondit avec un doux sourire :
« Je vais te raconter, ma petite chérie ; c'est une histoire qui date du temps où ta maman était une petite fille, tout comme toi. Enfant, j'aimais me promener dans mon jardin. Il y avait de beaux arbres, de jolies fleurs et, surtout, de nombreux oiseaux. Un jour que je m'amusais à les observer, j'en vis un au pied d'un arbre, qui semblait tout mal en point. Je m'approchais ; le pauvre tremblotait et semblait ne plus pouvoir décoller. Je le pris au creux de ma main et je vis que la petite créature avait l'aile brisée. Je sentais sa chaleur et son cœur qui battait dans ma main. Vite, je l'emportais à la maison, bien décidée à le sauver. Je demandais conseil à mon papa, ton grand-père à toi, puis je le soignais. À force de soins et de nourriture, l'oiseau reprit des forces. Au bout d'un moment, il pouvait voler à nouveau, il était guéri !
Seulement, voilà : je m'étais tellement attachée à lui que je ne voulais pas le laisser partir. Mais je comprenais qu'il serait malheureux enfermé. Alors, un jour, j'ouvris la fenêtre et je le laissai s'envoler. Je le suivis des yeux jusqu'à ce qu'il disparaisse ; j'étais toute triste. Mais je baissai les yeux et je vis qu'il avait laissé une petite plume en partant. Cette plume, je la mis dans ce coffre que tu vois aujourd'hui et je la gardai comme un précieux trésor. Et ce coffre, je te le donne. Prends-en bien soin, c'est un joli souvenir de mon enfance. » •

L'arbre à bonbons

Depuis le temps qu'Antoine mangeait des bonbons, il se posait toujours la même question : d'où venaient-ils ? Les œufs viennent des poules, les cerises des cerisiers, les salades du potager, mais les bonbons ? Qui pouvait savoir cela ? Antoine réfléchit : les adultes ne s'intéressent pas aux bonbons, aucun, sauf peut-être monsieur Mistral, le marchand de bonbons. Un jour, Antoine osa lui demander :
« Hum... je voulais savoir d'où viennent tous les bonbons que vous avez ? »
Monsieur Mistral parut hésiter un instant avant de répondre :
« Les bonbons ? Mais de mon arbre à bonbons, bien sûr ! Tu ne savais pas que j'avais dans mon jardin un arbre à bonbons ? Il me suffit des les cueillir et d'en remplir mes bocaux. En plus, ça pousse toute l'année ! »
Ça alors ! Antoine n'en revenait pas. Un arbre à bonbons ! Il ne savait même pas que ça existait. Il passa les jours suivants à essayer d'imaginer à quoi pouvait bien ressembler un tel arbre : son tronc était peut-être en caramel et ses branches en sucre d'orge... Il fallait absolument qu'il voie ça ! Le petit mur qui entourait le jardin de monsieur Mistral n'était pas très haut. Aussi, un après-midi, Antoine grimpa sur une poubelle et, sur la pointe des pieds, essaya de repérer l'arbre à bonbons dans le jardin. Mais monsieur Mistral qui rentrait chez lui le surprit.
« Antoine ! Qu'est-ce tu fais ici mon garçon ?
– Heu..., répondit Antoine un peu penaud, je... je voulais voir votre arbre à bonbons.
– Mais, les arbres à bonbons n'existent pas ! répondit monsieur Mistral en riant. Je t'ai dit cela pour te taquiner. »
Comme Antoine avait l'air très déçu, monsieur Mistral l'emmena dans sa boutique et lui expliqua comment on fabriquait les bonbons dans les usines, comment, chaque mois, on venait les livrer dans sa boutique. Antoine repartit de chez monsieur Mistral un peu plus savant, et avec un énorme sac de bonbons ! •

•••

Table
des histoires

🦋 Textes d'Annie Murat

🐗 Textes de Didier Baraud et de Christian Demilly